Walther

ROMANE DES 19. JAHRHUNDERTS

Wirklichkeit und Kunstcharakter

VANDENHOECK & RUPRECHT IN GÖTTINGEN

Walther Killy

Dr. phil., geboren am 26. 8. 1917 in Bonn,
ist ordentlicher Professor für deutsche Philologie
an der Georg August Universität Göttingen

Kleine Vandenhoeck-Reihe 265 S

Lizenzausgabe der C. H. Beck'schen Verlagsbuchhandlung, München,
von »Wirklichkeit und Kunstcharakter. Neun Romane des 19. Jahrhunderts«. 1967

Umschlag: Hans Dieter Ullrich
© C. H. Beck'sche Verlagsbuchhandlung (Oscar Beck) München 1963.
Printed in Germany. Ohne ausdrückliche Genehmigung des Verlages
ist es nicht gestattet, das Buch oder Teile daraus auf photo- oder
akustomechanischem Wege zu vervielfältigen. Druck: fotokop GmbH,
Darmstadt.
8738

INHALTSVERZEICHNIS

„*Es ist, als wenn der Mensch, von neuen Bergen aus Wolken umschlossen,
ohne Himmel und ohne Erde, blos im Meer des Schnees treibend – so ganz
allein – kein Sington und keine Farbe in der Natur – ich wollte etwas sagen;
nämlich der Mensch muß aus Mangel äußerer Schöpfung zu innerer greifen.*"

Jean Paul, ›Flegeljahre‹

*C'est parce que je croyais aux choses, aux êtres, tandis que je les parcourais,
que les choses, les êtres qu'ils m'ont fait connaître sont les seuls que je prenne
encore au sérieux et qui me donnent encore de la joie. Soit que la foi qui
crée soit tarie en moi, soit que la réalité ne se forme que dans la mémoire,
les fleurs qu'on me montre aujourd'hui pour la première fois ne me semblent
pas de vraies fleurs.*   Marcel Proust, ›Du côté de chez Swann‹

„*Gott, wer liest Novellen bei die Hitze?*"

Theodor Fontane an Emil Dominik (14. 7. 1887)

EINLEITUNG

In der ›Allgemeinen Theorie der Schönen Künste‹, die Sulzer als enzyklopädische Zusammenfassung der ästhetischen Meinungen seiner Zeit im Erscheinungsjahr des ›Werther‹ ans Licht gab, fehlte das Wort Roman als selbständiges Stichwort. Es gab lediglich den Artikel *Romanhaft: Man nennt eigentlich dasjenige so, was in dem Inhalt, Ton oder Ausdruk den Charakter hat, der in den ehemaligen Romanen herrschend war, wie das Abentheuerliche, Verstiegene in Handlungen, in Begebenheiten und in den Empfindungen. Das Natürliche ist ohngefähr gerade das Entgegengesetzte des Romanhaften.*[1] Gut hundert Jahre später schrieb Henry James einen Aufsatz, den er ›The Art of Fiction‹ nannte. Darin war Sulzers Erwartung, daß die Zukunft den Charakter des Romans *dem natürlichen Charakter der wahren Geschichte*[2] immer mehr nähern werde, jedenfalls theoretisch bekräftigt: *The only reason for the existence of a novel is that it does attempt to represent life.*[3] So lautete einer der Kernsätze; ein andrer: *... the air of reality (solidity of specification) seems to me to be the supreme virtue of a novel...*[4]

Zwischen der aufgeklärten Theorie des Berliner Akademikers aus der Schweiz und der Behauptung des in England heimischen Amerikaners liegt die Geschichte des europäischen Romans im 19. Jahrhundert. Ihre Vorgeschichte war schon im Gange, als der alte Sulzer mit deutlicher Wendung gegen die phantastischen Machinationen des barocken Romans seine Hoffnung auf das *Natürliche* setzte. Damit hatte eine Entwicklung begonnen, welche die Kapitel des vorliegenden Buches in einigen Stationen bezeichnen, aber nicht insgesamt darstellen wollen. Man könnte sie auf die Formel bringen, daß sich der Roman vorschreitend mit dem *Natürlichen* in ein immer engeres und subtileres Verhältnis gesetzt habe, bis zur scheinbaren Identifikation, die nur noch in neue Entfremdung zwischen „Realität" und Dichtung übergehen konnte. Aber ein derart vereinfachender Satz wirft sogleich eine Fülle von Fragen auf, von der die, was ein Roman sei, noch die geringste ist. Gewichtiger scheint die, was denn „natürlich"

9

für die Erzählkunst sei, oder was James' vorsichtige Wendung *the air of reality* meine. Denn gewiß besteht ein Unterschied zwischen seiner Realität und dem Wirklichen, das Goethe in der Besprechung eines vergessenen Romans auf vernünftige Weise beachtet fand: *Nichts Phantastisches, sogar das Imaginative schließt sich rationell ans Wirkliche*[5], so lautete sein Lob, in dem noch Sulzers Abneigung gegen das *Verstiegene* nachklingt, erneuert durch das Treiben der Romantiker. Heute ist man (trotz dem modernen Roman) immer noch schnell geneigt, *reality* oder das *Wirkliche* in einen Zusammenhang mit dem Grade von Wahrscheinlichkeit zu bringen, den das Erzählte für den Leser hat. Allein das hilft nicht viel, denn niemand wird leugnen, daß die ,,Unwahrscheinlichkeiten" des Märchens oder der vom wackern Sulzer gerügten Romane für Hörer und Leser überzeugend genug erschienen. Die in ihnen enthaltene Wahrheit – oder soll man sagen, die Fiktion, welche sie vorbrachten? – wurde von der produktiven Imagination des Publikums mit Leichtigkeit wahrgenommen, mochte sie den Verhältnissen der empirisch-geschichtlichen Welt noch so sehr widersprechen. Das gilt bis heute fort, und nicht nur für Kinder oder für die Leser der sogenannten Kitschliteratur, die auf Wünsche, nicht aber auf Realitäten Rücksicht zu nehmen gewohnt ist.

Nicht minder problematisch ist, worauf James mit *represent life* gezielt hatte. In jedem der hier besprochenen Romane ist Leben gegenwärtig, aber in durchaus verschiedener Weise. Man findet es in den ›Wahlverwandtschaften‹, welche seine Elemente bis zur Grenze der Abstraktion bloßlegen; aber Goethes Zeitgenossen haben nicht zuletzt die Aktualität des Buches gerühmt, und sein bester und eindringlichster Rezensent, Solger, hat mit diesem klassischen Werk vor Augen den Satz geprägt, das Epos der Wirklichkeit sei der Roman[6]. Auch erscheint es vorschnell, die irreale Wanderung durch imaginäre Landschaften in Eichendorffs ›Ahnung und Gegenwart‹ für weniger lebensvoll zu halten als die unbestreitbare Repräsentation, die Londons Gassen und die englischen Küstenstriche in Dickens' ›Great Expectations‹ erfahren. Achim von Arnim – einer der größten und unbekanntesten deutschen Erzähler – war der Meinung, daß das

Historische einer Erzählung das sei, *was von Leuten mit dem Glauben aufgezeichnet worden, als sei es wirklich geschehen und gesehen*[7]. Man wird nicht leugnen wollen, daß Stendhals ›Le Rouge et le Noir‹, eine Erfindung, mehr Leben und Wirklichkeit des restaurativen Frankreich enthält als manche in gutem Glauben treulich aufgezeichnete Geschichtschreibung.

Einer theoretischen Klärung dieser Probleme mochte ich hier nicht nachgehen, ich habe einige Antworten in der Betrachtung der Dichtwerke zu geben versucht. Man darf voraussetzen, daß Erzählung und Wirklichkeit in einem Verhältnis stehen, welches sich mit den Künsten und dem Realitätsbewußtsein im Laufe der Zeiten wandelt. Das Erzählte gewinnt Rechtfertigung und Leben erst, indem es Welt vorstellt, die der Hörer, den wir meist einen Leser nennen müssen, erkennt und annimmt. Er befriedigt damit ein ganz ursprüngliches Bedürfnis, Vorstellung zu erhalten von der vielfältigen und im kurzen Erdendasein nicht eigentlich durchschaubaren Welt. So hat sich E. Staiger sehr glücklich ausgedrückt, wenn er das Wort „Vorstellung" als bezeichnend für den epischen Stil wählte[8]. „Könnt Ihr Euch vorstellen, wie es gewesen ist?" fragt der heimkehrende naive Erzähler bis auf den heutigen Tag, so wie er es in uralt-epischen Zeiten gefragt haben mag. Der Roman ist kein Epos, wie es streng genommen einer frühen heroischen Zeit angehört. Es vereinte Weltdeutung und Erinnerung an Taten, welche geschehen; insofern es mythische Qualitäten besaß, war es verbindlicher, als die Erfindungen der Phantasie es zu sein vermögen. In epischer Zeit (nur ungern würde ich mich von dieser gewiß romantischen Wendung trennen) war die Glaubhaftigkeit des Erzählten unzweifelhaft und auch die unerhörteste Wirklichkeit wirklich. Das Leben erschien göttlich durchwaltet und war zugleich natürlich, so wie die schreckliche Wut Poseidons. Es gab im Epos nichts Phantastisches, weil die Realität selbst mit der Imagination identisch war, welche das Leben begriff. Was das Epos erzählte, war wahr, was in ihm zur Erscheinung kam, waren die wirklichen Kräfte des Lebens, war die Welt.

Die Erzählkunst der Neuzeit dagegen erzählt im Bewußtsein der Fiktion, und es ist nicht einmal sicher, ob sie größer ist, wenn

sie es überwindet oder wenn sie es vergessen macht. Ottilie hat
Leben, ganz anderes als Isabel Archer oder Lene Nimptsch. Das
Hôtel de La Mole und das Rosenhaus sind sehr verschiedene
Lokalitäten, deren Erfindung sich jeweils rationell an das Wirk-
liche anzuschließen scheint. Personen und Orte haben Realität
für uns, wir leben mit ihnen. Aber sie sind Fiktionen, und ihre
„Wirklichkeit" ist jeweils so verschieden wie ihre poetische
Verwirklichungsweise. Sie ist karg und streng bei Goethe, dem
Kunstganzen untergeordnet. Ein überquellendes Zeitpanorama
voller Detail, aber auch voller Dämonie wird von Balzac entrollt.
Eine die Geschichte als gewesenes Wirkliche verleugnende Natur
wird uns von Stifter harmonisch vorgebracht. Kaum mehr äußere
Realität, nur noch Seelenzustände, die endlos ineinander verflie-
ßen, finden sich bei Joyce – all dies ist Erfindung und besitzt doch
the air of reality. Jede dieser jeweils anderen Realitäten überredet uns, als sei sie wahr und zeige keine der von Sulzer unter
dem Stichwort *Romanhaft* versammelten Unnatürlichkeiten. Nicht
nur, daß die Wirklichkeit dieser Bücher verschieden erscheint;
auch die Art des Interesses, welches die Erzähler – und mit ihnen,
ob sie wollen oder nicht, die Leser – an ihr nehmen, ist unterschiedlich. Anders ist die Weise, wie uns Realität gezeigt wird,
anders ist die Art, wie wir sie empfangen. In den Kapiteln dieses
Buches habe ich mir als ein Leser zu vergegenwärtigen gesucht,
worin der Wandel des Realitätsverhältnisses bestehe, wie er geschieht, wo er hinaus will und was er über die Geschichte der
Erzählkunst sagt. Denn auf diese kommt es mir an, und nur,
wenn man ihre Verfahrensweise betrachtet, läßt sich hoffen, daß
sie auch etwas vom Menschen in der Welt preisgibt, welcher der
Held aller Romane ist.

Fragmentarisch, wie sich dies Unterfangen auch darstellt, durf-
te es sich keineswegs nur an deutschen Werken orientieren. Die
Enge unserer Wissenschaft ist in Eigentümlichkeiten der deutschen Literatur selbst, besonders der des späteren 19. Jahrhunderts, mitbegründet. Solange es „Gebildete" gibt, die fremde
Sprachen zu lesen nicht gewöhnt oder imstande sind, wird sich
daran nichts ändern. Es ist wichtiger, die großen Franzosen zu
kennen, als die zweite Garnitur der deutschen Erzähler. Welche

Weltfülle, welche Kunst bei Stendhal, Balzac und Flaubert, welch ein Werk im Ganzen! Die gleichmäßige Höhe des englischen Realismus ist bei uns zulande fast unbekannt, obwohl Kritiker wie O. Ludwig, Spielhagen und Fontane sich noch daran zu messen versuchten. In Deutschland ist alles viel vereinzelter, zusammenhangloser, mühsamer, vor allem: unsicherer im Verhalten zur Erfahrungswelt. Bei den Angelsachsen und Franzosen des 19. Jahrhunderts – und nur von diesem ist hier die Rede – erscheint das Individuum in der Gesellschaft, erscheint die Zeit als Geschichte. In Deutschland geht es vorzüglich um das Individuum, weniger um seine Welt, wie es der verräterische Begriff des „Bildungsromans" zeigt. Solche Besonderheiten unserer Literatur werden eigentlich erkennbar erst auf der Folie der anderen, um so mehr, als die innige Kommunikation des gebildeten Europa die Poesien der Völker stets aufeinander gewiesen hat. Es stellt sich in seiner Fülle nirgends reicher dar als in seinen Romanen. Es ist mir leid, daß ich die Russischen, die dem 19. Jahrhundert angehören, nicht in der Sprache ihrer Verfasser lesen und deshalb nicht behandeln kann. Wieviel Wirklichkeit, wie viele Wirklichkeiten auch in ihnen!

Man hat über den Roman und seine Realität viel nachgedacht. Bei uns wird man sich neben einigen verstreuten Äußerungen Goethes, die im ersten Kapitel zur Sprache kommen, vor allem an Hegels berühmte Formulierungen erinnern, die der dritte Teil der ›Ästhetik‹ bringt. Sie sind sinnvoll und ergiebig auch, wenn man sie nicht im Zusammenhang des gewaltigen Werkes betrachtet. Der Roman, sagt er, sei die moderne bürgerliche Epopöe; er ordnet ihn damit den gegenwärtigen sozialen Verhältnissen, einer in ihren Bedingungen bestimmten und erkennbaren Zeit zu. Die geschichtliche Welt findet im Roman ein Mittel, sich das eigene Ganze zu vergegenwärtigen: *Hier tritt einerseits der Reichtum und die Vielseitigkeit der Interessen, Zustände, Charaktere, Lebensverhältnisse, der breite Hintergrund einer totalen Welt sowie die epische Darstellung von Begebenheiten vollständig wieder ein.*[9] Das Wort *wieder* bezieht sich auf Hegels romantische Meinung, dem alten Epos sei all dies auf natürliche Weise zu leisten möglich gewesen, weil die Weltverhältnisse poetisch waren und das ewig Gültige und Wirksame gleichsam von selbst in ihnen zur Erscheinung kam. In den Erzählungen der Neuzeit ist das anders, sie entstammen (wie er sich etwa im Hinblick auf die ›Wahlverwandtschaften‹ ausdrückt) *einer bestimmten prosaischen Zeit*[10], der ursprünglich *poetische Weltzustand*[11] ist ihnen verloren. An seine Stelle tritt daher die Darstellung der prosaischen Bedingungen und Zustände einer prosaischen Welt, die man heute im Unterschied zur heroisch-mythischen wohl die geschichtliche nennen würde. *Der Roman im modernen Sinne setzt eine bereits zur P r o s a geordnete Wirklichkeit voraus, auf deren Boden er sodann in seinem Kreise . . . der Poesie, soweit es bei dieser Voraussetzung möglich ist, ihr verlorenes Recht wieder erringt.*[12]

Aus der Wirklichkeit des Lebens wird eine Kunstwirklichkeit, auch wenn Prosa weiter das Medium der Erzählung bleibt. Was in der *Prosa des wirklichen Lebens*[13] alltäglich und trivial erscheint, tritt in einen Kunstzusammenhang ein. Er stellt die *Totalität einer Welt- und Lebensanschauung*[14] her, die dem geschichtlichen Leben für das menschliche Auge abgeht. Eine neue, *der Schönheit und Kunst verwandte und befreundete Wirklichkeit*[15] ersetzt, übertrifft und ordnet die empirische, deren sich der Dichter bemächtigt hat, nicht, um sie zu vernichten, sondern um sie seinem Kunstganzen anzuverwandeln. Solche Erwägungen sind denen Goethes nicht unverwandt, aber sie verlangen keineswegs, daß man sich den übrigen Gedankengängen einer klassischen oder idealistischen Ästhetik unterwerfe. Sie sollen deutlich machen, daß der Roman an die Stelle der Unübersehbarkeit geschichtlich-prosaischen Lebens die Überschaubarkeit und Sinnfülle des Kunstproduktes setzt. Dabei büßen die Verhältnisse und Mächte des Daseins nichts an Unergründlichkeit und Macht ein; aber sie kommen zusammenhängender zur Anschauung, und zwar um so mehr, je höheren Rang das Erzählwerk hat. In ihm erlangt, so könnte man sagen, die Geschichte sichtbare Wahrheit. Ich stelle diese Erwägungen nicht an, um mich in das Labyrinth der Ästhetik locken zu lassen, in welchem man den Faden gar zu leicht verliert, wenn man sich nicht mehr an den Werken der Kunst orientiert. Es geht hier nur um einige einigermaßen allgemeine Voraussetzungen für den Roman des 19. Jahrhunderts, die mit

Hilfe der Hegel-Stellen begreiflicher werden, auch wenn sich der Begriff des Schönen seitdem gewandelt hat.

Die poetische Realität hängt von zweierlei Bedingungen ab: von denen der Kunst, des Erzählens, seiner Technik und Form; und von denen der Wirklichkeit, der Lebensprosa. Auf diesem Grunde wird der Satz des Henry James nochmals wichtig, daß der Roman allein durch den Versuch, Leben abzubilden (*to represent life*), seine Daseinsberechtigung erhält. Dabei liegt der Ton nicht mehr auf der Verschiedenheit des vorgestellten Lebens, sondern auf dem Worte *represent*. Was es bedeutet und wie die vergegenwärtigende Repräsentation stattfindet, ist eine Hauptfrage dieses Buches. Wie so oft, wird man des einen habhaft nur durch das andere: die Weise der Darstellung wird auf die jeweilige Wirklichkeit, diese auf die Verfahrensweise des Dichters deuten. So unterschiedlich die *Prosa des wirklichen Lebens* auch sein mag, sie folgt, sobald sie als *zur Prosa geordnete* (auf dies letzte Wort kommt es an) *Wirklichkeit* Kunstcharakter erhält, einem gleichen Gesetz.

Im Roman von Rang tritt das Kunstprodukt als ein Ganzes in Erscheinung, in sich selbst sinnvoll und geschlossen. Eine eigene, lebensvolle Welt organisiert sich und bedarf dazu der Fiktion, sie sei Abbild einer wirklichen, welche auf diese Weise die erwünschte und im „Leben" vermißte Totalität erlangt. Je höher der Rang ist, um so überzeugender wird der Roman sich als Ganzes darstellen und eine ganze Wirklichkeit nach seinen Kunstvoraussetzungen erscheinen lassen. Der europäische Roman entwickelt einen bestürzenden Reichtum von Kunstformen und Realitäten, die im 19. Jahrhundert dennoch miteinander verwandt sind und einen Zusammenhang zeigen. Gemeinsam ist ihnen die Auseinandersetzung mit einem historischen Bewußtsein, das es vordem nicht gab und das gerade für die Literatur auch die Form eines psychologischen Bewußtseins anzunehmen vermochte. In beiden Fällen führte die Betrachtung der besonderen Lebensumstände auf eine Kette von Ursachen und Wirkungen, die auch die Dichter dem Leben nachzuknüpfen hatten, damit das Kunstleben als überzeugend wirklich erscheine. Goethe, in dessen ›Wahlverwandtschaften‹ sich die klassische Romanform fand, konnte eine erkennbar historische Realität und den psychologischen Nexus menschlicher Handlungen noch außer acht lassen. Aber er hat sie als Greis in den Werken Manzonis und Stendhals aufs höchste bewundert, noch mit achtzig Jahren dem gegenwärtigen Zeitpunkt zugewandt wie kein andrer. So rühmte er an dem Verfasser der ›Promessi Sposi‹, *daß er ein ausge-zeichneter Historiker ist, wodurch denn seine Dichtung die große Würde und Tüchtigkeit bekommen hat . . .*[16] Zugleich bemerkt er die Erfah-renheit des Mailänder Edelmanns in seinen Heimatgegenden: *Daher entspringt nun auch ein großes Hauptverdienst des Werkes, näm-lich die Deutlichkeit und das bewundernswürdige Detail in Zeichnung der Lokalität.*[17] Die entschiedene Position klassischer Kunstanschau-ung aber und zugleich der Ausblick auf eine künftige, von Goethe nicht mehr erlebte Entwicklung kommen in dem Tadel zu Wort, den er dem eben ergangenen Lob anhängt; Manzoni, so sagt er, habe *als Historiker zu großen Respekt vor der Realität*[18].

Zwischen Realitätstreue und Verfügung über die Wirklichkeit spielt sich die Geschichte des Romans im 19. Jahrhundert ab. Man wird fragen, warum derjenige des Italieners hier nicht er-scheine, und ich habe keine andre Antwort als die: es kam darauf an, für jeden Problemkreis ein Werk zu finden, das ihn jeweils begreiflich macht. Dabei geht es nicht ohne eine gewisse Willkür ab, und ›Le Rouge et le Noir‹ schien die Darlegung, was ein historisch-psychologisches Bewußtsein für die Erzählkunst be-deute, ein wenig leichter zu machen als das herrliche italienische Buch. Man wird sagen, der Verfasser bevorzuge die deutsche und die angelsächsische Literatur. Das trifft nicht zu. In die-sen Kapiteln geschieht es mit guten Gründen. Die Franzosen kommen von der Entfaltung des bei Stendhal einmal Begriffenen nicht wieder los, und es schien tunlich, andere Themen mit Hilfe der deutschen Dichtung aufzugreifen, die in ihrer Disparation sehr Verschiedenes ermöglicht, wieder andere mit Hilfe der eng-lischen, welcher die Frische der Amerikaner zu Hilfe kam. So findet man die romantische Negation des neuen, dem Jahrhun-dert eigentümlichen Realitätsbewußtseins bei Eichendorff darge-stellt; wie es sich die alten Muster und Bilder von Märchen und Sage anpaßt, zeigen Dickens und Poe. Im Zusammenhang Stifters werden vielleicht bestimmte deutsche Eigentümlichkeiten begreiflich; bei Wilhelm Raabe und bei Henry James zeigen sich – so überraschend das anmutet – die ersten Zeichen einer neuen Zeit, indem der eine das gerade gewonnene geschichtliche Bewußtsein, der andre die sichere Realität aufs neue in Frage stellt. Theodor Fontane faßt mit viel Menschlichkeit zusammen, was Deutsche, Franzosen und Engländer der Erzählkunst dazugewonnen haben; nach ihm beginnt eine andere Epoche, die zu behandeln ich mir für diesmal nicht vorgesetzt habe. Die Prosa des wirklichen Lebens ist so schönen Beschäftigungen heute feindlich.

Ich habe es für richtig gehalten, auf die sogenannte Begriffsklärung zu verzichten. Was mit „Wirklichkeit", was mit „Kunst" oder „Kunstcharakter", „Geschichte" und „Notwendigkeit" und ähnlichen Wendungen gemeint sei, ergibt sich, wie ich hoffe, aus der Einzelbetrachtung. Solchen Begriffen auf ihren ätherischen Leib zu rücken, ist nicht die Aufgabe der Literaturgeschichte, sondern der Philosophie, die sich seit Jahrtausenden fragt, was das Wirkliche sei. Die wissenschaftliche Psychologie beteiligt sich erst neuerdings an diesem Nachsinnen, auch ihr wollte ich nicht ins Handwerk pfuschen. Denn die Gefahr ist nicht geringer geworden, die Jean Paul schon in der ersten Vorrede zur ›Vorschule der Aesthetik‹ beschrieb: *Der . . . Weg zum ästhetischen Nichts ist die neueste Leichtigkeit, in die weitesten Kunstwörter – jetzo von solcher Weite, daß darin selber das Sein nur schwimmt – das Gediegenste konstruierend zu zerlassen . . .*[19] Wir fragen die Dichter, und es geht ja gerade darum zu zeigen, wie sich im Laufe eines Jahrhunderts jeweils eine andre poetische Wirklichkeit in verschiedenen Verfahrensweisen darstellt.

Aber damit sind wir wieder bei den Problemen dieses Bandes, die sich besser an den Gegenständen als in abstracto vortragen lassen. Der Leser möge erlauben, daß seine Aufmerksamkeit auf die Wandlungen des Interesses an der Realität gerichtet wird; nicht auf die Frage, was diese überhaupt sei, vielmehr auf die, wie sie in der Kunst erscheine. Man darf das, ohne zu viele Gedanken auf die Binsenwahrheit zu verschwenden, daß Kunstwirklichkeit nicht Naturwirklichkeit ist. Wie diese sich in neun großen Werken zueinander verhalten, möge ein wenig deutlicher werden, und die Werke dazu. Es geschieht in der Hoffnung, daß Hofmannsthals Resignation nicht recht behalte: *Wie wenige Menschen aber in unserer Zeit*, so sagte er bei der Betrachtung Manzonis, *wünschen denn auch nur, auf den Genuß eines Ganzen hingeführt zu werden.*[20] Nur wenn die Vergegenwärtigung eines solchen Ganzen gelingt, hat die Betrachtung des Einzelnen ihr Recht erwiesen.

Göttingen, im November 1962

WIRKLICHKEIT UND KUNSTCHARAKTER

GOETHE: ›DIE WAHLVERWANDTSCHAFTEN‹

Man erinnert sich des Anfangs der ›Wahlverwandtschaften‹. Nur mit Mühe hat Eduard Charlottens Ahnung bagatellisiert, daß nichts bedeutender sei in jedem Zustande als die Dazwischenkunft eines Dritten. An dem gleichen Tischchen, wo Charlotte so eifrig gegen die Ankunft des Gastes gesprochen, sitzen nun das Ehepaar und der Freund, und schon erwägt man im Herzen die Herbeiberufung eines Vierten, Ottiliens. Zu dritt noch steigt man den beschwerlichen Pfad bergan und gelangt durch Busch und Gesträuch zur letzten Höhe. Sie verdeckt Dorf und Schloß, von denen man kam, und der Blick wird so in eine weite Landschaft gerichtet, welche Goethe ausführlich zu beschreiben scheint:

In der Tiefe erblickte man ausgebreitete Teiche; drüben bewachsene Hügel, an denen sie sich hinzogen, endlich steile Felsen, welche senkrecht den letzten Wasserspiegel entschieden begrenzten und ihre bedeutenden Formen auf der Oberfläche desselben abbildeten. Dort in der Schlucht, wo ein starker Bach den Teichen zufiel, lag eine Mühle halb versteckt, die mit ihren Umgebungen als ein freundliches Ruheplätzchen erschien. Mannigfaltig wechselten im ganzen Halbkreise, den man übersah, Tiefen und Höhen, Büsche und Wälder, deren erstes Grün für die Folge den füllereichsten Anblick versprach. Auch einzelne Baumgruppen hielten an mancher Stelle das Auge fest. Besonders zeichnete zu den Füßen der schauenden Freunde sich eine Masse Pappeln und Platanen zunächst an dem Rande des mittleren Teiches vorteilhaft aus. . .[1]

Eduard weist den Freund auf diese schöne Baumgruppe hin, die er als junger Mensch selbst gepflanzt; ein frisches Detail in einer lebhaften Schilderung. Wodurch wirkt sie? Wird hier Natur geschildert, wie das Auge sie in einer bestimmbaren Wirklichkeit erblickt hat, sucht das Wort ein reales Vorbild (wie man tatsächlich behauptet hat) dem inneren Sinn zu reproduzieren? Der Leser folgt dem Blicke der drei Freunde in einer vom Dichter vorgeschriebenen Perspektive: Zunächstliegend, zu Füßen, sind Teiche; jenseits der Teiche bewachsene Hügel, hinter denen sich doch keine unendliche Ferne eröffnet. Vielmehr wird die Fernsicht abgeschlossen durch steile Felsen, die sich (ein von Goethe geliebtes und bedeutendes Motiv) im Wasser spiegeln, die Unendlichkeit des Himmels in der Endlichkeit der Spiegelung begrenzend. Der ganze Raum ist gegliedert, er entsteht durch die Nennung und Zuordnung einfacher Landschaftselemente, Teich, Hügel und Fels. Erst nachdem diese Gliederung hervorgerufen ist, füllt sich das Bild mit einigen Einzelheiten. *Dort in der Schlucht,* so heißt es, liegt eine halbversteckte Mühle; aber nur scheinbar ist die Lokalisierung durch das hinweisende *dort* genau: der so bezeichnete Ort bleibt, wie der starke Bach, unbestimmt und unbeschrieben, und wie die ganze Vielfalt von Höhen, Büschen und Wäldern ist alles der Phantasie überlassen. Dem Leser geht es wie einer schönen jungen Dame in den ›Wanderjahren‹. Er sieht sich durch die Dichtung „*in heitere Gegenden versetzt*", in denen er den „*Grundwert des Einfachländlichen*" findet, ja hier wie dort scheint der Dichter auf genau die gleiche Weise zu verfahren, indem er uns „*unvermerkt auf eine Höhe zum Anblick eines Landsees hinführt, da denn auch wohl gegenüber erst angebaute Hügel, sodann waldgekrönte Höhen emporsteigen und die blauen Berge zum Schluß ein befriedigendes Gemälde bilden*"[2].

Ein *befriedigendes Gemälde* also. Der Autor hat es uns, genau wie jene Dame es sich wörtlich wünscht, *als ein Bild in* unserer *Imagination entwickelt*[3]. Es ist keine *Portraitlandschaft*[4], wie Goethe manche Produktionen seiner die empirische Realität kopierenden Zeitgenossen abschätzig nannte, sondern ähnelt eher den Erfindungen von Goethes Lieblingsmaler Claude Lorrain, an welchem er etwa das *Freie, Ferne, Heitere, Ländliche, Feenhaft-Architektonische*[5] (das heißt auch bewußt Komponierte) lobte. Die Befriedigung entspringt keineswegs der *Wahrheit des Nachgeahmten*, welche aus gutem Grund in den Augen dieses Dichters an sich wertlos ist, sondern sie nimmt wahr *die Vorzüge des Ausgewählten, das Geistreiche der Zusammenstellung,* kurz gesagt *das Überirdische* (das heißt

das Irreale) *der kleinen Kunstwelt.*[6] Die Landschaft, die von Eduard, Charlotte und dem Hauptmann erblickt wird, scheint den
gleichen Bedingungen unterworfen, wie sie Goethe für die Malerei wünschbar erschienen: aus einigen nomina, Elementen der
Welt, entsteht eine höhere, in sich geschlossene *Kunstwelt.* Indem
*die zerstreuten Gegenstände in Eins gefaßt und selbst die gemeinsten in
ihrer Bedeutung und Würde aufgenommen werden,* erhebt sie sich frei
über die Natur.[7] Oder, wie Goethe von dem Lothringer sagt: *Im
Claude Lorrain erklärt sich die Natur für ewig.*[8]

Nun haben wir es hier nicht mit einem beharrenden Gemälde
zu tun, sondern mit einer dem Ohr vorübereilenden Stelle in einem Roman. Die Schilderung mag als ein tableau wirken, deren
die ›Wahlverwandtschaften‹ noch mehrere enthalten, insofern
ein ordnender Sinn aus den anschaulichen Teilen einer eigentlich
idealen Landschaft ein neues, gegliedertes Ganze hervorruft.
Aber das Bild ist nicht sein eigener Zweck, die Erzählung kann
nicht bei ihm verweilen, es repräsentiert nicht nur den vom
malenden Künstler aufgehobenen Augenblick der Anschauung,
in dem sich die Natur für ewig erklärt, das Grün ewig fortgrü-
nen, der Bach ewig strömen und die steilen Felsen für immer
sich fortspiegeln würden. Dies Bild wird sich mit der Zeit wandeln, von der erzählt wird, und es erklärt das Schicksal der
Freunde, welche es, noch unbewußt, anschauen. Die Erwartung
des Lesers wird behutsam, aber unüberhörbar auf ein Wieder-
sehen mit diesem Schauplatz gerichtet. Vergangenheit ist schon
in ihm enthalten – Eduard hat die Pappeln und Platanen zu
Füßen der Schauenden selbst gepflanzt, als sie noch *junge Stämm-
chen* waren. Noch weiß er nicht, daß es an dem gleichen Tage
geschah, an dem Ottilie geboren wurde; unter diesen Platanen
wird er sie bitten, die Seine zu werden, unter ihnen wird Ottilie
mit der Leiche des Kindes anlanden, dessen Tod die Liebenden
für immer trennt. Schon durch die bloße Wahl der Zeitwörter
deutet hier der Dichter auf Zukunft. Die Mühle, so heißt es,
erschien als ein freundliches Ruheplätzchen; aber sie wird zu dem
Ort, da sich die unruhige Leidenschaft Eduards zu der jungen
Verwandten seiner Frau erstmals erklärt. Das erste Grün in der
Landschaft *versprach* für später den füllereichsten Anblick; Edu-

ard wird ihn nicht sehen, weil er in der Erntezeit entflieht, um die Verstrickung zu lösen. Das so schön begonnene Jahr, das Fülle versprach, endet in Wirrsal. Die Teiche endlich, welche hier Felsen und Himmel abspiegeln, spiegeln später die verrauschenden Lichter des Feuerwerks, mit dem Eduards Leidenschaft Ottilien zu ehren meint; aus den Teichen rettet die Besonnenheit des Hauptmanns einen verunglückten Knaben; sie tragen den Kahn, in dem der Hauptmann sich Charlotten erklärt, um ihr zu entsagen; den Kahn, den Ottilie nicht zu steuern weiß, als ihr das Kind ertrinkt; nur einmal erblickt Eduard den Wasserspiegel vollkommen und rein, als er, aus dem Kriege zurückkehrend, am Ufer Ottilien mit dem Kinde trifft. Dann folgt die Katastrophe.

Die anschauliche Wirklichkeit, sofern von ihr in diesem Buche die Rede ist, steht also in einer unmittelbaren Beziehung zu seinem Ganzen. Goethe, der die drei Freunde von der Höhe in die Weite blicken läßt, reproduziert keine bestimmbare Landschaft. Er gibt nur der Einbildungskraft einen allgemeinen Anhalt: aus Teich, Hügel und Fels, wie sie nacheinander gegliedert erscheinen, imaginiert sie die Fernsicht. Insofern ein solches Bild mit Einzelheiten ausgestattet wird, gehören sie im eigentlichen Sinne notwendig zum Geschehen; sie sind keine zufälligen Details, mit denen sich die Kunst herausputzt, als ob sie Wirklichkeit wäre. Die Einzelheit an sich ist ohne Interesse, sie realisiert sich sinnvoll erst im Ganzen, und nichts wäre Goethe gleichgültiger, ja gemeiner und kunstwidriger erschienen als die Abbildung von einmaligem Detail und Milieu als solchen, mit welcher man seit dem 19. Jahrhundert die Wahrscheinlichkeit der poetischen Erfindung zu beglaubigen sucht. Wir erfahren nicht, wie die Landschaft „in Wirklichkeit" aussieht. Wenn aber eine allgemeine Anschauung differenziert und dem Leser bestimmte Züge berichtet werden, so darf er ihres bedeutenden Wesens sicher sein. Es wird sich erst im Laufe der Zeit, im Ablauf der Erzählung erklären; zunächst erscheint die Mühle nur als ein halbversteckter Ruheplatz, ein Flecken in der Landschaft. Eine Zeit später wird der Leser sie als Schicksals-Ort realisieren. Zunächst sind die Teiche Flächen und Formen im Bild, Felsen abspiegelnd. Eine Zeit später werden auch sie Schauplatz von Schicksalen. Wir könnten uns vielleicht unsere Überlegungen ersparen, hätte Goethe den Aufsatz *Über das symbolische Local*[9] geschrieben, den er für die Propyläen geplant hat.

Die Landschaft, die wir bisher betrachtet haben, gewährt also die räumliche und zeitliche Disposition für die erschütternden Ereignisse des Romans. Nur insofern die Dinge mit diesen in Beziehung stehen, sind sie der Erwähnung wert. Nur durch die Beziehung auf die Realien wird der Ablauf der Ereignisse erkennbar und kann sich erklären. Auch der geringste Gegenstand kann zur Funktion des Schicksals werden. An sich oder in der geschichtlichen Welt wertlos, vermag er in der Kunstwelt unaussprechliche Zusammenhänge darzustellen. Mit einer unerbittlichen Objektivität zeigen die Dinge an, was an der Zeit, an der Schicksalszeit Eduards und Ottiliens ist. Das gilt nicht nur für die Landschaft. Die anfangs zufällig erscheinende Gruppe von Pappeln und Platanen macht in der Einheit des Schauplatzes die Zusammenhänge des Geschickes faßbar: der noch schicksallose Jüngling, der sie pflanzte; der Mann, *dessen Busen brannte*[10], als er sich allein mit der Geliebten unter den Platanen findet, während das Feuerwerk verrauscht; Ottilie drückt das tote Kind an *ihre unschuldige Brust, die an Weiße und leider auch an Kälte dem Marmor gleicht*[11], während ihr Kahn auf die Platanen zutreibt. Charlotte schließlich, die fühlt, *wie sehr Haus und Park, Seen, Felsen- und Baumgruppen nur traurige Empfindungen täglich... erneuerten*[12]. Wie weit entfernt ist man am Ende vom *füllereichsten Anblick*, von dem man einst *zufrieden und heiter* zurückgekehrt war.

Es gehört zur Funktion der anschaulichen Realität in den ›Wahlverwandtschaften‹, daß sie eben diesen Ablauf begreiflich macht. Unter einem sparsam geknüpften Netz von Wirklichkeit ist zusammengehalten, was sonst unfaßlich bliebe. Mit einer staunenswerten poetischen Ökonomie erscheinen nur solche Einzelheiten, deren Zweck sich nicht im Augenblick der Darstellung schon erschöpft; erst im Vorschreiten der Erzählung zeigen sie, daß die kunstvolle Summe aller einzelnen Erscheinungen den Zusammenhang des Ganzen konstituiert. Das Glas mit den Initialen E und O, beim Richtfest übermütig in die Luft geschleudert, zerspringt nicht. Ein Arbeiter, der es fängt, deutet es sich im Augenblick als ein glückliches Zeichen; Eduard, der es erwirbt, zeigt es vor, als hoffnungsreiches Omen für sich: *Um hohen Preis habe ich es wieder eingehandelt, und ich trinke nun täglich daraus, um mich täglich zu überzeugen: daß alle Verhältnisse unzerstörlich sind, die das Schicksal beschlossen hat.*[13] Aber das Schicksal hat es anders beschlossen, und es liegt nicht an den Dingen, wenn sie von dem mißdeutet werden, der in das Schicksal verschlungen ist. Ihr Verweischarakter wird erst im Kunstganzen deutbar; in der Welt erscheinen sie zweideutig, ihre scheinbaren Versprechungen trügen, sie sind nur ein Spiegel undeutlicher Wünsche, *kein wahrhafter Prophet*[14]. Als Eduard erkennt, daß er schon längst nicht mehr aus diesem Glase trinkt – das „echte" Glas ist zerbrochen, ein anderes aus Eduards Jugend vom Diener untergeschoben, E und O sind ja die Initialen auch seines eigenen Namens Eduard-Otto – als er dies endlich erkennt, ist seine Zeit abgelaufen.

Eben dies wird uns an dem Ding deutlich. Das Detail gehört zum notwendigen Gang der Handlung. Es kehrt wieder und zeigt damit den Fortgang an, denn es kehrt nicht in der Weise wieder, in der es zum ersten Male erschienen war. Es hat sich gewandelt, oder es dient zu anderem, als es vordem diente; es wird, denn die Zeit geht weiter, nicht mehr an der gleichen Stelle gebraucht oder zum gleichen Zwecke. Eine derart wandelbare Wiederkehr der äußeren Wirklichkeit macht die Unterscheidung der einzelnen Schicksals-Stationen möglich: der mit Feuerwerk vollgepackte Kahn kann nicht zur Lustfahrt dienen und nicht zur Rettung; der festgefahrene Kahn bringt nicht zum sicheren Ufer; der ruderlose ist dem Wind preisgegeben: wohl ist es immer derselbe Kahn, immer dasselbe Gewässer, aber niemals die gleiche Stelle im Ablauf des Lebens. Welche Stelle es eigentlich sei, das erklären die Dinge besser, als der Begriff es vermöchte. Sie ermöglichen dem Leser die Erinnerung, die in der Unterscheidung Zusammenhänge wahrnimmt; in kurzem: sie helfen, den Progreß des Geschehens ebenso sichtbar zu machen, wie sie die Ereignisse zusammenfassen, ja erklären. Die Tatsache, daß die Wirklichkeit (Landschaft und Dinge) in den ›Wahlverwandtschaften‹ stets **notwendig** erscheint, nie um ihrer selbst willen, gibt ihr den Kunstcharakter.

Aufmerksame Leser haben die bedeutende, ja oft symbolische Qualität der Realien in den ›Wahlverwandtschaften‹ von jeher bemerkt. Vortrefflich und im Grunde ganz in Goethes Sinn hat das Walter Benjamin ausgesprochen: *Das Symbolische aber ist das, worin die unauflösliche und notwendige Bindung eines Wahrheitsgehaltes an einen Sachgehalt erscheint.*[15] Aber während man diesem tiefgründigen und unauflöslichen Zusammenhang nachdachte, hat man – wie oft in der Beschäftigung mit der deutschen Poesie – andere Zusammenhänge in dem Streben nach „Deutung" aus dem Auge verloren. Indem Goethe die Wirklichkeit als eine Funktion der Notwendigkeit behandelt, unterwirft er sie den strengen Bedingungen der Kunst. Der Notwendigkeit des Schicksals entspricht die ästhetische Notwendigkeit des Romans, dessen Ganzes durch die Wiederkehr und verwandelte Erscheinungsweise der Dinge Gliederung, Proportion, Form erhält. Obwohl Eduard und Ottilie den Konsequenzen eines dem Wesen nach tragischen Konfliktes zum Opfer fallen, hat der Dichter mit unüberhörbarer Deutlichkeit auf dem Titelblatt unter die Worte ›Die Wahlverwandtschaften‹ den Namen der Gattung gesetzt: *Ein Roman.* Der Roman wie er ihn verstand schien ihm vorzüglich geeignet, eben jene Konsequenzen faßlich zu machen, soweit die Geheimnisse des Schicksals überhaupt faßlich werden können. Denn in Goethes zwar nur gelegentlich vorgetragener, aber dennoch sehr zusammenhängender (und von der Forschung vernachlässigter) Poetik ist *Konsequenz* das eigentliche Kennzeichen der epischen Formen: *. . . von ihnen als sittlichen Kunsterscheinungen verlangt man mit Recht eine innere Konsequenz, die, wir mögen durch noch so viel Labyrinthe durchgeführt werden, doch wieder hervortreten und das Ganze in sich selbst abschließen soll.*[16]

Diese Anschauung begründet die Behandlung der Wirklichkeit, wie wir sie in den ›Wahlverwandtschaften‹ antreffen. Es kann keine bloße Abbildung der Lebensverhältnisse sein, deren Zusammenhang in Wirklichkeit nie übersehbar, deren Folgen vom Zufall bedingt sind. An die Stelle des natürlichen oder geschichtlichen Zusammenhangs (wie immer wir ihn nennen wollen) tritt der epische, ein Kunstzusammenhang. Der Kunstzusammenhang erscheint als ein sinnvolles Ganze, wie das Leben schließlich nur im Angesicht Gottes zu erscheinen vermag. Dies Ganze ist höher und anderer Art als alle empirische Wirklichkeit. Wie ein verspäteter Kommentar zu den ›Wahlverwandtschaften‹ lesen sich die Betrachtungen, welche Goethe anläßlich der Lektüre eines Romans der Johanna Schopenhauer aufzeichnet. *Alles,* so sagt er, *ist nach dem Wirklichen gezeichnet, doch kein Zug dem Ganzen fremd . . . Und so ist es eben recht: der Roman soll eigentlich das wahre Leben sein, nur folgerecht, was dem Leben abgeht.*[17] Und ein wenig später in dem gleichen Aufsatz wiederholt er nochmals, daß das Leben in der Welt überhaupt und in der Gesellschaft insbesondere von Bedingungen abhängt. *Der Roman hingegen stellt das Unbedingte als das Interessanteste vor; gerade das grenzenlose Streben, was uns aus der menschlichen Gesellschaft, was uns aus der Welt treibt, unbedingte Leidenschaft; für die dann, bei unübersteiglichen Hindernissen, nur Befriedigung im Verzweifeln bleibt, Ruhe nur im Tod.* Ein Nachsatz betont, dies sei der *eigentümliche Charakter des tragischen Romans*[18].

Nun stellen die ›Wahlverwandtschaften‹ eigentlich das *wahre Leben* dar, das wahre menschliche Leben. Die elementaren Mächte, von denen es sich bestimmt findet, nach Goethes berühmter Selbstankündigung die *heitere Vernunftfreiheit* und die *trübe, leidenschaftliche Nothwendigkeit*[19], treten beide mit ihrem eigentümlichen Anspruch hervor, dem gegenüber es kein Entweichen gibt. Der Anspruch stellt sich mit aller Unbedingtheit, ohne die Rücksichten, welche die Gesellschaft durch die groben, nur im Vordergrund „theologischen" Reden Mittlers fordert. Eduard, so hat Goethe einmal verteidigend gesagt, sei ihm unschätzbar, weil er unbedingt liebe; Ottilie liebt nicht nur unbedingt, sie folgt nicht weniger unbedingt (und das heißt in diesem Falle frei) der ihr vom eingeborenen sittlichen Streben vorgezeichneten Bahn. Unübersteiglichere Hindernisse scheint es nicht zu geben, als wenn es gilt, diese beiden Unbedingtheiten *im Leben* zu vereinigen; in dem Augenblick, da es versucht wird, bedingen sie schon einander. In reiner Form, folgerecht, vermag der sittliche Mensch nicht dem Naturgesetz (das sich hinter der chemischen Gleichnisrede von den Wahlverwandtschaften verbirgt) zu folgen, noch vermag er als ein natürliches Wesen den Geboten der Sittlichkeit vollkommen nachzustreben. In jedem Falle wird er im Leben gezwungen sein, sich den Bedingtheiten der geschichtlichen Welt zu fügen, wenn er leben und nicht daraus vertrieben sein will. Sein Gewissen weiß das, und deshalb ist ihm das Unbedingte das Interessanteste.

Die Gattung, welche Goethe als den *tragischen Roman* bezeichnet, hat ihre Begründung also in den conditionibus humanis, widersprüchlichen Bedingungen, die nur tragisch auflösbar erscheinen. Dazu bedarf es der Kunst, und deshalb wird ihr die sogenannte Wirklichkeit untergeordnet; in der Kunst erscheint das *wahre Leben* folgerecht, *was dem* (geschichtlich-empirischen) *Leben abgeht*. Der Dichter muß eine ganze Kunstwelt herstellen, weil er die Bedingungen der geschichtlichen nicht brauchen kann, wenn es gilt, die reinen Möglichkeiten des Menschen dem Menschen unbedingt anschaulich zu machen. Aus diesem Grunde ordnet er das Wirkliche (das nie sein Zweck ist, ohne welches er aber auch nicht darzustellen vermag) dem Kunstganzen unter. Jener die Poetik des Romans bestimmende Satz: *Alles ist nach dem Wirklichen gezeichnet, doch kein Zug dem Ganzen fremd*, findet seine besondere, auf die ›Wahlverwandtschaften‹ bezügliche Entsprechung in Eckermanns Nachricht, daß *darin kein Strich enthalten, der nicht erlebt, aber kein Strich so, wie er erlebt worden*[20]. Und auch dies findet sich in der Rezension eines Memoirenwerkes erläutert: *Das Leben des Menschen . . . , treulich aufgezeichnet* (der geschichtlichen Realität folgend), *stellt sich nie als ein Ganzes dar. . .*[21] Soll es als Ganzes dargestellt werden, soll *das Überirdische der kleinen Kunstwelt* die *innere Konsequenz* sichtbar machen, welche im Labyrinth der irdischen Welt unauffindbar bleibt, so treten die Bedingungen der Kunst, in unserem Falle des Romans, an die Stelle der Bedingungen des Lebens. Deshalb sagt Goethe in einem strengen Paradoxon: *Der Künstler soll nicht sowohl gewissenhaft gegen die Natur, er soll gewissenhaft gegen die Kunst sein. Durch die treuste Nachahmung der Natur entsteht noch kein Kunstwerk, aber in einem Kunstwerk kann fast alle Natur erloschen sein, und es kann noch immer Lob verdienen.*[22]

Die Gründe sind nun deutlich, welche den Dichter des klassischen Romans nötigen, die Wirklichkeit so zu gebrauchen, daß sie in einer Beziehung zum Ganzen steht; nur in diesem Ganzen, nur indem sie es hervorzubringen hilft, ist die Wirklichkeit für ihn notwendig. Je bedeutender das Werk ist, um so mehr Notwendigkeit wird die Realität erhalten, um so mehr wird die Notwendigkeit zugleich der Realität Kunstcharakter verleihen. Deshalb gibt es in den ›Wahlverwandtschaften‹ kein unbedeutendes Detail. Ein jedes hat seine Funktion im Ganzen, häufig mehrere, welche gänzlich ineinander aufgehen, eine Tatsache, die man um des Kunstganzen willen sich bewußt erhalten muß, wenn man diese Funktionen zu unterscheiden versucht. Von einigen war schon die Rede: Das Detail verschafft der Handlung Zeitraum, indem es verwandelt in anderem Zusammenhang wiederkehrt. Zugleich faßt es damit zusammen, indem es die Erinnerung des Lesers aufruft, vor- und zurückverweist, Verknüpfungen schafft und die Folgerichtigkeit hervorhebt, welche dem Leben abgeht: wie viele Beispiele, außer den Platanen, dem Kahn, dem Glase ließen sich da noch bringen! Der verbindende Charakter des Details wirkt dahin, daß das Kunstganze sich erklären kann. Nicht weniger wirksam ist die ästhetische Funktion der Einzelheit, wiederum eng verbunden mit ihrer veränderten Wiederholung. Indem z. B. die Einheit des Schauplatzes immer wieder auf den See und die Platanen zurückgeführt wird, entstehen innerhalb des Werkes Proportionen, so wie sie in der Musik entstehen mögen, wenn ein Thema hervortritt, schwindet, verwandelt wiederkehrt und den Hörer mit Befriedigung erfüllt, der erinnernd erkennt. Vergleiche zwischen den Künsten sind meist eher mißlich als förderlich; hier aber, wo wir von einem Grundprinzip jeden Stils reden (denn das ist die von der verändernden Repetition hervorgebrachte ästhetische Wirkung) dürfen wir uns Goethe anvertrauen, welcher sich nicht gescheut hat, einen Aufsatz ›Ruysdael als Dichter‹ in das Morgenblatt zu setzen, der mit dem alten ut pictura poesis nichts gemein hat. Was darin der Dichter am Werke des Malers als dichterische Eigenschaft rühmt, dürfen wir dem poetischen Werk um so lieber zubilligen: *Der Künstler hat bewundrungswürdig geistreich den Punkt gefaßt, wo die Produktionskraft mit dem reinen Verstande zusammentrifft und dem Beschauer ein Kunstwerk überliefert, welches, dem Auge an und für sich erfreulich, den innern Sinn aufruft, das Nachdenken anregt und zuletzt einen Begriff ausspricht, ohne sich darin aufzulösen oder zu verkühlen.*[23]

Allein, es gibt in den ›Wahlverwandtschaften‹ Erscheinungsweisen der Wirklichkeit, die mit den bislang betrachteten auf
den ersten Blick keineswegs übereinstimmen wollen. Wir finden
Stellen, die im Gegensatz zum strengen Stil und zu der bedeutenden, obwohl nicht geizigen Sparsamkeit zu stehen scheinen,
die sogar das einfache Ding in vielfacher Funktion gebraucht,
um zugleich die Handlung zu promovieren, das ästhetische Gefühl zu befriedigen, Sinn zu erschließen. Unvereinbar mit solchem Verfahren erscheinen andere, realistische Züge; Einzelheiten, deren Detaillierung nicht in der notwendigen Beziehung zum
Ganzen zu stehen scheint, zufällige Einzelheiten also. Über das
Äußere der wichtigen Personen hören wir fast nichts; Ottiliens
Schönheit sollte die Bäume rühren, ihr Gang ist anmutig; viel
mehr erfahren wir nicht von ihrer Erscheinung und brauchen
nichts Konkretes zu erfahren bis auf die eine Mitteilung, daß sie
schwarze Augen habe. Sie geschieht, als Eduard seinen im Ehe-
bruch mit der eigenen Frau erzeugten Sohn ein einziges Mal und
im Arm Ottiliens erblickt; erschreckt glaubt er eine Ähnlichkeit
mit dem Hauptmann zu erkennen. *Nicht doch! versetzte Ottilie:
alle Welt sagt, es gleiche mir. Wär' es möglich? versetzte Eduard, und in
dem Augenblick schlug das Kind die Augen auf, zwei große, schwarze,
durchdringende Augen, tief und freundlich . . . Eduard warf sich bei dem
Kinde nieder, er kniete zweimal vor Ottilien. Du bist's! rief er aus: deine
Augen sind's. Ach! aber laß mich nur in die deinigen schaun.*[24] In des
Kindes Augen zu schauen hieße, dem Unergründlichen ins Antlitz zu sehen. Nur ein einziges Mal erscheint diese Einzelheit. Sie
hat keinerlei versöhnenden Kunstcharakter, sie kehrt nicht wieder oder macht Zeitverlauf fühlbar, sie sagt im Grunde nichts
über Ottiliens Gestalt. Vielmehr erklärt sich in ihr eine objektive
Macht, für deren allem ästhetischen Kalkül spottenden Auftritt
man das Wort Zufall zu verwenden pflegt. Auch er deutet auf
Sinn, aber unfaßlichen.

Soweit das Detail, der vereinzelte, beschriebene Gegenstand,
in den ›Wahlverwandtschaften‹ also nicht am Kunstcharakter im
engeren, formbestimmenden Sinn mitwirkt, demonstriert es die
dämonische Macht des Zufalls, ohne welche es keine Geschichte
gäbe. Dazu gehört seine Vereinzelung und seine Unvorherseh-

barkeit, die, indem sie in das Feld des persönlichen Geschicks eintreten, ebenfalls den Charakter der Notwendigkeit annehmen. Eben die Einzelheiten, welche über die zum Goetheschen Spätstil gehörige Ökonomie hinausgehen und als einläßlichere Beschreibung, als farbigere Ausfüllung der Linie des Geschehens erscheinen, erweisen sich häufig als Zeugen wider die Begreiflichkeit der Realität. Ihre Wirkung ist damit (jedenfalls sehr oft) genau derjenigen entgegengesetzt, welche die sogenannte realistische Schilderung anstrebt, wenn sie den Gang ihrer Geschichte durch ein Milieu zu erklären, durch die natürliche Zufälligkeit scheinbar historischer Einzelheiten in ihrer Glaubhaftigkeit zu legitimieren versucht. Die Einzelheiten, die objektive Schilderung der Wahlverwandtschaften bilden geradezu eine ganze Skala des Dämonischen ab, die von der Erregtheit der Triebe über die unfaßliche Tücke des Objekts bis zu jenem Furchtbaren reicht, um deswillen Eduard nicht in die Augen seines ehelichen Sohnes, der Ottiliens Augen hat, zu blicken vermag.

Die Skala wird schon deutlich, wenn man nach der äußeren Erscheinung der Personen fragt; je freier, das heißt in Goethes Sinn je sittlich bedeutender ein Mensch ist, um so mehr bleiben sein Äußeres und seine persönliche Redeweise unserer Imagination überlassen. Je (wenn der Ausdruck erlaubt ist) niedriger er steht, je mehr er dem unfreien Bereich des Sinnlichen angehört und je leichter das Spiel ist, welches dessen Dämonen mit ihm haben, um so sinnfälliger wird er uns vorgestellt. Der Graf und die Baronesse treten in aller modischen Pracht auf mit ihren vergänglich weltlichen Gütern, *wie man sogar an ihren Kleidern, Gerätschaften und allen Umgebungen sehen konnte . . .*, an den *neusten Formen und Zuschnitten von Frühkleidern, Hüten*, den *neuen Reisewägen*[25] usw. Ihre anschauliche Eleganz ist nur die Schale einer Sinnlichkeit, die sich Eduard im Gespräch mit dem Grafen als Stimmung mitteilt. Und erst Luciane mit ihrem luziferischen Affenwesen, welche dies unanständige, menschenähnliche Tier dem Bilde des Menschen gleichstellt! Sie kommt mit *Vachen, Mantelsäcken, ledernen Gehäusen, Kästchen, Futteralen . . . Dazwischen regnete es mit Gewalt, woraus manche Unbequemlichkeit entstand.*[26] Undenkbar ist das zufällige Detail von Regen in der Nähe Ottiliens, die nichts mit Lucianens flüchtig-niederer Sinnlichkeit gemein hat. Auch sie besitzt einen Kasten, von Eduard geschenkt und nie eröffnet, was zu bemerken die Psychoanalytiker sich viel zugute tun. Erst ganz am Ende, nachdem sie entsagt hat und ihr Schicksal erwartet, breitet sie den Inhalt um sich herum, und er wird im einzelnen geschildert: *Schuhe, Strümpfe, Strumpfbänder mit Devisen, Handschuhe und so manches andere*[27]. Vergeblich suchen diese Dinge, fehl am Platze dessen, der unbedingt entsagt hat, ihre niedrige Dämonie zu üben, mit dem blinden Eifer der Besen im ›Zauberlehrling‹: *. . . der Raum war übervoll, obgleich schon ein Teil herausgenommen war.*[28] Ottilie ist gleichsam mit ihnen fertig und vermag sie wieder zu verschließen, zusammen mit den *kleinen Zettelchen und Briefen Eduards*, den *Blumenerinnerungen* und dem gefährlichen Porträt ihres Vaters. Sie alle haben ihre kupplerische, einmalige Rolle ausgespielt (wie jener Zettel, der – ein anderes „niedriges" Detail – aus Eduards *modischer Weste* herausgefallen war); das Schicksal hat die zufällige Tücke des Objekts aufgehoben, die Realien sind nur noch Erinnerungen.

Allerdings war diese Tücke groß genug, ja zerstörerisch; und ganz befreit erst der Tod Eduard und Ottilien von der Dämonie des Details. Der Schauplatz wird genau geschildert, auf dem Eduard nächtlich-heimlich den Grafen zur Baronesse führt, über geheime Hintertreppen, als ob sie noch junge Leute an einem lüsternen Hofe wären: *. . . oben auf einem engen Ruheplatz deutete Eduard dem Grafen, dem er das Licht in die Hand gab, nach einer Tapetentüre rechts, die beim ersten Versuch sogleich sich öffnete, den Grafen aufnahm und Eduard in dem dunklen Raum zurückließ. Eine andre Türe links ging in Charlottens Schlafzimmer.*[29] Eduard hört reden, und es überfällt ihn ein unüberwindliches Verlangen, nicht etwa nach seiner Frau, sondern nach Ottilien. *Von hier aber war kein Weg in das Halbgeschoß, wo sie wohnte. Nun fand er sich unmittelbar an seiner Frauen Türe* – er sucht zu öffnen, findet sie verschlossen, klopft einmal, mehrmals, bis schließlich Charlotte, in der erschreckten Hoffnung, es möchte der Hauptmann sein, öffnet. Die Topographie ist zum Werkzeug des Zufalls geworden, die Gelegenheit öffnet eine Tapetentüre, die Leichtfertigkeit läßt Eduard mit seiner Frau wie mit einer Geliebten sprechen und tun. Alle diese Möglichkeiten waren in dem nächtlichen Gang enthalten, in der dunkel-sinnlichen Stimmung, die Eduard anreizt und die der Leser in dem Detail empfindet, auf das dieser Dichter wie auf die „Stimmung" gewöhnlich verzichtet. Das Kind, das mit Notwendigkeit diesem Zufall sein Leben verdankt, verliert es wieder auf nicht weniger zufällige Weise; man möge nachlesen, wie er Ottilie trifft – die Kette des Mißgeschicks, die echte Tücke des Objekts, ist von Goethe auf das sachlichste beschrieben. Als Ottilie, nachdem ihr Ruder, Buch und Kind entglitten sind, endlich verzweifelt das Kind wieder erfaßt hat, hat es aufgehört zu atmen, und seine Augen sind geschlossen. Der Zufall hat die Konsequenz gezeigt, welche dem Leben abgeht. Seine ganze Macht aber zeigt er in der Szene, da er Ottilie und Eduard in einem Raume zusammensperrt, als jene den Geliebten nie wiederzusehen, als dieser nicht eher, bis sie erlaubt, ihr zu nahen sich vorgenommen hatte. Zum letzten Male ist die Dämonie des Details am Werke, die Goethe so beschreibt, daß die unvorhersehbaren Zusammenhänge primitiver Ursachen und weitreichender Wirkungen gänzlich realisierbar werden. Nichts bleibt diesmal der Imagination überlassen: die vergessene Uhr mit dem Siegel; Eduards Versuch, vor Ottiliens Eintritt die seine Gegenwart verratenden Dinge noch zu holen; die zuschlagende Tür, der heruntergefallene Schlüssel, das schnappende Schloß, welches von innen (diesmal!) nicht zu öffnen ist: die Deskription realer Zusammenhänge besiegelt ein Schicksal, das jeder Beschreibung spottet. Zum letzten Male hat *das Magische, das Höhere, Unergründliche, Unaussprechliche der Naturwirkungen* [30] die Folgerichtigkeit des Romans bestimmt.

Es gäbe noch mehr, noch eine Fülle von Kunstmitteln zu erörtern, die Goethe in den ›Wahlverwandtschaften‹ gebraucht, um die *innere Wahrheit, die aus der Konsequenz eines Kunstwerks entspringt* [31], aussprechlich zu machen. Manche sind mit der Frage nach der Behandlung äußerer zeitlicher Wirklichkeit eng verbunden; zu der Schilderung von Welt, Natur, Dingen kommen jene merkwürdigen Kapitel, da im Kunstwerk Kunstwerke beschrieben werden, Fiktion in der Fiktion, Nachbildung in der

Nachbildung vorgeführt wird. Anmutig verkleidete Durch-
blicke ins eigentlich Bodenlose öffnen sich, wenn die erzählte
Geschichte sich dupliziert; wenn die Novelle von den wunder-
lichen Nachbarskindern in untragischer Weise das tragische
Schicksal der ›Wahlverwandtschaften‹ durchspielt und unter
knapperen, glücklicheren Bedingungen imitiert. Nicht nur die
Dinge kehren verwandelt wieder, auch Schicksale vermögen sich
im Laufe der Zeit zu entsprechen, als ob das Einzelne im höchsten
Kunstganzen des Weltgeistes aufginge. Imitiert er sich selber?
Eine nachdenkenswerte Gedankenkette wäre am Begriffe der
imitatio anzuknüpfen, wobei das Problem der Nachahmung empirischer Realität durch die Künste (bei aller hier nicht leichten
Herzens geübten Simplifikation) beinahe harmlos erscheint. Ottilie findet sich ausgeschlossen nicht nur von Lucianes äffischem
Treiben, auch von den lebenden Bildern, die berühmte Gemälde
imitieren. Der Architekt erhöht Ottilien dafür zu einer imitatio
der Hl. Jungfrau – aber ach, mit einem geliehenen Kind auf dem
nie gebärenden Schoß, während Charlotte zusieht, mit einem
Kinde schwanger, dem Ottilie das Leben unschuldig nehmen
wird, das es doch auch ihr verdankte. *Hier,* so sagt Goethe mit
der verdächtigen Leichtigkeit, die uns am Abgrund noch eben
anhält, *hier hatte die Wirklichkeit als Bild ihre besondern Vorzüge.*[32]
Und ehe Eduard sein Leben endet, indem er Ottilie nachstirbt,
faßt er es in den Worten zusammen: *Es ist eine schreckliche Aufgabe, das Unnachahmliche nachzuahmen.*[33]

Allein solche Bereiche sind nicht mehr die des Literarhistori-
kers, der seinen Blick nochmals auf die Darstellung der empirischen Wirklichkeit in diesem großen Buch zurücklenkt. In einem
merkwürdigen Gegensatz nämlich zu der sparsamen Strenge des
Stils, die dem heutigen Leser in den ›Wahlverwandtschaften‹
entgegentritt und deren Ursachen wir betrachtet haben, steht das
Urteil von Goethes Zeitgenossen. So verschieden ihre Reaktion
auch war, so einig scheinen sie sich in einem Punkte gewesen zu
sein: im Lob der Wirklichkeitstreue des Buches. Solger, der
lange vor Benjamin das Ganze schon damals am tiefsten gefaßt
hat, weist auf die *Einflechtung von allem, was jetzt Mode ist, als Gar-
tenkunst, Liebhaberei an der Kunst des Mittelalters, Darstellung von*

Gemälden durch lebende Personen ... und meint, *nach einigen Jahrhunderten würde man sich hieraus ein vollkommenes Bild von unserm jetzigen täglichen Leben entwerfen können*[34]. Und Arnim schreibt an Bettina, *daß wieder ein Teil untergehender Zeit für die Zukunft in treuer, ausführlicher Darstellung aufgespeichert ist*[35].

Die anderthalb Jahrhunderte, welche seitdem vergangen sind, haben uns einen anderen Begriff von Treue und Ausführlichkeit beigebracht, wenn es gilt, sich ein vollkommenes Bild vergangener Zeit zu machen. Wie anders muß man damals noch gelesen haben, wenn das wenige historische Detail, das durchaus (Solger sah dies) im Kunstganzen aufging, so eigentümlich hervortrat. Noch war es nicht der Zweck der Darstellung, noch war die Einbildungskraft geübt, aus der Einzelheit ein ganzes Leben zu produzieren. Aber schon begann sich (und nicht nur in der Dichtung) eine Betrachtungsweise der Realität abzuzeichnen, welche in der Einzelheit das Leben bereits zu besitzen glaubte: ... *eine falsche, kunstzerstörende Natürlichkeit ... Da soll alles wirklich hingestellt und der Einbildungskraft nichts überlassen werden.*[36] Immer wieder wendet sich Goethe gegen diese Tendenz, welche das Kunstwerk aus der Unendlichkeit der Kunstwelt in die Endlichkeit der natürlichen Welt entführt: *Der echte, gesetzgebende Künstler strebt nach Kunstwahrheit, der gesetzlose, der einem blinden Trieb folgt, nach Naturwirklichkeit; durch jenen wird die Kunst zum höchsten Gipfel, durch diesen auf die niedrigste Stufe gebracht.*[37] Aber das Jahrhundert, das mit den ›Wahlverwandtschaften‹ begann, war darauf aus, den lieben Gott im Detail zu suchen, anders, als der Urheber dieses Wortes es gemeint hat. Je weiter man auf diesem Wege fortschritt, um so mehr ging im Detail die Wahrheit verloren, die man zu finden gehofft. Der Begriff vom Wirklichen und vom Wahren wandelte sich oder wurde verwischt – und wie sehr erst der vom Menschen, wie ihn die ›Wahlverwandtschaften‹ in tragischer Würde aufrechterhalten. Sie vermöchten es nicht, wenn nicht ein jedes Vermögen des menschlichen Geistes bei der Hervorbringung dieser Dichtung beteiligt gewesen wäre und aufs neue beteiligt würde, indem wir sie lesen. Die Behandlung der Wirklichkeit in den ›Wahlverwandtschaften‹ ist nicht allein von Goethes Kunstüberzeugung bestimmt, sondern, wie diese, schließlich von seiner Anthropologie, ja noch tieferen Überzeugungen, die sich dem Wort und gar vielleicht der Kunst entziehen: *Der sogenannte Menschen-Verstand ruht auf der Sinnlichkeit; wie der reine Verstand auf sich selbst und seinen Gesetzen. Die Vernunft erhebt sich über ihn ohne sich von ihm loszureißen. Die Phantasie schwebt über der Sinnlichkeit und wird von ihr angezogen; sobald sie aber oberwärts die Vernunft gewahr wird, so schließt sie sich fest an diese höchste Leiterin. Und so sehen wir denn den Kreis unserer Zustände durchaus abgeschlossen und demohngeachtet unendlich, weil immer ein Vermögen des andern bedarf und eins dem andern nachhelfen muß.*[38]

Es gibt aber auch eine weniger bedeutende, nicht ganz so klassische Formulierung, mit der sich der Betrachter eines Kunstwerkes bescheiden mag, welches die menschlichen Zustände *durchaus abgeschlossen und demohngeachtet unendlich* vergegenwärtigt. Sie vermag über das Ungenügen hinwegzutrösten, das die Betrachtung eines so unergründlich lebensvollen und mannigfaltigen Ganzen hervorrufen muß: *... das Sehen ist ein Zusammenfaßen unendlicher Mannigfaltigkeit, das Denken ein Versuch des Zerlegens; in wiefern das Sagen aber mit Sehen und Denken zusammentrifft, das hängt vom Glück ab ... Und dann noch eins, wie der Künstler die Natur überbieten muß, um nur wie sie zu scheinen, so muß der Betrachtende, des Künstlers Intentionen überbieten, um sich ihnen nur einigermaßen anzunähern, denn da der Künstler das Unaussprechliche schon ausgesprochen hat, wie will man ihn denn noch in einer andern und zwar in einer Wortsprache aussprechen?*[39]

II

DER ROMAN ALS ROMANTISCHES BUCH

EICHENDORFF: ›AHNUNG UND GEGENWART‹

Im zwanzigsten Kapitel des dritten Buches von ›Ahnung und Gegenwart‹ stirbt der Knabe Erwin nächtens vor der Mühle, in welcher im dritten Kapitel des ersten Buches sein Herr, der Graf Friedrich, nur durch die Hilfe eines schönen Müllermädchens (sie war *nur im Hemde* und hatte *den Busen fast ganz bloß... Er ärgerte sich über die Frechheit bei solcher zarten Jugend*[1]) vor räuberischem Überfall gerettet worden war. Bevor Erwin stürzt, begräbt er die Zither unter sich, die mit *leise verschwindenden Tönen*[2] dem Grafen rätselvoll ein längst vergessenes Lied aus der Kindheit in Erinnerung rief. Die vergeblichen Hilfeleistungen machen zu Friedrichs Überraschung sichtbar, was der Leser längst wußte – daß Erwin ein verkleidetes Mädchen sei. Ehe es stirbt und ehe Friedrich zu Beginn des einundzwanzigsten Kapitels begreift, daß es eben jenes Müllermädchen gewesen sein müsse, spricht es diese Worte: „*Dort, wo die Sonne aufgehn wird, ist ein großer Wald, in dem Walde wohnt ein Mann mit dunklen Augen und einer langen Schramme über dem rechten Auge, der kennt mich und euch alle...*"[3] Im Tod stellt das Mädchen Erwin damit eine Möglichkeit in Aussicht, die Rätsel zu lösen, die Friedrich auf seiner Lebensreise aufgegeben werden, auf Schritt und Tritt. Da sind ungreifbare Kindheitsreminiszenzen an ein südliches Land, Porträts mit bekannten, aber unbestimmbaren Gesichtern, ein alter Bedienter, der weiß, aber schweigt, auftönende Melodien, die verklungene Zeiten vage beschwören, Gegenden, die schon einmal gesehen und doch unbekannt sind, Menschen, deren Herkunft und Verhältnis der Bestimmung sich entziehen. Der Mann mit den dunklen Augen und der Narbe kennt sie alle, und es verwundert nicht, daß Graf Friedrich sich mit seinem andern Ich und Freund, dem Grafen Leontin, auf den Weg zu diesem

Mann macht. Er soll die Schleier wegziehen von allen Geheim-
nissen.

Ihn zu finden war nicht schwierig, denn die beiden Freunde
hatten nur *jenen Winken Erwins zufolge die Richtung nach dem beschriebenen Walde hin zu nehmen*[4]. Beschriebenen Wald? fragt sich
der Leser verwundert, denn er hat noch Erwins „Beschreibung"
im Ohr, und sie heißt mit märchenhafter Indifferenz *Dort, wo die
Sonne aufgehn wird.* Das ist alles, und das genügt, obwohl die Sonne
in diesem Buche hundertfach aufgeht. *Die Sonne war eben prächtig
aufgegangen*[5], so lautet der erste Satz, und *Die Sonne ging eben prächtig auf*[6], so lautet der letzte. Und wenn der Roman nicht auf das
letzte Blatt gelangt wäre, so würde die Sonne noch immer weiter
aufgehen, eben in diesem vergänglichen Moment, oder auch
untergehen, die Ströme würden in der unendlichen Landschaft
weiterschimmern, die Wolken ziehen, die Nachtigallen singen,
Graf Friedrich und Graf Leontin weiter wandern, um *die Richtung nach dem beschriebenen Walde hin zu nehmen.* Denn das Buch
lebt von der unendlichen Wiederholung und seine „Beschrei-
bungen" davon, daß sie im strengen Sinn keine sind. An die
Stelle der folgerechten Handlung treten Rätsel, welche zum
Teil sich lösen, an die Stelle einer begreiflichen, in den Einzelheiten anschaulichen Realität eine andere, deren Wirlichkeits-
charakter noch der Bestimmung bedarf.

*Der Abend fing bereits an, einzubrechen, als sie wieder bei den Stufen
der großen Stiege anlangten. Sie wurden beide von dem herrlichen An-
blicke überrascht, der sich ihnen dort von oben darbot. Die Gegend lag in der
abendroten Dämmerung wie ein verworrenes Zaubermeer von Bäumen,
Strömen, Gärten und Bergen, auf dem Nachtigallenlieder, gleich Sirenen,
schifften.*[7] Das ist eine Landschaft, wie sie Eichendorff beschreibt.
Sie hat stets eine Art von Auftritt, in einem Moment wird der
Blick in ihre Unendlichkeit freigegeben, und ein schlechteres
Verbum als „beschreiben" ist für die Verfahrensweise des Dichters kaum denkbar. Die Deskription gibt das Detail wieder;
Eichendorff entwirft mit einem Augenblick ein unendliches, in
sich bewegtes Ganze. Man erkennt in ihm Elemente von Landschaft, Ströme (als ob sich in Deutschland die Fernblicke wiederholten, die mehr als einen Strom dem Auge sichtbar machen!),

Berge, Bäume, Gärten. Wie sie zueinander liegen, erfährt man nicht, denn es gibt keinerlei Zuordnung in diesem Raum, die in Goethes Landschaften aus Teilen eine gegliederte Einheit entstehen läßt. An die Stelle der Ordnung ist Unbestimmtheit getreten, an die Stelle der Gliederung Diffusion: *ein verworrenes Zaubermeer* liegt vor Augen, unendlich und unwirklich, ununterscheidbar, aber zauberisch wirksam. Die Zusammengehörigkeit des Erblickten wird durch *abendrote Dämmerung* hergestellt, eine den unbestimmten Dingen für den Augenblick geliehene gemeinsame Farbe, so wie die Einheit des Raumes wiederum nicht den Dingen, sondern den Nachtigallenliedern verdankt wird, die in ihm hin und wider schweben. Diese Lieder sind auf dem Meer der Landschaft schiffende Sirenen, und sie locken das Gemüt in die magische Ferne, die, wäre sie bestimmter erkennbar, auch weniger verlockend wäre. In der Handlung des Romans spielt Schilderung nicht die geringste Rolle. Wie sich der zauberhafte Prospekt auftut, schwindet er auch wieder und macht auf der gleichen Seite anderen Einwirkungen Platz, einem sonderbaren Liede aus Friedrichs Kindheit und dem Anblick eines rätselvollen Bildes.

Eine solche Behandlung der Landschaft ist für den Dichter vollkommen charakteristisch und zeigt, wie sehr diejenigen einer poetischen Illusion zum Opfer fallen, welche in Eichendorff nicht nur einen Vertrauten, sondern auch einen Darsteller der Natur sehen. Er ist das Gegenteil, zumal wenn er ihre Erscheinungen als Moment der romantischen Seele auf deren Wegen wirksam werden läßt. Eichendorffs Landschaft gehört dem Moment, und sie wiederholt sich mit ihm, wie sie mit dem Abendrot schwindet. Immer wird sie auf die gleiche Weise erblickt, ... *als sie auf einer Anhöhe plötzlich aus dem Walde herauskamen* ...[8] ... *denn die Sonne ging eben prächtig über der Küste von Italien auf, die in duftigem Wunderglanze vor uns lag.*[9] *Als sie aus dem Walde auf einen hervorragenden Felsen heraustraten, sahen sie auf einmal aus wunderreicher Ferne* ...[10] – dies sind die „Auftritte" der Natur, und es wird selten versäumt zu sagen, daß es nicht eigentlich Natur sei, was sich dem sehnsüchtigen Blick darbiete, vielmehr ein Wunder, ja Magie: *Der weite, stille Kreis von Strömen, Seen, Wäl-*

*dern und Bergen, die in großen, halbkenntlichen Massen übereinander-
ruhten, rauschten dabei feenhaft zwischen die hinausschiffenden Töne hinein. Die Zauberei dieses Abends ergriff auch Friedrichs Herz . . .*[11] Es
wird nicht der Anblick selbst, sondern ein übernatürlicher Zauber wirksam, als dessen beschwörende Zeichen die Dinge gebraucht werden. Sie gehorchen dabei einem Gesetz jeglicher
Beschwörung, indem sie sich eine ständige Wiederholung gefallen lassen: *In solchen Gedanken war er einige Zeit fortgeritten, als er
bei einer Biegung um eine Feldecke plötzlich das Schloß der Gräfin vor
sich sah. Es stand wie eine Zauberei hoch über einem weiten, unbeschreiblichen Chaos von Gärten, Weinbergen, Bäumen und Flüssen, der Schloß-
berg selber war ein großer Garten, wo unzählige Wasserkünste aus dem
Grün hervorsprangen. Die Sonne ging eben hinter dem Berge unter und
bedeckte das prächtige Bild mit Glanz und Schimmer, so daß man nichts
deutlich unterscheiden konnte.*[12]

Ein Bild, in dem man nichts deutlich unterscheiden kann,
Dinge, die als ein Zeichen das Gemüt in Bewegung setzen, das
ist Eichendorffs stets neu eröffnete, stets bald verlassene Landschaft. Sie ist ohne Kontur, bewegt wie der, welcher sie erblickt
und sie durchzieht, und sie hat so wenig Grenzen, daß das unbeschreibliche *Chaos* oder wenigstens eine süße Verwirrung ihr zugehören. Dabei tritt sie nie „natürlich“ in Erscheinung. Sie entfaltet sich nicht auf zusammenhängenden, übersehbaren Wegen.
Vielmehr wird sie in Szene gesetzt, sei es, daß sie von einer Biegung der Straße, sei es, daß sie von einem Fensterrahmen freigegeben wird. Solange der Wanderer verweilt und der flüchtige
Morgen- oder Abendglanz alles verzaubert, wird sie ihm zum
Abbild dessen, was sein Gemüt bewegt, zum Schauplatz, auf
dem eine unbegreifliche Sehnsucht näher rücken oder die nächste,
aber nie die letzte Station der Wanderung erscheinen kann:
*‚Hörst du, wie jetzt in der weiten Stille unten die Ströme und Bäche
rauschen und wunderbarlich locken? Wenn ich so hinuntersteige in das Gebirge hinein, ich ginge fort und immer fort . . .‘*[13] Insofern diese Landschaft Raum ist, ist sie es nicht für oder durch die Elemente,
welche sie konstituieren, sondern für den Wanderer, dem zuweilen ein Blick auf die scheinbare Unendlichkeit seines weiteren
Weges gewährt ist[14]; sie ist Raum, in welchen die Seele entfliegt:

„Und Ufer, Wolkenflügel,
Die Liebe hoch und mild –
Es wird in diesem Spiegel
Die ganze Welt zum Bild."[15]

Denn es ist hier nicht eigentlich Welt, sondern Welttheater, dessen Bilder, Prospekte und Szenen unendlich wiederholbar bleiben, solang der Vorhang aufgezogen ist. Eichendorffs Landschaft will weder anschauliche Realität noch plausibles Detail, und nichts könnte dem Dichter gleichgültiger sein als die Wahrscheinlichkeit ihrer Darbietung. Sie besteht, weil ein Weg Raum braucht und Zeit nur begreiflich wird, indem Raum zurückgelegt wird. Die Landschaft ist ein Bild des Lebensschauplatzes, die beiden Grafen vor allem sind die Wanderer, deren Lebensweg sich in eine noch unbestimmte Ferne entwickelt.

Die Landschaft existiert also nicht an sich, als eine objektive Realität, die der Dichter treu wiederzugeben sich befleißigte. Vielmehr ist sie die Unendlichkeit vor dem jeweiligen Ort auf dem Wege des homo viator, der am Morgen ahnend erblickt, wo er am Abend ruhen mag, wenn er im Zauberwesen nicht in die Irre läuft. Sie ist die Weite, in die es weitergeht, in der man am lockenden Morgen aufbricht, um am Abend anzukommen, um am Morgen wieder aufzubrechen. So bleibt sie immer vor dem Wanderer gelegen, und weil sie auf diese Weise magisch sich wiederholt, verzaubert sie ihn um so leichter. Repetition und das an die Stelle der Realität tretende Bild, das eine innigere Verfügung erlaubt als die Welt selber, gehören zu den Mitteln jeglicher Zauberei. Die Bilder sind zu mischen und erscheinen auf diese Weise immer neu und doch gleich, erkennbar und fremd; eines kann in das andere übergehen, die Möglichkeiten, welche sich dem Blick des Wandernden eröffnen, dünken ihn unendlich und reizen ihn zu immer neuer Eroberung eines immer Gleichen: *„Es geht doch nichts übers Reisen, wenn man nicht dahin oder dorthin reiset, sondern in die weite Welt hinein. . ."*[16] Was Wunder, daß man bei so beschaffener Landschaft eines Tages, wie der Verirrte im Märchen, am Ausgangspunkt sich wiederfindet, alle Mühen und Hoffnungen haben sich im Kreise gedreht, die alte

Mühle dient zur Erkennung, und es gilt die Folgerung zu ziehen daraus, daß der ganze Zauber nirgendhin geführt hat:

> *„Ist vorbei das bunte Ziehen,*
> *Lustig über Berg und Kluft,*
> *Wenn die Bilder wechselnd fliehen,*
> *Waldhorn immer weiter ruft?"*[17]

So ist die Landschaft in ›Ahnung und Gegenwart‹ Hintergrund
und im höchsten Falle Anreiz, aber nicht Grund der Lebensreise. Das berühmte romantische Naturgefühl existiert nicht, es
sei denn, man lasse die vollkommene Unterordnung der Realität
unter den Zweck, Sehnsucht anzureizen und die Fühlsamkeit
der Gemüter ausdrücklich zu machen, als solches gelten.

Wo die „Wirklichkeit" nicht diesem Zwecke dient, ist sie
bloßer Schauplatz, Staffage, Erkennungszeichen, in ihrer Eigenart und „Schönheit" uninteressant. Sie ist so ungeschichtlich
und so unspezifiziert als nur möglich, am ehesten vergleichbar
den Hintergründen mittelalterlicher Bilder, aber hervorgebracht
zu Beginn des 19. Jahrhunderts. Sie ist im Grunde ortlos, denn
sie hat keine Geographie, die irgendeinen sinnvollen Zusammenhang zeigte, keine räumlichen Relationen, welche die Verwendung von Namen wie Donau und Rhein, Regensburg und
Italien rechtfertigen. Diese Namen sind selbst Abkürzungen, in
denen eine Summe aus Gemütswerten sich repräsentiert, sie
decken sich mit den benannten Erscheinungen nicht. Entfernun-
gen und Straßen sind so lang oder so kurz, wie der Erzähler sie
bis zur nächsten Station lang oder kurz sein läßt, gibt es doch,
wie im Märchen, kein anderes Zeitmaß als das der Sonne; selbst
die Jahreszeiten schwinden. Keine Ankunft läßt sich berechnen,
keine Örtlichkeit ist voraussehbar – *Gegen Abend erblickten sie auf*
einmal von einer Höhe fern unten die Kuppeln der Residenz.[18] Sie
taucht auf wie hervorgezaubert, und sie wird als nächster Schauplatz benötigt.

Ein solcher Schauplatz wird herkömmlich ausstaffiert: *Da*
erblickte Friedrich mit Vergnügen einen hohen, bepflanzten Berg, der
ihm als ein berühmter Belustigungsort dieser Gegend anempfohlen worden

war. Farbige Lusthäuser blickten von dem schattigen Gipfel ins Tal herab. Rings um den Berg herum wand sich ein Pfad hinauf, auf dem man viele Frauenzimmer mit ihren bunten Tüchern in der Grüne wallfahrten sah.[19] Der locus amoenus, an welchem Friedrich weilt, hat alle Vorteile, die man billigerweise von ihm erwarten wird; ein kühler Rasen fehlt nicht, auf dem Kinder spielen, ein fröhlicher Zug wallt hinauf, kühler Wein wird kredenzt und Harfenmusik ertönt – es ist, als ob der Dichter die Illustration schilderte, welche den berühmten *Belustigungsort* mit allen Vorzügen zeigt, den blauen Himmel und die von allen Seiten hineinblickende Landschaft eingeschlossen. Es ist ein Bild, das die Bedingungen des Wohlbefindens sammelt wie Breughel die flämischen Sprichwörter, und Friedrich verfehlt auch nicht, die Summe als eine Unterschrift unter das Panorama zu formulieren: ,,*O Leben und Reisen, wie bist du schön!*"[20] Da fällt sein Blick ins Tal, indem er den geliebten Namen Rosa in das Fenster des Sommerhäuschens ritzt; Reiter fliegen auf einer Landstraße dem Gebirge zu: *Der Berg war hoch, die Entfernung . . . groß*[21] – aber er erkennt doch eben diese Rosa, der Zufall rückt die Szenerie fort, ein anderes Bild erscheint, nächtlicher Wald und Kreuzweg, Verfolgung und Verlieren. *Ein Weg ging links von der Straße ab in den Wald hinein*[22]: wenn er rechts abginge, so würde sich nicht das geringste ändern, das Detail ist ohne Wert und Zweck in den stimmungsvollen Kulissen, deren Umriß, mit den notwendigsten Bezeichnungen vorgestellt, des Lesers Imagination so lange beschäftigt, bis ein neuer Schauplatz erreicht ist. Wie Stationen, zwischen denen keine Verbindung besteht als die Ubiquität des Helden, welchem sie als Hintergrund dienen, reiht sich Szenerie an Szenerie. Zuweilen, wenn die Handlung der zu schildernden Einzelheit nicht entbehren kann, erhebt der Dichter die Szene zum großen Tableau, zur Kulisse einer Oper, hinter deren Versatzstücken die Regie verbirgt, was als Zufall hervortreten soll.

Im letzten Kapitel des zweiten Buches zieht die Jagd durch das Gebirge, zu der die schöne Romana geladen hat: *In tiefster Abgeschiedenheit, wo Bäche in hellen Bogen von den Höhen sprangen, sah man die Gemsen schwindlig von Spitze zu Spitze hüpfen, einsame Jäger dazwischen auf den Klippen erscheinen und wieder verschwinden . . . Da sah Friedrich ... seinen Leontin wagehalsig auf der höchsten von allen den Felsspitzen stehen ...* (auch er spricht eine Unterschrift: „*Ich bleibe in den Bergen oben, lebe wohl, Bruder!*" wendet sich und verschwindet aus dieser und den folgenden Szenen)[23]. *Als er eben so um eine Felsenecke bog, stand plötzlich Rosa in ihrer Jägertracht vor ihm ... sprang wie ein aufgescheuchtes Reh ... von Klippe zu Klippe die Höhe hinab, bis sie sich unten im Walde verlor.*[24] Alles ist so angeordnet, daß Erscheinen und Verschwinden, Suchen und Finden, Begegnen und Verlieren, von der Macht der Liebe, der Ahnung oder des Zufalls inszeniert, möglich werden: *Sie ging während des Liedes immerfort unruhig auf und ab und sah mehrere Male seitwärts in den Wald hinein, als erwartete sie jemand ... Friedrichs Jäger trat hier* (diese Regieanweisung unterbricht die Romanze der Romana, die als ariose lyrische Einlage, wie fast alle in den Roman eingefügten Gedichte, von größerer Präzision und Konsistenz als die „realistischere" Prosa ist) – *Friedrichs Jäger trat hier eiligst zu seinem Herrn und zog ihn abseits in den Wald ...*[25] Eine Entführung bahnt sich an; die schöne Rosa, Leontins Schwester, fällt dem Erbprinzen zum Opfer: *Der Prinz sprang sogleich seitwärts in den Wald und brachte zu ihrem Erstaunen zwei gesattelte Pferde mit hervor.*[26] Friedrich, der eben zum zweiten Male die verführerische Romana verschmäht hat, sucht Rosa zu retten und folgt den Davongeeilten immer tiefer in die finsteren Kulissen, bis der Vorhang einer dunklen Unendlichkeit fällt: *... kein Laut und kein Licht rührte sich weit und breit. So ritt er ohne Bahn fort und immerfort, und der Wald und die Nacht nahmen kein Ende.*[27] So ritt schon der blonde Eckbert.

Eine Poesie dieser Art ist an einer Entsprechung zwischen poetischer und empirischer Realität nicht interessiert; ihre Zusammenhänge gründen sich nicht auf Wahrscheinlichkeit, und die Realien sind bedeutungslos für den Fortgang des Geschehens. Der Dichter verfügt über sie sozusagen aufs neue von Zeile zu Zeile, so, wie der geheimnisvolle Zufall über den Wegen Friedrichs und Leontins waltet, aus deren einzelnen Stationen sich eine Lebensreise addiert, deren Summe die Wandernden selbst am wenigsten zu ziehen vermögen. Jede Stelle in den ›Wahlverwandtschaften‹ ist im Voraufgegangenen begründet und entbehrt nicht der Konsequenzen für die Zukunft und das Kunstganze. Bei Eichendorff hingegen waltet eine scheinbare Beliebigkeit, die Ökonomie der Mittel ist ohne Belang, denn sie würde eben jene Übersehbarkeit voraussetzen, die dem Leben abgeht und die diese Kunst nicht will. Im gleichen Maße, wie Begründung und Zusammenhang fehlen, tritt der Unzusammenhang hervor. Im zufälligen Nacheinander der Lebensstationen und in der Unverständlichkeit ihrer Verknüpfung wird der Rätselcharakter des Daseins immer rätselhafter. In der magischen Repetition von Weg und Wirklichkeit erscheinen Leben und Kunst als etwas Unendliches. Eben deshalb ist ein endlicher, bestimmter oder gar definitorischer Gebrauch der Wirklichkeit ausgeschlossen. Sie findet sich auf ihre einfachsten Erscheinungen reduziert, deren Verhältnis zueinander nicht zur Frage steht. Im Unendlichen ist alles wahrscheinlich.

Solche Behandlungsweise der Realität ist derjenigen verwandt, die das Märchen übt und die zu verwenden die Trivialliteratur sich noch nie geschämt hat. In den ›Wahlverwandtschaften‹ deutete der Zufall auf das Außerordentliche; hier wäre das Wahrscheinliche außerordentlich, während die unerklärliche Fügung das Gewöhnliche darstellt. Treffen *unsre Reisenden* auf ein schönes Edelfräulein, so verwundert es sie nicht, daß deren Vater mit dem eigenen *in ganz besonders freundschaftlichen Verhältnissen gestanden hatte*[28]. „Durch Zufall" und mit Hilfe eines Briefes versammeln drei Seiten vier Menschen, um zu zeigen, *wie schön sich ... die Sünde ausnahm*[29]: den gefährdeten Erwin, eine *niedliche Braut*[30], die gefallene Marie und das vom Prinzen verführte Bürgermädchen, die letztere gar als eine Tote. Der Zufall erlaubt dem Dichter auch, seinen Helden Friedrich vor dem zeitgenössischen Hintergrund des Tiroler Freiheitskampfs in einer Nacht wiederum mit Marie und einem friedlichen, einst in der Residenz wohlbekannten französischen Offizier zusammenzuführen, um einer einzigen Episode willen. Ist sie vorüber, so zeigt sich, daß ihre einzige Funktion eben die zufällige war: Eingesponnen in unerklärliche Beziehungen und in rätselhafte Zusammenhänge, läuft Friedrich einer in der Realität undurchschaubaren Bestimmung nach. Hinter jeder Biegung des Weges

liegt ein neuer Blick, der ein alter sein kann, überall wiederholt
sich das Leben auf unendliche Weise.

Am wirksamsten aber bewährt sich das Antirealistische und
das Inkalkulable am Schluß in der Konfession des endlich auf-
gefundenen verlorenen Bruders, an den Friedrich nur noch vage,
wiewohl sehnsüchtige Erinnerungen gehabt. Gerade dort, wo
die Zusammenhänge gezeigt, geheimnisvolle Trennung und end-
liche Wiedervereinigung erklärt werden sollen, wird das Unwahrscheinliche erst recht rätselhaft. Um Anfang und Ende zu-
sammenzuknüpfen und dem stofflichen Nexus einige scheinbare
Evidenz zu geben, bedarf es aller Machinationen des Trivialromans. Die alte Zigeunerin fehlt nicht und nicht der Zufall, der
einen kindsräuberischen Zigeunerhaufen just dann wieder her-
beiführt, wenn die lang zurückliegende, rätselhafte Kindesent-
führung sich klären will. Es war kein andres Kind als das schöne
Müllermädchen (*. . . nur im Hemde . . . den Busen fast ganz bloß . . .*),
diese niemand anders als Erwin, dessen eigentliche Identität
sich aber erst mit folgenden Worten selbstverständlich-zufällig
enträtselt: *„So war also Erwine deine Tochter!" fiel hier Friedrich
seinem Bruder erstaunt ins Wort.*[31] *Erstaunt* ist ein mildes Wort,
wenn man bemerkt, daß man nur um ein geringes dem Inzest
mit der Bruderstochter entgangen ist. Eben darum verwendet
Eichendorff das uralte Motiv, welches wie kein anderes die Spannung zwischen der geordneten Welt der Sitte und der unter-
gründigen des Blutes darstellbar macht; es bedarf von jeher des
Zufalls, der den Ödipus mit seiner Mutter vermählte. Indem
Friedrich nur ein Erstaunen äußert, zeigt er, daß er mit den unge-
heuerlichen Zufallsmachinationen des Lebens schon auf vertrau-
terem Fuße lebt. Sie sind nicht, wie bei Goethe, dämonischer
Natur, sondern Rätsel, an deren Unlösbarkeit man sich fromm
zu gewöhnen vermag.

Eine derart beliebige Verfahrensweise mit den wahrscheinlichen
Bedingungen der Realität hat Konsequenzen für die Form des Ro-
mans. Weder kann noch will sie die Geschlossenheit funktionalen
Erzählens gewinnen, welche alle Teile der ›Wahlverwandtschaf-
ten‹ in ein Verhältnis zueinander und zum Kunstganzen setzte.
Nichts Wirkliches ist dort zufällig; hat es nur einige Bedeutung,

so ist es dem Ganzen auch der Form nach untergeordnet und wirkt mit, dessen übersehbare Einheit zu begründen. Eichendorff erzählt anders; den Realien fehlt die Strenge der Funktion, an die Stelle der Bindung in das Ganze tritt die ins Unendliche geöffnete Addition der Episoden. Solche Erzählweise ist uralt. Sie wurde schon geübt in epischen Verfahrensweisen, die älter und einfacher, aber nicht weniger berechtigt sind als die eines klassischen Kunstverstandes. Das frühe Epos reiht wie das Märchen Situation an Situation. Beide verfügen über Sachen, Räume und Zeiten, wie auch Eichendorff es tut, und beiden ist das Ungewöhnliche wichtiger als das scheinbar Gewöhnliche, welches die Bestimmtheit der Geschichte mit deren Evidenz verbindet. Die Lust am geheimnisreichen Erzählen erweist sich als größer denn die Lust an der Kunst. Diese will ein Ganzes, jene dichtet immer weiter und erfindet Nebenhandlungen, welche die Geschichte des Helden unberührt lassen. Auf den Seitenwegen des Fabulierens begegnen wir dem Sohn eines Landwirts, der Maler wird, dem Studenten, der am Theater verkommt, den Verführungen des Erbprinzen oder der Gestalt Fabers. Sie alle bedürfen keiner eigentlichen Begründung; der Weg des Erzählers kreuzt den ihren, wie es Leontin und Friedrich tun, und mit ihnen läßt er sie hinter sich als eine Lebensepisode. Die Erfindungen verlangen nicht nach Plausibilität, weil das Erfundene andere Rechte geltend macht.

Man kann dies auch an der Behandlung der Zeit ablesen. Insofern sie als bestimmte, kontemporäre Zeit entgegentritt – wie fast alle bedeutenden Romane ist auch dieser ein zeitgenössischer –, fehlen für unser Bewußtsein die dem geschichtlichen Augenblick eigentümlichen Einzelzüge. Wie im Raum, so sind die Realien auch in der Zeit indefinit. Insofern man aber das Augenmerk auf den inneren Zeitverlauf des Romans richtet und die Wegstrecken der Lebenswanderung auch in Zeiträumen zu begreifen sucht, scheitert man erst recht. Wo Begründung nicht wichtig ist, sind es auch nicht die Zeitverhältnisse, und die offene Form entbehrt der zeitlichen Proportionen. Die unentrinnbare Konsequenz der ›Wahlverwandtschaften‹ beruht nicht zuletzt darauf, daß der übersehbare Verlauf eines Lebensjahres zur Schicksalszeit wird, indem der Progreß des Schicksals selbst im Progreß der Jahreszeiten immer mehr hervortritt. Ottiliens Tagebuch weiß davon zu sagen. Bei Eichendorff hingegen ist fast immer Sommer, im ersten Buche des Romans wie im zweiten, und nur in den Kapiteln 13–15 des letzteren gibt es Herbst, Winter und Frühling, die in den perennierenden Sommer des dritten Buches übergehen. Die reale Zeit (wenn ein derart abkürzender Ausdruck erlaubt ist) wird von der Zeit der Fiktion aufgehoben, welche grundlos ist. So, wie fast immer Sommer herrscht, so kann alles in diesem Buche immer und überall sein, und selbst die zeitgeschichtliche Anspielung (wie die Tiroler Episode) verliert ihre Aktualität, weil die Zeit des Romans nicht die Zeit dieser Welt ist. Er tut, als ob er unendlich Zeit hätte, denn er sucht sich immer fortzudichten.

Es ist dies ein Kennzeichen des romantischen Romans in Deutschland, der in fingierten Räumen von unvorstellbaren Zeiten lebt. So märchenhaft wie die Landschaften sind die chronologischen Perspektiven. Die Fiktion wird absolut, und es scheinen ihr keine Grenzen gesetzt, wie sie etwa Goethe sich bewußt machte, wenn er die Natur für größer als jegliche Erfindung hielt. Damit war eine der möglichen Grenzen, innerhalb deren die Fiktion sich zu realisieren vermag, durch die Bedingungen der empirischen Realität gesetzt. Es ist das Recht des Dichters, sie zu überschreiten; allein dann wird er die Unendlichkeit der Fiktion sich in der Endlichkeit der Form auf eine geistreiche Weise verfestigen lassen, so daß die scheinbare Realität ihren Grund im Kunstcharakter findet. Eichendorff und der romantische Roman in Deutschland verzichten auf beides, ein Sachverhalt, der für die Geschichte der deutschen Dichtung noch bedeutsamer wurde als für die Form des romantischen Romans. Indem er der Fiktion keine Grenze setzt, ist er dazu verurteilt, Fragment zu bleiben, selbst dort, wo er einen Schluß macht. Er kann nur offen enden – *Die Sonne ging eben prächtig auf* – oder abbrechen. Das Fragmentarische ist notwendig, weil die Fiktion ins Unendliche verläuft, von keinem Kunstcharakter ins Ganze genötigt; das Daseinsrätsel, das es zu zeigen gilt, übersteigt die Welt der Erscheinungen, welche höchstens als

Abbreviatur des Unerreichbaren Geltung hat. Wäre das Rätsel gelöst oder seine Lösung wünschbar, so bedürfte es des romantischen Romans nicht. Er fände sein Ende, wenn er auf seine Endlosigkeit verzichtete.

Sie besteht für den Leser aus Augenblicken, aus Kommen und Gehen, Auftauchen und Verschwinden, Binden und Lösen, so, als ob das Ewige des dauernd Vergänglichen bedürfte, um im Bewußtsein Platz zu finden. Die Momente der Empfindung überwiegen durchaus diejenigen der Handlung, die einen Kausalnexus fordert, während das Gemüt sich augenblicklich zur Empfindung gereizt fühlt. Eben diesem augenblicklichen Zweck dienen die dem Roman verfügbaren Realien, welche nicht nur den Helden, sondern auch den Leser von einer Wallung des Gemütes zur andern zu immer wiederholter Erneuerung des Selbstgefühls leiten. Das Reale dient nicht vorwiegend der Promotion einer Handlung. Es wird deshalb nicht so sehr von einem sehenden als von einem poetischen Auge wahrgenommen, das nirgends verweilt. Auch insofern ist alles wie auf der Reise, welcher das Vorübergleitende nicht in seinem eigentümlichen Zusammenhang, sondern als sein eigenes Bild, ja als bloßer Reiz verfliegt. Auf keine Weise kann das Wirkliche beständig werden: *Sie fuhren schnell durch unübersehbar stille Felder, durch einen dunkel dichten Wald, später zwischen engen, hohen Bergen, an deren Fuß manch Städtlein zu liegen schien; ein Fluß, den sie nicht sahen, rauschte immerfort seitwärts unter der Straße, alles feenhaft verworren. Leontin erzählte ein Märchen, mit den wechselnden Wundern der Nacht, wie sie sich die Seele ausmalte, in Worten kühl spielend.*[32]

Die nächtliche Reise ist die eigentlichste Zusammenfassung der Lebensreise und des Romans überhaupt, in dem die Ahnung unendlich die Gegenwart überstimmt. Feenhaft, verworren und dunkel liegt die Welt da, der auch das sehende Auge keine anderen Wunder abgewinnen will. Der Fluß ist gegenwärtig, man sieht ihn nicht, denn er geht unmittelbar zu Herzen; ob die Städte wirklich daliegen, wer weiß es? Die Seele malt s i c h alles aus, und das Reflexivpronomen verrät den wichtigsten Beziehungspunkt: das fühlende Ich. Auch wenn man weiß, wo man ankommt, wird man doch bald wieder reisen, und alle Empfindungen und Stationen bleiben einander gleichgeordnet, so, wie ihre Wirkungen sich kaum unterscheiden. ›Ahnung und Gegenwart‹ kennt keine „Entwicklung"; den äußeren Stationen entsprechen keineswegs innere. Zwar scheint es für einen Augenblick – wenn das Buch aufhört –, als ob Friedrich als einer der beiden Helden einem Prozeß der Reife unterworfen gewesen sei. Er geht ins Kloster, das man als Endstation der Reise zu nehmen vermöchte, wäre es nicht wieder ein Versuch, sich gegen das Unendliche zu verhalten. Allerdings ist die Anbetung die höchste Form solcher Verhaltensweise, für die aufs neue ein Tag dem andern gleichen wird; und sie ist nicht die einzige. Mit einer Art von Kompromiß entläßt Eichendorff Friedrichs anderes Ich, den Grafen Leontin, in die damals räumlich unendlichste Unendlichkeit, nach Amerika. Sein Schiff entschwindet *auf der fernsten Höhe des Meeres zwischen Himmel und Wasser*[33] und mit ihm der Held des Buches, der wie so oft in zwei Figuren entfaltet ist. Faber aber, der Dichter, zieht weiter *zwischen Strömen, Weinbergen und blühenden Gärten in das blitzende, buntbewegte Leben*[34] hinaus.

Ein am Goetheschen Kunstbegriff orientierter Sinn wird bislang vergebens gefragt haben, wo der besondere Kunstcharakter einer so grenzenlosen Fiktion begründet sei. Derjenige, welcher mit Hegel im Roman des 19. Jahrhunderts eine bürgerliche Epopöe erwartet, wird mit seinem Romanbegriff angesichts von ›Ahnung und Gegenwart‹ nicht weniger verlegen. Muß man einen Roman schreiben, um auf der ersten wie der letzten Seite die Sonne aufgehn zu lassen, welche inzwischen unendlich oft aufgegangen ist, um unterzugehen? Nur für den vergänglichsten Augenblick – *soeben* ist Eichendorffs ständig wiederholte temporale Bestimmung – bedeckt sie dann *das prächtige Bild mit Glanz und Schimmer*, der die Wirklichkeit auflöst in die nun schon so oft vermerkten flüchtigen Chiffren ungreifbarer Gefühle. Nichts ist geblieben als Kulisse und die kleine Skala reizvoller Elemente, die der Dichter immer wieder aufs neue versetzt. An die Stelle der Realität ist ein romantisches Buch getreten, und eben dies hat der Verfasser gewollt, hier liegt die Kunstabsicht. Sie ist keineswegs so allgemeiner Natur, wie eine so allgemeine Behauptung vermuten läßt, die sich auf nichts stützen kann als Friedrich Schlegels geistreiche Tautologie: *Ein Roman ist ein romantisches Buch.*[35]

Bei näherem Zusehn allerdings erklärt sich diese Erklärung des Gleichen durch das Gleiche aus der Feder des Mannes, der das Buch des jungen Eichendorff vor dem Drucke durchgesehen hatte. *Denn,* so sagt Schlegel, *nach meiner Ansicht und nach meinem Sprachgebrauch ist eben das romantisch, was uns einen sentimentalen Stoff in einer phantastischen Form darstellt.*[36] Man könnte sich keine treffendere Bestimmung von ›Ahnung und Gegenwart‹ denken, als sie durch diese berühmte geleistet wird, welche das Affektive des Stoffes genauso trifft wie die antirealistischen Wiederholungen einer für die Fiktion ewiger Gefühle offenen Form. Nur darf man zu diesem Zwecke das Wort *sentimental* weder in die irreführende Nähe von Schillers „sentimentalisch" rücken noch mit dem heutigen Gebrauch verwechseln, der an falsche Gefühle denkt. Es handelt sich für Schlegel um die echtesten und wahrsten, die alles durchdringenden, flüchtigen Lebenslüfte der Poesie: *Was ist denn nun dieses Sentimentale? Das, was uns anspricht, wo das Gefühl herrscht, und zwar nicht ein sinnliches, sondern das geistige . . . es ist der heilige Hauch, der uns in den Tönen der Musik berührt. Er läßt sich nicht gewaltsam fassen und mechanisch greifen, aber er läßt sich freundlich locken von sterblicher Schönheit und in sie verhüllen; und auch* – zehn Jahre vor ›Ahnung und Gegenwart‹ greift der Kritiker zu einem Ausdruck, den man für Eichendorffs Eigentum gehalten hätte – *die Zauberworte der Poesie können von seiner Kraft durchdrungen und beseelt werden.*[37]

Seit Wackenroders Anfängen scheint die romantische Poesie darauf angewiesen, ihr eigentümliches Wesen durch Anleihen bei der Musik zu umschreiben, wie sie ja überhaupt ohne die Entgrenzung der Gattungen und Begriffe nicht auszukommen vermochte. Das, worum es ihr ging, entzog sich jeder Konkretion und war faßbar nur noch im keck zutreffenden Paradox, von der Art des „geistigen Gefühles". Mit solcher Wendung wurde der ästhetische Genuß dem grob sinnlichen Bereich entrückt und in dem Zwischenbereich angesiedelt, den das Oxymoron recht gut trifft: Der Reiz ist im Hauptwort *Gefühl* enthalten und die augen-

blickliche, allem Begriff abholde Wahrnehmungsweise, die eigentlich nichts mehr als sich selbst wahrnimmt, *Bäume und Pflanzen
wie halbausgesprochene, verzauberte Gedanken*[38]. Eichendorffs *halb-
ausgesprochen* deutet auf das Adjektiv der Schlegelschen Kombina-
tion. Das *geistig* wird dem Sinnfälligen zugewiesen, das *uns anspricht*. Die Frage gilt nicht, was es zu sagen habe, denn es spricht
ja nicht mit Worten zur Vernunft, sondern mit Sachen zum Gefühl, zwischen denen alle Grenzen gefallen sind. Die vielzitierten,
zum Überdruß zitierten Zeilen Eichendorffs von dem in allen
Dingen schlafenden Lied, welches auf das Zauberwort der Poesie
hin erklingt, sind ein verspäteter Kommentar zu Schlegels Erwägungen; sie enthalten zugleich die knappste Ausdeutung des eigenen Realitätsverhältnisses, das in dem ›Brief über den Roman‹
für alle romantische Poesie verbindlich bestimmt wurde – soweit
es überhaupt bestimmbar ist und bestimmt sein will: *Es ist ein
unendliches Wesen und mitnichten haftet und klebt sein Interesse nur an
den Personen, den Begebenheiten und Situationen und den individuellen
Neigungen: für den wahren Dichter ist alles dieses, so innig es auch seine
Seele umschließen mag, nur Hindeutung auf das Höhere, Unendliche,
Hieroglyphe der einen ewigen Liebe und der heiligen Lebensfülle der bil-
denden Natur. Nur die Phantasie kann das Rätsel dieser Liebe fassen
und als Rätsel darstellen; und dieses Rätselhafte ist die Quelle von dem
Phantastischen in der Form aller poetischen Darstellung*.[39]

Wollte man einen Beweis für die unlösliche Verknüpfung der
sogenannten Früh- mit der sogenannten Spätromantik, so wird
er durch diesen Text geliefert, welcher die Theorie zu Eichendorffs Verfahrensweise abgibt. Er begründet die Behandlung der
Realität in ›Ahnung und Gegenwart‹ und zugleich die unzähli-
gen Transgressionen romantischer Dichtung, welche nicht das
Wirkliche, sondern das Rätsel des Wirklichen zum Gegenstand
gemacht hat. Auf das Wirkliche kommt es nicht an; es wird nicht
erzählt um der Personen und Begebenheiten willen, die selbst
unergründlich sind. Es geht darum, Hindeutungen aufzustellen
auf das Eine, Unendliche, das alles umfaßt und immer ist. In unendlicher, nimmermüder Annäherung versucht die Phantasie,
Figuren für das Rätsel zu erfinden, dessen Lösung ihr vorenthalten bleibt; ja sie wäre gar nicht am Werke, wenn es des Rätsels

Lösung gäbe. Die Hieroglyphe an sich ist heilig, unergründlich und hat keinen eigenen, vielmehr nur einen höheren Zweck. Nicht Natur will der romantische Dichter, sondern *Hindeutung auf das Höhere;* nicht das Wirkliche ist ihm interessant wie Goethe, sondern bestenfalls die Idee des Wirklichen; aber auch solche Formulierung wird ihm zu begrifflich sein: . . . *mitnichten haftet und klebt sein Interesse nur an den Personen, den Begebenheiten* . . .

Der Verzicht auf die Darstellung empirischer Wirklichkeit gehört deshalb so notwendig zur romantischen Erzählkunst wie der Mangel an evidentem Zusammenhang und Begründung. Sie braucht nur eben so viel Wirkliches, als nötig ist, das Lebens- und Seelengefühl widerspiegeln, aufglänzen, schimmern, rauschen und tönen zu lassen. Noch hat sie das Vertrauen, die wenigen Andeutungen von Wirklichem wiesen auf einen Ursprung und beschlössen den Menschen ein, der so oft die *heilige Lebensfülle* zu fühlen meint und doch nur sich selbst fühlt. Noch vertraut man darauf, daß das Rätsel eine Lösung habe, wenn sie auch auf ewig geheim bleibt. Aber schon hat sich der ahnungsvolle Sinnzusammenhang von den Erscheinungen der Welt abgelöst und in eine Fiktion geflüchtet, die nur noch durch das flüchtigste Glänzen und verhallendes Tönen mit der natürlichen Realität verknüpft ist. Der junge Goethe wollte sich mit dem animalischen Band der Nabelschnur aus ihr nähren. Nun zeigt sich auch, daß die Verfügung über die Wirklichkeit nur scheinbar derjenigen des Märchens gleicht, dem die einfachen Phänomene der Welt keineswegs gleichgültig sind. Vielmehr unternimmt es, sie zu klären und in der Unübersehbarkeit des Weltwesens Ordnung zu stiften. Es durchbricht das Empirische, um das Gerechte und Wahre zu finden, und es hat im Grunde, wenn man das Wort erlauben will, vernünftige Absichten. Die romantische Erzählung will das Gegenteil: Sie will die Natur in den verlorenen Zustand des Geheimnisses zurückführen und kann das nur, indem sie aufhört, sie an sich gelten zu lassen. Nicht das Reale an der Realität begründet mehr deren Verwendung, sondern die wachsende Möglichkeit, sie als Mittel zu gebrauchen, als Erreger von Emotionen, als Hieroglyphe für Höheres. Der von Goethe immer wieder in großartiger Weise ins Bewußtsein gerufene Unterschied zwischen Wirklichkeit und Fiktion gilt nicht mehr, eine Rücksicht auf die Bedingungen der wirklichen Welt wäre antipoetisch.

Von daher erklären sich das Vorwiegen des Phantastischen und die Unbestimmtheit der einzelnen Erscheinungen, die so oft gleichsam keine Ränder haben, vielmehr verschwimmen. Die Emotionalisierung wird durch den unablässigen Wechsel zwischen Sinnlichem und Geistigem bewirkt. Sie macht neben dem ständigen Fluß der Erscheinungen und Orte den Stil des Romans aus, so, als ob ein Zuviel an Beharren schon den absichtsvollen Rätselcharakter gefährdete. Ein solches Buch ist in jeglicher Hinsicht dem klassischen Kunstbegriff entgegengesetzt, wie er sich am schärfsten in den ›Wahlverwandtschaften‹ ausprägte. War dort das Kunstganze eine Welt für sich, so ist hier alles getan, damit es dies nicht werde. Zwar ist auch hier Kunstwelt, aber nicht durch ihren in sich begründeten Zusammenhang, sondern durch die Verwandlung der geschichtlich-empirischen in eine möglichst zeitlose Gefühlswelt. In der Unterhaltung der Emotionen und der wiederholten Hindeutung auf den Rätselcharakter werden beide für den Kunstcharakter konstitutiv. Auch er ist uneigentlich, indem die Kunst darin besteht, nicht vollendetes Werk, sondern *Hindeutung auf das Höhere, Unendliche* zu sein. Auf diese Weise wird – ein Vorgang von der größten Tragweite für die deutsche Poesie – das Geschichtliche in der deutschen Erzählkunst zurückgedrängt. Während Franzosen und Engländer alle Bereiche geschichtlichen Bewußtseins erzählend zu begreifen beginnen, suchen die Deutschen, wie kein anderes Volk mit der Theorie und der Erforschung der Historie befaßt, dieselbe den Künsten fernzuhalten, so, als ob jenes *Höhere* mit den irdischen Stoffen nicht darzustellen wäre.

Das hat zur Folge, daß die Bereiche der Emotionen und die innere „Geschichte" des seelenvollen Individuums ein höheres Interesse gewinnen als die irdischen Bedingungen, unter denen allein sie real werden können. Eine Scheidung droht zwischen Mensch und Welt, am offenbarsten in der Isolation des Einzelnen, der – wie Friedrich, Leontin oder Stifters ästhetisch-frommer

Heinrich Drendorf – ohne einen historischen Zusammenhang und außerhalb der Bedingungen einer „wahrscheinlichen" Wirklichkeit dargestellt wird. Eine Entwicklung setzt ein, welche Mensch und Welt trennt und aus Gefühl und Realität zwei Parallelen werden läßt, die sich nur noch in unbegreiflicher Unendlichkeit treffen. Nur als Verlangen – als die Liebe, von der Schlegel sprach – wird sie faßlich, nur durch eine Richtung ist sie anzudeuten. Zum gleichen Zeitpunkt, da Stendhal und Manzoni sich zu ihren großen, von Goethe noch beachteten Werken anschickten, und nachdem Jane Austen die Wirklichkeit des Alltags der anmutigsten Darstellung für würdig befunden hatte, wird bei uns der Weltanschauungsroman wo nicht geboren, so doch vorbereitet. Die Folgen solchen Romantismus reichen bis zu den krampfhaft sentimentalen epischen Seelengemälden Hauptmanns und – es hilft nichts! – Stehrs; seine Spuren sind unverkennbar in der gefühlsreichen und wohlgemeinten Fluchtpoesie Hesses und Wiecherts.

Es darf nicht bezweifelt werden, daß die Versuche der Romantik turmhoch über solchen späten Effekten stehen. Sie sind, wie manch andere geschichtliche Ursache, von widersprüchlicher Wirkung gewesen, indem sie wohl eine besondere nationale Entwicklung anbahnten, welche die deutsche Literatur von den Wegen der europäischen fernhielt; zugleich aber zeigen sie als erste die Anzeichen eines die ganze westliche Welt allmählich ergreifenden neuen ästhetischen Sinns. Ganz theoretisch genommen, könnte eine große Zahl der von Eichendorff abgelesenen Züge auch für – Kafka gelten. Die Verfügbarkeit der Realität, das Bewußtsein, daß sie nur uneigentlich gebraucht werde, die Emanzipation der Erscheinungen aus den Bedingungen der Geschichte und ihre Unterordnung unter den Zweck einer immer wiederholten, reizvollen Annäherung an ein aller Empirie spottendes anonymes Unendliche, das von solcher Kunst umspielt wird: Jahrzehnte vor Poe und Baudelaire bahnt sich in Deutschland ein eigentlich modernes Kunstbewußtsein an. Die Theoreme Hardenbergs und die Prosagedichte in Arnims ›Gräfin Dolores‹ werden ihr fruchtbarstes Echo im Frankreich der Jahrhundertmitte finden. Die Tür tut sich auf in eine neue poetische Welt, der Realität und Wahrscheinlichkeit nichts gelten und die keine Brücke mehr kennt zwischen dem Reich der Wirklichkeit und dem einer hermetischen Poesie.

Gerade deshalb aber stellt sich mit besonderer Schärfe ein merkwürdiges Problem, das sich am Schluß der Betrachtung von Goethes ›Wahlverwandtschaften‹ schon angedeutet hatte. Eichendorff hat mit ›Ahnung und Gegenwart‹, das so wenige Jahre später entstand, eine ausdrücklich aktuelle Absicht, welche der politischen Situation vor den Freiheitskriegen entsprang und die er in einem Brief vom 1. Oktober 1814 an den rührigen Literator de la Motte-Fouqué ausspricht. Schon vor dem Kriege, so berichtet er, habe er das Werk fertig gehabt, ohne daß ein Buchhändler sich zum Druck ermutigt gefunden hätte. Die Gründe lagen in der Zeit: *... da ich darin Anspielungen auf die neuesten Begebenheiten nicht vermeiden konnte und wollte ... Ich sehe nun wohl ein, daß, während-des der eigentliche Zeitpunkt eines allgemeinen Interesses für diesen Ro-man verstrichen ist; ich konnte mich aber nicht entschließen, etwas daran zu ändern, teils, weil er sonst etwas ganz anderes und* (dies ist für den heutigen Leser höchst überraschend) *kein volles Bild mehr jener selt-samen gewitterschwülen Zeit der Erwartung, Sehnsucht und Schmerzen wäre, teils aber, weil unser neuester, gegenwärtiger Zustand, in welchen ich doch die Geschichte hinüberkünsteln müßte, mir noch zu unentwickelt, schwankend, formlos und blendend erscheint, um mir einen ruhigen Über-blick zu vergönnen ... Sollte er in dieser Gestalt, als Erinnerung jener männlichen Trauer, jener ersten Vorzeichen der göttlichen Gnade und Wunder, die wir nun erfahren, noch eines öffentlichen Anteils fähig und in poetischer Hinsicht überhaupt des Druckes wert sein,* so bittet der Ver-fasser den Baron um die Vermittlung an einen Verleger, welche auch geschieht[40]. Das Buch, das wir heute als ein schlechthin ro-mantisches lesen, war so sehr im Hinblick auf die eigene Zeit ge-schrieben, wie Solger und Arnim die eigene Zeit in den ›Wahl-verwandtschaften‹ für immer aufgehoben fanden. In beiden Fäl-len zeigt sich auf sehr verschiedene Weise eine kaum erklärliche Diskrepanz zwischen Urteil und Absicht der Zeitgenossen einer-seits und den Urteilen und Wahrnehmungen der Nachwelt. Es ist, als ob der Spiegel, in dem die Mitwelt ihr eigenes Antlitz zu erkennen glaubte, im Laufe von anderthalb Jahrhunderten durch-

sichtig geworden sei und den Blick freigebe in ganz andere, jetzt
erst erkennbare Welten.

Die Frage, warum das so sei, wird mit dem Wandel des Ver-
hältnisses zu Realität und Geschichte zusammenhängen; man erkennt heute, so scheint mir, die mit den Mitteln der Erzählkunst
aufgehobene Geschichtlichkeit einer Zeit an anderen Zügen als
an den nie wieder wirklich reproduzierbaren Gefühlen banger
Apprehension, von denen Eichendorff spricht. Kein volles, nicht
einmal ein durch unsere Imagination aus Teilen zu ergänzendes
Bild des Jahres 1810 will sich uns aus ›Ahnung und Gegenwart‹
darstellen – so fern von allem historischen Wesen dünkt uns ein
Buch, das doch ein *volles Bild* beabsichtigte. Keine zwanzig Jahre
später verspricht Stendhal seinen Lesern eine *Chronique de 1830*[41],
und wahrhaftig, er hat sie uns so gegeben, daß wir heute in das
Hôtel de La Mole einzutreten und uns in seiner selbst- und angst-
bewußten Gesellschaft zwar nicht zu bewegen, wohl aber zu-
rechtzufinden vermöchten. Kein Historiker kann uns das Paris
vor dem März und das Berlin vor der Jahrhundertwende so plausibel machen, wie Stendhal und Fontane es zuwege brachten.
Warum?

Eine Antwort, die auf den Wandel des historischen Bewußtseins allein hinwiese, kann nicht befriedigen. Es muß auch ein
Wandel der Empfindungsweise stattgefunden haben, mit der eine
vergangene Gegenwart ihr eigenes Selbstgefühl wahrnahm. Eine
jede Poesie, gewiß aber die erzählende, wird zu einem Publikum
hin gesprochen und verwirklicht erst dort ihr wirksames Dasein.
Überschauen wir schon die Wirksamkeit der gegenwärtigen Literatur nicht – wieviel weniger wissen wir von der vergangenen,
da eine Zeile aus dem Homer noch die Tränen von Männern her-
vorrief! So gewiß, wie Anlaß und Äußerung der Emotionen einem Wechsel unterworfen sind (wo gäbe es noch Werther-Ge-
fühle?), so gewiß wandelt sich auch das Vermögen des Lesers zur
Imagination. Sie hat, jedenfalls in der Neuzeit, eine noch ganz
ungeklärte Geschichte, und die *Phantasie für die Wahrheit des Realen*[42] (Goethe) mußte sich mit dem Wachstum des historischen
Sinns immer beengter finden. Das lebensvolle Detail, das heute
noch die Kinder aus den knappen Bekundungen eines Märchens

produzieren, wurde dem Leser um so reicher mitgeliefert, je mehr die Erzählkunst ihre Wahrheit auf die Beobachtung „wirklicher" Zusammenhänge gründete. Insofern ›Ahnung und Gegenwart‹ und die ›Wahlverwandtschaften‹ – wiewohl auf die verschiedenste Weise – solchem vordergründigen Realismus ferne sind, ermöglichen sie dem Leser, gerade das Ungesagte mit der Kraft seiner Vorstellung zu beleben. Niemand weiß (und niemand wird je wissen), was diese Vorstellungskraft einstmals in den Büchern zu finden vermochte. Vielleicht war ihr Vermögen größer, aus der Andeutung eine Welt zu entwerfen, als das heutige, den lebensvollen Zusammenhang aus der Fülle unverbundener Einzelheiten zu erschaffen. Vielleicht gaben die „Regiebemerkungen" Eichendorffs zu den Tiroler Freiheitsszenen den Zeitgenossen Anhalt genug, um sich vor den Kulissen das eigene Geschichtstheater vorzustellen, Andeutungen, die zudem unser entfaltetes und in die Breite gegangenes geschichtliches Bewußtsein als gar zu gering übersehen wird. Die Absicht, ein *volles Bild . . . jener seltsamen gewitterschwülen Zeit der Erwartung, Sehnsucht und Schmerzen* herzustellen, sah sich auf Mittel angewiesen, welche nach Stendhal niemand mehr als der Absicht angemessen erkennen kann; im Lebensgefühl, so scheint es, lag der Geist der Epoche, und keineswegs im Detail.

Sowenig also wie in den ›Wahlverwandtschaften‹ ist das Geschichtliche in ›Ahnung und Gegenwart‹ Gegenstand des Romans, wie es sich bei Scott vorbereitet und bei Stendhal vollkommen wird. Wohl beziehen die strenge Kunstwelt Goethes und die unendliche Fühlsamkeit des jungen Eichendorff auch die Historie ein in die erzählte „Geschichte". Aber noch ist sie nur ein Koeffizient unter den vielen das Kunstwerk herstellenden effizienten und wirksamen Realien oder Hieroglyphen. Solange die Darstellung des Typischen diejenige der bestimmbaren Einzelheit überwiegt oder solange das Jeweilige aufgelöst wird im ruhlosen, Raum und Zeit überspielenden Gefühl: solang hat die Geschichte noch nicht ihre Macht auch an der Erzählkunst erprobt. Sie ist weder Zweck noch Stoff für sie und erscheint nicht rein. Die historische Einzelheit bleibt – wie alle übrigen – im klassischen Roman dem Kunstcharakter untergeordnet und im

romantischen der ewigen Wiederkehr der Gefühle. Die geschichtliche Atmosphäre ist aufgelöst in den Werken, denen es nicht um
das Vergängliche und schon gar nicht um die Relativität sozialer
und historischer Bedingungen geht, sondern um ein Dauerhaftes
und immer Gültiges. Kunstfähig und kunstwürdig wird das neue
historische Bewußtsein erst bei Manzoni und vor allem bei Henri
Beyle, der an die Stelle des Bilderbogens das Abbild setzt.

Damit beginnt eine neue Epoche, nicht allein in der Poesie:

> *Wo findest du den alten Garten,*
> *Dein Spielzeug, wunderbares Kind,*
> *Der Sterne heil'ge Redensarten,*
> *Das Morgenrot, den frischen Wind?*[43]

III

DER ROMAN ALS GESCHICHTE

Stendhal: ›Le Rouge et le Noir‹

Goethes Wort an Riemer, daß es ihm in den ›Wahlverwandt-schaften‹ vorzüglich darauf angekommen sei, *soziale Verhältnisse und die Konflikte derselber symbolisch gefaßt darzustellen*[1], zeigt eine gewisse Nähe zu Hegels Roman-Theorie. Sie wollte die *zur Prosa geordnete Wirklichkeit*[2], eine *bestimmte prosaische Zeit*[2a] in eine der *Schönheit und Kunst verwandte und befreundete Wirklichkeit* verwandeln, die *an die Stelle der vorgefundenen Prosa*[2] tritt. Beide Autoren heben die Bedingungen der prosaischen Realität auf im Kunstzusammenhang des Romans, dem es darauf ankommt, die Individualität *des wirklichen Lebens* vorzustellen, ohne doch *im Prosaischen und Alltäglichen stehnzubleiben*[3]. Das Dauerhafte der menschlichen Verhältnisse sollte hervortreten, das Individuelle einem Höheren und Allgemeineren untergeordnet erscheinen. Solgers ganze Rezension war darauf angelegt vorzuführen, wie Goethe *das Tiefe und Innere in den Gestaltungen der reinen Wirklichkeit selbst zum Sein zu bringen*[4] vermocht hatte. Insofern die Stoffe des Romans der empirisch-historischen Realität entstammten, war doch das eigentliche Interesse nicht auf diese gerichtet, und auch der junge Eichendorff suchte das *Bild . . . jener seltsamen gewitterschwülen Zeit* zum *Vorzeichen der göttlichen Gnade und Wunder*[5] zu hypostasieren.

Allein die *seltsame gewitterschwüle Zeit* meldete sich in den ersten Jahrzehnten des 19. Jahrhunderts mit einer gegenwärtigen Macht an, welche alle ästhetischen Erwägungen verblassen ließ vor den geschichtlichen Verhältnissen, der *vorgefundenen Prosa*. Das Gefühl, in außerordentlichen, in geschichtlichen Zeitläuften zu leben, belegte das Bewußtsein der europäischen Völker mit Beschlag. Was Herder schon antizipiert hatte, wurde in Wirklichkeit vorgeführt, ad oculos demonstriert von den blutigen Um-

wälzungen der Revolution, vom Aufstieg und Fall Napoleons.
Die Geschichte trat ein in jedes Haus, und sie war ein unheimlicher Gast, dem man nicht zu entgehen vermochte. Die Deutschen halfen sich auf ihre Art, indem sie dem *Denken über die Geschichte*[6] den Vorrang vor den andern Geistesbeschäftigungen
gaben. Auch die Franzosen, deren Land den Erdbebenherd barg,
entzogen sich nicht der Bemühung *um ein grundsätzliches Verstehen menschlichen Lebens, ob gegenwärtig oder vergangen, von innen her,
von seinen jeweiligen individuellen Quellpunkten her*[7]. Allein das *Ressen-
timent gegen die eigene Zeit*[8] schlug sich nicht nieder in Spekulationen, sondern im großen Roman. Das grundsätzliche Verstehen
von innen her richtete sich auf das Leben der einzelnen Individualität, nach deren jeweiligen Bedingungen gefragt wurde. Die
sozialen Verhältnisse schienen jeglicher Symbolik entkleidet, es
war, wie ein Aphorismus Meineckes sagt, *eine Schranke gefallen im
Zugang zu Leben und Welt*[9].

Tout est changé du tout au tout en France[10], schrieb Stendhal im
Todesjahr Goethes, und nicht mehr die bleibende, sondern die
wandelbare Wirklichkeit war der Vorwurf seines großen Romans,
den noch ein Jahr zuvor die Schwiegertochter Ottilie dem greisen
Dichter vorgelesen hatte. Niemand wird je erfahren, was er zu
›Le Rouge et le Noir‹ gesagt hat; aber selten geschieht es, daß
die Grenze zwischen Zeitaltern auf sinnfälligere Weise bezeichnet wird, als es durch die trockene Tagebuchnotiz vom 21. De-
zember 1830 geschah: *Mundum des 4. Bandes Aus meinem Leben...
Mittags Dr. Eckermann und Wölfchen. Nach Tische Hofrath Meyer.
Las in der Kunstgeschichte von Hadrian bis Constantin. Später Ottilie
und die Kinder. Nachts* Rouge et Noir *geendigt*.[11] In ›Le Rouge et
le Noir‹ fand er den Hingang dokumentiert einer Welt, deren
späte Blüte gerade das vierte Buch von ›Dichtung und Wahrheit‹ noch einmal lebendig macht. Henri Beyle führte eine französische Gegenwart vor, der deutsche Autor eine Vergangenheit, welche ein halbes Jahrhundert zurücklag; aber da der
Mensch sich keiner Illusion so gerne hingibt wie der, es sei alles
noch wie vordem, so spielte die französische Gegenwart scheinbar nach halbhundertjährigen Regeln, die längst von der Revolution hinweggefegt waren. *Es entsteht ein eignes Behagen*, so

notierte Goethe, das siebzehnte Buch seiner Konfession entwerfend, *wenn man eine Nation auf ihre Geschichte aufmercksam zu machen weis, sie erfreut sich der Tugenden ihrer Vorfahren und glaubt ihre Mängel überwunden zu haben.*[12] Die *Chronique de 1830*[13] kannte solches Behagen nicht, und die jungen Leute der Zeit legten ein Lebensgefühl an den verdunkelten Tag, das dem Goetheschen nicht entgegengesetzter sein könnte. Scharfe Köpfe, *en faisant le portrait de la société de 1829*[14], sahen mehr Tugenden als Mängel, mehr Erstorbenes als Lebendiges, mehr Ungewißheit als Zukunft. Über den heiteren Sitten lag der dunkle Schatten, den eine ganz neue Epoche, soeben begonnen und noch nicht bestimmt, vorauswarf. Er färbte auch das Bild, das man sich in Frankreich von Goethe machte (und die Vergegenwärtigung solcher Stimmungen gibt erst die Folie ab, vor der Beyles Roman eigentlich hervortritt). Wie hätte jener sich verwundert, hätte er bei Musset gelesen, wonach er, Goethe, in dessen Augen ein Leben lang getrachtet: ... *à rassembler tous les éléments d'angoisse et de douleur épars dans l'univers*[15]. So sehr hängt das Bild eines großen Autors ab von dem Moment, da seine Werke gelesen werden, und es ist noch sehr die Frage, ob der jugendliche Freund der George Sand im Hinblick auf Goethe nicht mehr Recht hatte als seine bürgerlichen Zeitgenossen im Deutschland des 19. Jahrhunderts.

Die Diagnosen und Prophetien jedenfalls der Pariser literarischen Generation von 1830 lassen die überanstrengte Tagesschriftstellerei des Jungen Deutschland zu nichtiger Makulatur werden. *Trois éléments*, so schreibt der gleiche Musset, *partageaient donc la vie qui s'offrait alors aux jeunes gens: derrière eux un passé à jamais détruit, s'agitant encore sur ses ruines, avec tous les fossiles des siècles de l'absolutisme; devant eux l'aurore d'un immense horizon, les premières clartés de l'avenir ...*[16] Zwischen dieser zerstörten Vergangenheit und dem Schimmer der Zukunft aber liegt die Gegenwart, durch nichts ausgezeichnet als dadurch, daß sie beide scheidet, das eine nicht ist und nicht das andere und doch beiden gleicht. Derart eindrucksvolle poetische Vergleiche entsprangen einem leidenschaftlichen Interesse an dieser nichtigen Gegenwart, genauer: an der Frage, wie sie geworden und wohin sie führte. Das Denken, das sich in Deutschland aus vergleichbaren Gründen auf die Erforschung der Geschichte und die Theorie der Gesellschaft wandte, richtete sich bei den Franzosen auf deren Realität. Tocquevilles berühmte Hellsicht formulierte sie: *La société est tranquille, non point parce qu'elle a la conscience de sa force et de son bien-être, mais au contraire parce qu'elle se croit faible et infirme ... nous avons abandonné ce que l'état ancien pouvait présenter de bon, sans acquérir ce que l'état actuel pourrait offrir d'utile; nous avons détruit une société aristocratique, et, nous arrêtant complaisamment au milieu des débris de l'ancien édifice, nous semblons vouloir nous y fixer pour toujours.*[17]

Die Zustände dieser Gesellschaft hat Henri Beyle für immer festgehalten, nicht mit den Methoden des Historikers oder des Soziologen, sondern mit dem Mittel des Romans, der solchen ausdrücklich erklärten Zwecken noch nie gedient hatte. Denn es ging nicht mehr um *soziale Verhältnisse*, symbolisch dargestellt, auch nicht um eine *der Schönheit und Kunst verwandte und befreundete Wirklichkeit*, sondern um die Wahrheit, die das Motto von ›Le Rouge et le Noir‹ eine bittere Wahrheit nannte. Am 24. Mai 1834 schrieb Beyle zu Rom in sein Tagebuch: *J'ai écrit dans ma jeunesse des biographies (Mozart, Michel-Ange) qui sont une espèce d'histoire. Je m'en repens. Le vrai sur les grandes comme sur les plus petites choses me semble presque impossible à atteindre, du moins un vrai un peu détaillé.*[18] Die Wahrheit der kleinen Dinge, ohne welche die große Wahrheit nicht zu fassen ist; der historische Blickpunkt, den zu erlangen Geschichtschreibung nicht genügt – das sind Beyles Ziele, und er läßt keinen Zweifel über den einzig möglichen Weg: *... on ne peut plus atteindre au vrai (il n'y a plus de vérité), que dans le roman. Je vois tous les jours davantage que partout ailleurs c'est une prétention.*[19] Es wäre falsch, sich hier an Schlegel erinnert zu sehen, denn es geht nicht um den allumfassenden Roman des divinatorischen Dichters, der wahrsagt. Es geht um das Wirkliche und vor Augen Liegende, um Realien und Zustände, es geht um die Geschichte, soweit sie Gegenwart, also am unbegreiflichsten ist. Beyle wird nicht müde zu wiederholen, daß es darum geht, und überläßt dem Leser die Pilatus-Frage, was denn *l'âpre vérité*[20] eigentlich sei; er sei sich seines Glaubens und seiner Anbetung angesichts der Wahrheit gewiß, versichert er im ›Henry Brulard‹.[21] Aber trotz dieser frommen Terminologie will es oft scheinen, als

ob Wahrheit ihm lediglich ein Wechselbegriff sei für das Begreifen des Geschichtlichen und als ob dies wiederum sich darstelle
als ein *vrai un peu détaillé*. Und auch dafür gibt es einen Sammel-
begriff, den höchst merkwürdigen der *mœurs*[22], der in Deutschland keine Entsprechung hat. In ihm scheint eine realistische
Summe gezogen geschichtlichen menschlichen Verhaltens, und
es dünkt Beyle besonders lobenswert, wenn ein Abschnitt *eût été
impossible avant 1789*[23]. Wahrheit, so scheint es, liegt im *Portrait*-
Charakter, *dans la peinture de son époque*[24]. Eines Tages, so meint
der Autor, werde sein Buch ein Zeugnis längst vergangener Zeiten sein. Warum, und was ist wahr daran? Es wird Zeit, daß wir
seinem Rat folgen: *. . . il faut lire les détails dans le livre même, il faut
y chercher des nuances imperceptibles . . .*[25]

Die ersten Einzelheiten, welche das Städtchen Verrières schildern, könnten, so scheint es, auch im Baedeker stehen, hätte es ihn
damals gegeben. Sie eröffnen einen Roman, dessen vollkommen
folgerichtige Handlung nur in der stofflichen Inhalts-Zusam-
menfassung abenteuerlich und unwahrscheinlich erscheinen wird.
Im Zusammenhang ihrer nuancierten Details ist sie von der
überzeugendsten Plausibilität, wie jene erste Seite, welche den
Ausgangsort der Laufbahn Julien Sorels fest in Raum und Zeit
placiert. Wo der Schauplatz der ›Wahlverwandtschaften‹ liegt –
wer kann, wer will es wissen? *Verrières est une des plus jolies villes
de la Franche-Comté, bâtie sur le penchant d'une colline au milieu de
bouquets de grands châtaigniers.*[26] So faßte Stendhal in der Selbstankündigung seines Buches zusammen, was dessen erstes Kapitel unter der Überschrift *Une petite Ville* unverzüglich und gründ-
lich darlegt. Das Städtchen ist hübsch; es liegt in der Freigrafschaft; vor den Winden schützt es der Jura; es ist befestigt, die
Wälle haben die Spanier gebaut; die Gebirgswasser treiben Sägemühlen; zwar ist die Bevölkerung mehr bäuerlich als städtisch,
aber kleine Industrien schaffen Wohlstand. Zu den Sägemühlen
kommt eine Stoffmanufaktur und eine Nagelschmiede, welche
weibliche (übrigens nette) Arbeitskräfte beschäftigt. *C'est à la
fabrique des toiles peintes, dites de Mulhouse, que l'on doit l'aisance gé-
nérale qui, depuis la chute de Napoléon, a fait rebâtir les façades de
presque toutes les maisons de Verrières.*[27]

In allen wirklich großen Romanen gibt der erste Anfang dem
Ganzen die Richtung, die hier auf geschichtliche und soziale Bedingungen zu weisen scheint. Nach wenigen Zeilen weiß der
Leser, wie es aussieht in Verrières, wovon man lebt, wann man
lebt und daß das Milieu kleinbürgerlich ist. Man hat sich heute
an die Vergegenwärtigung solcher Bedingungen gewöhnt, so
daß man leicht zu übersehen geneigt ist, wie es Zeiten gab, denen
sie nicht einmal interessant gewesen, ja die sie gar nicht wahrgenommen hätten. Mit Stolz sagt Stendhal, es sei leichter, Romane
aus Büchern abzuschreiben als nach der Natur zu schildern (*copier
des livres – peindre d'après nature*[28]), und diese Feststellung wird
in keiner Weise durch eine andere, wenig später erfolgende aufgehoben: *Verrières, dans ce livre, est un lieu imaginaire que l'auteur
a choisi comme le type des villes de province.*[29] Es ist ein imaginärer
Ort, aber die Imagination war darauf gerichtet, eine nach Ort
und Zeit verifizierbare Realität hervorzubringen; sie ist eine Erfindung des Wahren. Von vornherein wird einem teilnehmenden
Hörer unerhörter Geschichten Rechnung getragen, der zu fragen geneigt ist, ob sie auch „wirklich wahr" seien. Die Antwort
muß ihn befriedigen, und sie wird ihm nicht unmittelbar vom
Erzähler, sondern mittelbar (Milieu heißt Mittel) von den Realitäten gegeben. Sie sind erkennbar – eine typische Provinzstadt,
und das gleichsam Baedekerhafte, welches sich bald verliert, beglaubigt die Realien. Die Erzählung, so scheint es, ist objektiv,
das Gegenständliche ist ihr wichtig, und die Objektivität seiner
Verfahrensweise bringt dem Verfasser ein Vertrauen ein, welches
für die Aufnahme des Ganzen nötig und nützlich ist. Unvermerkt hat er den Leser bei der Hand genommen, und mit der
gleichen Sicherheit, mit der er ihm eben noch einfache und glaub-
würdige Fakten berichtet hat, ordnet er Personen und Verhältnisse, teilt das Wißbare mit und rückt das Gesagte zurecht. Man
merkt gar nicht, daß er da ist, aber er ist da und nimmt die Realität wahr von seinem Standpunkt, dem Erfahrung nicht fremd
ist: *on trouve même, au premier aspect* . . .[30] Also wird es sich lohnen, dem ersten Blick auf den Bürgermeister, M. de Rênal, auch
einen zweiten folgen zu lassen. Er zeigt dem Reisenden aus Paris
(dem wie der Autor weltkundigen) nicht mehr den Anschein

würdiger Anmut, vielmehr *que le talent de cet homme-là se borne à se faire payer bien exactement ce qu'on lui doit, et à payer lui-même le plus tard possible quand il doit*[31]. Ein provinzieller Bürger also, opportunistisch und mit aristokratischen Ambitionen, das ist der Mann, dessen unschuldige junge Frau als erste Ehrgeiz und kühne Leidenschaft des Knaben Julien erregen wird, der aus wirklich kleinen Verhältnissen kommt.

All dies weiß der Leser nach zwei Seiten. Er wird an Urteilen beteiligt, welche Distanz herstellen, und je mehr sich die Schilderung von Realien und Personen detailliert, um so enger verbindet sie sich mit dem Fortgang des Ganzen und der Person des Helden, was das gleiche ist. Sie begründet und ermöglicht jenen, und es gibt auch hier kein Detail, das seinen Zweck nur in sich trüge. Verrières am Anfang stellt die allgemeinen lokalen und geschichtlichen Bedingungen vor, greifbar, aber noch unentfaltet. Als der Held dem Provinzskandal mit der Bürgermeisterin entgangen und nach Besançon gekommen ist, um Priester zu werden, gibt es diesen Schauplatz nur noch in der strengsten Beziehung auf ihn. *Une Capitale* heißt das Kapitel, und der Eintritt in das große Kaffeehaus versetzt den Helden, *ce jeune bourgeois de campagne*[32], mit einem Male in die vermeintliche große Welt. Sie wird in einem Vorgang doppelt dargestellt: insofern sie anschaulich erscheint und wie sie auf Julien wirkt. Zu beidem stellt der Autor mit seiner eigenen Distanz auch die des Lesers her, den er so im Bewußtsein einer Objektivität bestärkt, welche das Leidenschaftliche des Hauptcharakters und seiner Verstrickungen um so schärfer hervortreten lassen muß. Zunächst ist Julien ganz *bourgeois de campagne: Il resta immobile d'admiration; il avait beau lire le mot: café, écrit en gros caractères au-dessus des deux immenses portes, il ne pouvait en croire ses yeux.*[33] Dann tut er das, was er immer tun wird – er überwindet sich. Er reagiert nach der Art seines Wesens auf die Welt, deren Detail uns nun vorgeführt wird; . . . *il osa entrer, et se trouva dans une salle longue de trente ou quarante pas, et dont le plafond est élevé de vingt pieds au moins.*[34] Genauer kann der Raum nicht bemessen sein, in welchem dem Eintretenden ein Bild aus den *mœurs de province*[35] (. . . *peint[e]s avec vérité, mais peu aimables*[36]) entgegenkommt.

Billardpartien sind im Gang, zunächst hört man mehr als man sieht, denn viele Menschen und der Qualm des Tabaks irritieren den Blick. Stattliche Männer mit stattlichen Backenbärten und Rökken (man denke sich solche Einzelheiten bei Goethe oder Eichendorff!) suchen sich im allgemeinen Lärm zu verständigen – *Julien admirait immobile*, er wagt nicht einmal einen Kaffee zu bestellen, bis eine schöne Kassiererin ihn auf sich (auf sie selbst und damit auf ihn selbst) aufmerksam macht: ... *il faut que je lui dise la vérité, pensa Julien, qui devenait courageux à force de timidité vaincue. – Madame, je viens pour la première fois de ma vie à Besançon; je voudrais bien avoir, en payant, un pain et une tasse de café.*[37]

Die Bewunderung für den Autor soll nicht dazu führen, daß die meisterhaft erzählte Szene, die man nachlesen soll, hier noch weiter paraphrasiert wird. Die Meisterschaft liegt in der Anordnung einer anschaulich-historischen Realität, welche das lebendigste Bild wirklicher Verhältnisse vorstellt. Es scheint, als ob sich etwas von der Kunst der Genre-Malerei abzeichnet, welche wenige Jahrzehnte später Ausschnitte aus dem Leben fixierte und darin ihre recht bescheidene Genüge fand. Aber es scheint nur so; denn hier ist die Darstellung des so noch nicht beachteten Milieus das vorzügliche Mittel, die lebendige Person Juliens zu begreifen, *qui devenait courageux à force de timidité vaincue*. Alles leitet auf den wahrscheinlichen Augenblick, da Julien das Unwahrscheinliche tut und sich bis in die kleine Wendung des *en payant* hinein als Provinzler zu erkennen gibt, der durch den bloßen Entschluß zu so kühner Rede nicht nur bei dem Mädchen das Ungewöhnliche seines Charakters klarstellt. Wie geschickt ist seine Zuwendung zu der hübschen Kassiererin, wie schnell arrangiert er sich mit ihr, die ihn haben möchte; mit den stattlichen Männern wird der junge Mensch sich anlegen, mit dem Raum abfinden, schließlich auch das Klügste tun und gehen. Aber wenn er geht, so weiß der Leser nicht nur, wie es 1830 in einem Kaffeehaus zu Besançon aussah. Alles könnte „wahr" sein, insofern alles den Charakter bestimmten Lebens hat. Es gibt keine Einzelheit, die nicht plausibel wäre und der Sphäre von Zeit und Ort angehörte: die Mode, die Königsbüste, der Pfeifenqualm und der verführerisch ermöglichte Blick ins Décolleté.

Aber nichts von alledem ist dem Zufall überlassen, der Julien am Café vorbeigeführt hat; vielmehr ist alles auf Julien hin geordnet, die Dinge wie die Vorgänge, und alles setzt die Hauptgestalt ins Licht. Seine Schüchternheit ist groß, aber nicht so groß wie seine Leidenschaftlichkeit. Seine Fähigkeit, den Augenblick zu beherrschen, seine kühne Entschlußkraft finden ihre Grenzen an seiner nicht minder kühnen Ehr-(und Eigen-)liebe. Er ist ein Priesterzögling auf dem ersten Weg ins Seminar, aber beinahe gerät er in ein Duell. Eben noch von den Armen der schönen Bürgermeisterin umstrickt (doppelt schön, weil sie unschuldig und nicht weniger leidenschaftlich als ihr knabenhafter Liebhaber war), sucht er schon keck die nächste, mindere Liebesgelegenheit. Furcht kennt er nicht, und wenn er die Flucht ergreift, so ist es immer die Flucht nach vorn.

Mit diesen Einsichten haben uns die sechs Seiten des Kapitels *Une Capitale* versehen: *il faut lire les détails dans le livre même...* Das Meineckesche Wort, es sei damals *eine Schranke gefallen im Zugang zu Leben und Welt*, bewährt sich auch insofern, als die neue Art, die jeweiligen Bedingungen der Welt zu betrachten, neue Zugänge zur Wirklichkeit eröffnet. Der „Maler nach der Natur" (der ein Künstler ist!) zeigt die Dinge, um den Menschen zu zeigen. Er erscheint nicht als Typus (*comme un héros de roman de femmes de chambre*), vielmehr ebenfalls in aller lebendigen Bestimmtheit, *tous ses défauts, tous les mauvais mouvements de son âme, d'abord bien égoïste parce qu'il est bien faible*[38]. Mit Stolz sagt Stendhal, daß eine solche, die Bewegungen der Seele zur Evidenz bringende Erzählweise vollkommen neu sei. Genauer müßte man wohl sagen, daß die Darstellung der Wechselwirkung neu sei, welche zwischen den vergänglichen, gesehenen Dingen besteht und einer Seele, die ihrer Unvergänglichkeit keineswegs mehr gewiß ist. *Car tout ce que je raconte, je l'ai vu; et si j'ai pu me tromper en le voyant, bien certainement je ne vous trompe point en vous le disant.*[39] Die Wahrheit liegt nicht mehr vorwiegend im Ganzen, sie liegt genauso in den Episoden, welche Stendhal erzählt. Sie sind episodisch, vorübergehend wie die Augenblicke erlebten Lebens und häufig ohne Einfluß auf den Handlungs-Mechanismus. Die Kaffeehausszene fördert nicht den Fortgang der Ereignisse, aber sie ist der notwendige Teil eines Lebens-Bildes, so wie es der unvergeßliche Augenblick war, da Julien zum ersten Male der Madame de Rênal entgegentritt: . . . *un jeune paysan presque encore enfant, extrêmement pâle et qui venait de pleurer. Il était en chemise bien blanche, et avait sous le bras une veste fort propre en ratine violette.*[40] Da stehen sie noch beieinander und sehen sich an, beide sehr schön: *On m'appelle Julien Sorel, madame; je tremble en entrant pour la première fois de ma vie dans une maison étrangère* . . .[41] Alles, was ich erzähle, habe ich gesehen, und indem auch der Leser sieht, erkennt er.

Zugleich erkennt er einen bedeutenden Zirkel. Die Realien sind auf die Person bezogen, aber diese selbst findet sich bestimmt durch die Zeitverhältnisse, wie sie sich in der abgebildeten Realität darstellen. Juliens Verletzlichkeit ist die der minder Berechtigten: *Hier encore, mon père m'a battu. Que ces gens riches sont heureux!*[42] Juliens Kühnheit ist die des geliebten Vorbilds Bonaparte, dessen Porträt er unter dem Stroh seines Bettes verbirgt. Durch zwei Bücher spricht der Zeitgeist zu ihm: durch die ›Bekenntnisse‹ Rousseaus, in denen zum ersten Male ein bedeutender Kopf die Reaktionen und *mouvements de son âme* auf die Bedingungen der Welt um ihn reduziert hatte, mit einer Art von Wahrheitsliebe, welcher man das Pathologische nicht wird absprechen können. *C'était le seul livre*, so teilt Stendhal mit, *à l'aide duquel son imagination se figurât le monde.*[43] Dazu kommen die Bulletins der Großen Armee und das ›Mémorial de Sainte-Hélène‹, Zeugnisse der eben erst vergangenen, aber vergangenen Zeit vor der Restauration, da der Wert der Person den Lebensweg zu bestimmen schien, der jeden Tüchtigen weit führen konnte. Nur Ruhm hatte das Schicksal für ihn bereit, und es gab keine Gesellschaft, deren Regeln statt der Anerkennung nur Demütigungen gewährten, *moments d'humiliation qui ont fait les Robespierre*[44]. Das Buch jedoch, das Julien am besten kannte, war ihm am entferntesten. Aus lauter Hypokrisie hatte er das Neue Testament in lateinischer Sprache auswendig gelernt, eine Leistung zielbewußten Willens, bewundert von Dienstboten und ungebildeten feinen Leuten. Die Mühe schien zweckmäßig angewendet, denn allein die Laufbahn des Priesters konnte die Söhne des Volkes noch auf die höchsten Stufen führen. Dorthin wollte Julien und konnte nicht sehen, was der gute alte Pfarrer Chélan erkannt hatte: ... *dans l'état de prêtre, je tremblerai pour votre salut.*[45]

Die Antwort, welche Julien auf solche Teilnahme bereit hat, ist die der Verstellung. Die Sozietät, der er nicht zugehört, fasziniert ihn; nicht der Gott Chélans, der Erfolg ist sein Gott. Immer mehr schälen sich die Bedingungen heraus, unter denen er handelt und leidet. Sie haben ein Doppelantlitz, denn sie sind einmal die Bedingungen der vergegenwärtigten Geschichte überhaupt, welche in dem Roman sich darstellt. Das ›Mémorial‹ und die ›Konfessionen‹, Verrières am Ende der zwanziger Jahre, der junge elegante Bischof und der Salon de La Môle, die von der gleichen Angst besessenen Altadligen und Neureichen: diese und zahllose andere Züge vereinen sich zu einem Bild Frankreichs, von dem die Überredungskraft der erlebten Realität ausgeht. Das Bild ist plausibel, die Zeit gewinnt Leben und blickt den Leser an, der keine andere Beziehung mehr zu ihr hat als die seinem Bewußtsein allerdings teure Frage, wie es eigentlich gewesen sei. Aber die Zeit blickt auch auf Julien, und auf ihn blickt sie fordernd. Sein ganzes Schicksal hängt davon ab, wie sie ihm geneigt ist und wie er ihr erwidert. Insofern wir auf den Roman als Ganzes sehen, erscheint er als *Chronique de 1830;* insofern wir auf Julien sehen, erscheint die Geschichte als Kondition, die sein Dasein bestimmt. Je erkennbarer die Konditionen werden, um so eher scheint sich sein Schicksal zu erklären. Auch hier waltet ein Zirkel, denn Juliens subjektiv erfahrene Lebensbedingungen und die nicht minder subjektiven Antworten, welche er ihnen entgegenzusetzen sucht, geben dem Dichter die Materialien für das Gemälde her, das vor ihm noch keiner gewagt hat: *Personne non plus n'avait peint avec quelques soins les mœurs données aux Français par les divers gouvernements qui ont pesé sur eux pendant le premier tiers du XIXe siècle.*[46] Das Gemälde gewinnt sein poetisches Leben aus der Lebensfülle der Individuen, denen es zum Grund dient. Die Individuen finden sich bestimmt durch ihre eigene, für uns vergangene Gegenwart.

Allein man ginge fehl, wollte man bei Stendhal eine Determination des Einzelnen durch die Umwelt annehmen, wie sie später Zola in seinen Romanen darzustellen behauptet hat. Daß Julien eben nicht *bourgeois de campagne* ist, trotz seiner Herkunft nicht ist, verdankt er den Gaben, die ihm das Geschick in die Wiege gelegt hat. Sein Charakter präfiguriert die Antworten, welche er den Umständen geben wird. Seine Brüder, ungeschlachte Kerle, die den vorgezeichneten Strich entlang grobe Balken gerade hauen, bleiben in Verrières, wo alles eng, kleinlich, provinziell und deklassiert ist. Julien, *méprisé de tout le monde, comme un être faible*[47], nimmt sich einen alten Militärarzt zum Freund aus einem einzigen Grund: weil dieser sich den Autoritäten des Ortes nicht beugt. Mathilde de La Mole, der er nicht von Standes wegen, aber an *disinvoltura*[48] ebenbürtig ist, unterwirft sich nicht den Bedingungen ihrer Welt. Beide sind Produkte ihrer Herkunft, aber beide sind dennoch frei. Es gehört zum Außerordentlichen bei Stendhal, wie er das Spiel der Kräfte auf dem Kraftfeld des Schicksals sichtbar macht, wo sich die Lebensfiguren ordnen nach den Bedingungen einer vorgefundenen Realität und einer Individualität, die sich die Freiheit nicht nehmen läßt. Sie bewährt sich, indem zu den vielleicht kalkulablen Größen äußerer Einwirkung und innerer Vorbedingungen die inkalkulable des Zufalls tritt, für den man in früheren Zeiten andere Namen hatte. Wird in diesem Buche die Macht der Umstände sehr stark, so wischt ein kühner Entschluß sie fort; glaubt der Kühne die Umstände bestimmen zu können, so greift der Zufall ein und macht ihn ohnmächtig, Mittel wie das eines anonymen Briefes nicht verschmähend. Dieser Brief, der Juliens ehrgeiziges Glück vernichtet, wird aus Gründen geschrieben, die allein den historischen Umständen entstammen: nochmals schlagen Enge, Provinz, Kleinlichkeit und Bigotterie den Schicksalszirkel um den Helden. Er kehrt in ihn zurück, um die Frau, die den Brief schrieb, und sich selbst für immer aus den Konditionen irdischer Geschichte zu entfernen. Die verlassene Mathilde führt ihn zu Grabe: ... *seule dans sa voiture drapée, elle porta sur ses genoux la tête de l'homme qu'elle avait tant aimé.*[49]

Man kann also keineswegs sagen, daß Beyle die Faktoren, die ein unerhörtes Leben ergeben, übersichtlich einteile und auf einen gleichmacherischen Nenner bringe. Auch hier gilt des Lebens *reine Rechnung*[50] nicht, und die Weltbetrachtung führt zu unergründlichen Einblicken, nicht obwohl, sondern weil ein historisch-psychologisches Bewußtsein alle Schranken aus ihrem Blickfeld entfernt hat. Andere, vielfältigere Mittel als vordem benutzt die Erzählung, eine differenziertere Realität tritt in Erscheinung. Aber was sie bei aller Luzidität hervorbringt, ist der Held aller Erzählung von alters her, der unbegreifliche Mensch. Ja er ist vielleicht noch unbegreiflicher als vordem, und Stendhal vermag ihn in den bestimmtesten Szenen auf unerwartete Weise vorzuführen. Nie ist er so genau wie an den Stellen, da sein Geschöpf eine neue Lebensstation erreicht, bei den ersten Begegnungen, sei es mit Frau von Rênal an der Gartenpforte, sei es mit Mathilde im Salon, sei es beim Eintritt ins Café oder in das Seminar, wo Juliens Wille zum ersten Male einem ebenbürtigen begegnet. Es zeigt sich, daß in der Wechselwirkung zwischen Welt und Mensch mehr verborgen ist, als die Deterministen und Milieugestalter wahrzunehmen vermögen; *il faut . . . chercher des nuances imperceptibles.*

Auf den ersten Blick allerdings, den Julien in das Zimmer des Seminardirektors tut, sind die Einzelheiten nur zu wahrnehmbar. Der zehn Minuten stumm vor dem strengen Mann Wartende steht in einem hellgetünchten Raum fast ohne Möbel. Die wenigen, die es gibt, sind von der äußersten Einfachheit: ein rohes Holzbett, zwei Stühle mit Strohgeflecht, ein größerer Holzstuhl ohne Kissen. Die Fenster sind blind, die Blumen davor so ungepflegt wie der Schreibende vor dem jeglicher Zierden entbehrenden Schreibtisch. Stendhal gibt ein ganzes Inventar des Raumes, es fällt karg genug aus, aber die Imagination vermag ihn sich sehr genau vorzustellen. Die wenigen Einzelheiten sind vollkommen plausibel, so wie es der bewegliche Spiegel im Mahagonirahmen war, vor dem Julien zum ersten Male einen Träger geistlicher Würden getroffen hatte. Bei dem sehr jungen Bischof, welcher in einem Gewand von prächtigen Spitzen den Segen übte und auf die Herstellung seiner Mitra (sie war schlecht verpackt gewesen) wartete, fand sich Julien beeindruckt von einer *magnificence mélancolique*[51] und der Schönheit des Saales. Auch dieser wird genauer geschildert, die Spitzbogen aus alter Zeit und die gemeine Arbeit, mit der man sie während der Revolution vermauerte, ohne doch dem reichen Gestühl (einer Stiftung Karls des Kühnen) die Wirkungskraft nehmen zu können. Die Realien sind detailliert, die ganze ehrwürdige Geschichte der aufgehobenen Abtei Bray-le-Haut verbindet sich mit ihnen und wirft ein düsteres Licht auf den Bischof vor dem Spiegel, der seine auf den Augenblick gerichteten Sorgen ungeniert ausspricht: *Le roi de*** est accoutumé à un clergé vénérable et sans doute fort grave. Je ne voudrais pas, à cause de mon âge surtout, avoir l'air trop léger.*[52] Der Abbé Pirard hingegen faßt sein Urteil gegenüber Julien mit anderen Worten zusammen, den die Häßlichkeit von Raum und Vorgesetztem ohnmächtig gemacht hat (was ihm im Kaffeehaus oder in Bray-le-Haut nie geschehen wäre). Er sagt: *Trop de sensibilité aux vaines grâces de l'extérieur.*[53]

Es zeigt sich, daß die Realien nicht allein um der Realität und Überzeugungskraft ihrer zufällig-plausiblen Erscheinung willen geschildert sind. Zwar sind sie durchaus historisch, ja Grundzüge der französischen Geschichte scheinen in ihnen anwesend. Dort die vergangene Pracht Burgunds, die Würde eines aufgehobenen Domkapitels, der Eingriff der Revolution und die Nichtigkeit der Restauration, welche den alten Leichtsinn wiederholt; hier die ganze asketische Strenge von Port-Royal mit ihrem geistlichen Ernst, der dem ehrgeizigen Julien den Boden unter den Füßen fortnimmt. Aber nicht um der Vergangenheit willen stellt Stendhal die Realien dar, denn er schreibt keinen Professorenroman, sondern er erzählt, und sein historischer Sinn läßt mit den Gegenständen die Vergangenheit, gleichsam in perspektivischer Abkürzung, miterscheinen, um die Gegenwart nur um so bestimmbarer zu machen. Beide Episoden gehören zur *Chronique de 1830*, und wie sie geworden ist; beide haben einen Beziehungspunkt, auf den sich die Details ordnen, obwohl sie mit einer überzeugenden Natürlichkeit vorhanden sind, wie sie nur das im Laufe der Jahre „zufällig" zur Lebenssphäre Vereinte besitzt. Allein es ist keine zufällige Sphäre, sondern jeweils die des Bischofs oder die des Abbé Pirard. Indem sie begreiflich wird, werden die Denkungsweisen und Wirkungen sinnfällig, die das Leben der Epoche und Juliens Leben entscheiden. Das blinde

Fenster und der Spiegel in modischem Mahagoni geben jene Art von Detail her, das Stendhal in der Geschichtschreibung für unmöglich hielt: *un vrai un peu détaillé*. Mit ihm faßt er Vergangenheit und lebensvolle Gegenwart. Er kontrahiert darin die Eigentümlichkeit von Personen und Mächten. Er verifiziert sie durch die Wahrscheinlichkeit, denn der Leser findet die geschilderten Realien in Übereinstimmung mit allem, was er von der Zeit weiß, die sich schließlich niederschlägt auch in der Erscheinung der verachtetsten Dinge. Und er zeigt, wie sein Held sich zu ihnen verhält, keck im Falle des Bischofs, wenig rühmlich bei dem Pater Rektor. Er fällt um.

Stendhals Realismus (wenn man das auch auf die Bedeutung der empirisch-historischen Realität gerichtete Schildern so nennen will) erreicht also wieder seine Doppelfunktionen. Er schildert Sachen und trifft Menschen. Damit man es an dieser Stelle bemerke, erlaubt sich der Erzähler einen unmittelbaren Hinweis, auf dessen Wortlaut man wohl achthaben muß: *Un philosophe eût dit, peut-être en se trompant: C'est la violente impression du laid sur une âme faite pour aimer ce qui est beau.*[54] Die Bemerkung ist weniger interessant dadurch, daß sie Juliens heftige Reaktion erklären will und dem leidenschaftlichen Jüngling eine ästhetische Seele zumißt. Sie ist wichtig, weil der den Leser so oft unvermerkt führende Autor die Möglichkeit des Irrtums angesichts menschlicher Zustände ausdrücklich hervorhebt. Ein nachdenklicher Philosoph hätte gesagt... – der Ton von Ironie, der mitschwingt, ändert doch nichts an dem Eindruck des Lesers, auch Stendhal könne oder wolle die Ursache der Ohnmacht nicht genau bestimmen. Mitten in der so exakt entworfenen Szene und ihrem begründeten Verlauf tut sich eine Ungewißheit auf. Der Erzähler, der so vieles weiß und alles erzählt, weiß doch nicht alles. Er führt die Handlungen, Zufälle, Emotionen und Ereignisse vor mit einer Konsequenz, die dem Leben abgeht und die hier dennoch den Anschein historischer Realität hinzugewonnen hat. Aber es zeigt sich, daß die Einblicke der Seelenkunde und der Nexus zwischen Milieu und Person wohl anderes, aber nicht mehr vom Menschen zu offenbaren vermögen als frühere Weisen der Darstellung. Indem Stendhal das Urteil relativiert – *un philosophe*, ein anderer also, *eût dit, peut-être en se trompant*, vielleicht, aber keineswegs sicher – indem er es so relativiert, entsteht ein Raum von Freiheit für den Helden. Seine Reaktionen erscheinen wahrscheinlich, aber nicht voraussehbar. Zugleich entsteht ein freier Raum auch für die Imagination des Lesers. Sie sieht sich geleitet und genährt, aber bei aller Bestimmtheit der Erscheinungen und überzeugenden Evidenz der Situationen wird sie keineswegs gegängelt. Als Beyle im Jahre 1831 sein Buch zum ersten Male wieder las, notierte er sich auf dem Vorsatzblatt unter anderem: *Ajouter des mots . . . pour aider l'imagination à se figurer.*[55]

Er wollte also verbessern, aber nicht um „genauer" zu werden, sondern um der Vorstellung Raum zu geben, sich zu entfalten. Als er den Anfang des Buches nach weiteren sechs Jahren wiederum vornahm und ihn mit demjenigen der ›Chartreuse de Parme‹ verglich, schrieb er – zu Unrecht – das böse Wort: . . . *c'est l'intérieur d'une cuisine hollandaise.*[56] Der Liebhaber der Malerei wird an die Genrebilder gedacht haben, die mit vieler Sorgfalt und Vollständigkeit die Wirklichkeit abschildern und auch auf kleinem Raum keinen charakteristischen Gegenstand vergessen, ein Interesse, das die Malerei lange vor der Literatur gehabt hat. Aber, so schickte Beyle seiner Notiz voraus, *je trouve ceci étroit pour le genre d'idées*[57]. Ein durch zuviel Realien beschränkter Geist vermag nicht lebendig zu machen, und es unterliegt keinem Zweifel, daß auch dieser Dichter die Darstellung des Äußeren suchte nicht um des Äußeren willen. Sein außerordentlicher Rang bewährte sich nicht zuletzt in dem Gleichgewicht, welches er zwischen der Festigkeit von Sachen und Tatsachen und dem Unbegreiflichen herzustellen vermochte, das dem Menschen und der Geschichte Leben verleiht. Solches Gleichgewicht macht seine Kunst aus; es gibt ihr den Anschein von Leichtigkeit und Distanz, die der Leser genießt wie ein helles und körperloses Licht, welches aber die Atmosphäre nicht als leeren, sondern als erfüllten Raum wahrnehmen läßt. Es nimmt den irdischen Leidenschaften etwas von ihrer Schwere und entlarvt im übrigen den alten Streit in seiner ganzen Nutzlosigkeit, ob Stendhal ein romantischer oder ein realistischer Autor sei. Insofern er die *Chronique de 1830* will mit ihren *nuances imperceptibles*, bedarf er

des Raumes für die *idées*, einen „romantischen" Begriff, darin
der Geist der Zeit sich versammelt. Aber sie können nicht anders
realisiert werden als durch die Realien, und der Kunstcharakter
des Buches liegt nicht zuletzt in der Ökonomie, welche mit den
als wahrscheinlich begründeten Einzelheiten die wesentlichen
Züge einer Epoche vorstellbar, nicht aber definierbar macht. Der
Roman behält die Freiheit des Lebens und untersteht anderen
Gesetzen als die Historiographie.

Was für die Realien gilt, gilt erst recht für die Menschen, die
ebenfalls auf die wahrscheinlichste Weise die wesentlichen Züge
einer Epoche vorstellbar machen. Das neu eröffnete Reich des
Psychologischen weist auf das Geschichtliche zurück; in den
Personen erscheinen die bewegenden Mächte des Augenblicks.
Nicht etwa, weil der Dichter sie auf Repräsentation anlegte, vielmehr, weil er den Blick für die *Wahrheit des Realen*[58] (Goethe)
hat. Die Evidenz und Konsequenz des Romans sind vorzüglich
in der Wahrheit der Personen, der Folgerichtigkeit ihrer Aktionen und Passionen vorhanden. Die qualvolle Liebe zwischen
Julien und Mathilde entspricht den Bedingungen der Charaktere,
der Sozietät und der Herkunft. Beide, der Emporkömmling und
die Adelsstolze, sind füreinander bestimmt durch die Souveränität, welche sie vor anderen auszeichnet. Aber diese Souveränität
findet ihre Grenze in dem empfindsamen Stolz, der sich einmal
im negativen gesellschaftlichen Bewußtsein des Deklassierten,
zum anderen im positiven Bewußtsein der durch Vorzüge Ver-
pflichteten gründet. Ihr gegenwärtiges Verhalten leitet sich auch
aus ihren Erinnerungen ab, welche vom eigenen Erlebnis und
von einer Art geschichtlichen Gedächtnisses genährt werden.
Juliens Gedächtnis ist kurz, es reicht nicht weiter als bis zu Napo-
leon, Mathildes weiß von der goldenen Zeit des ancien régime
und dem stolzen Tod eines Ahnen, der vor Jahrhunderten auf
dem Schafott starb. Die *disinvoltura*, die so bei beiden aus Ehrgeiz und Verachtung entsteht und sich den natürlichen Gaben
ihrer Charaktere amalgamiert, hebt sie aus der Menge ihrer Stan-
desgenossen und macht sie frei; ihr Stand und ihr Gedächtnis
binden sie und verursachen den Kummer, den sie sich antun.
Denn der schlimmste Feind der Liebe ist der Stolz, welcher hier

vor allem historische Ursachen hat. Der Deklassierte sieht sich als Mensch mißachtet, obwohl er mehr ist als die andern. Die Bevorrechtigte sieht sich verletzt, weil die Macht des Triebes die Vorrechte nicht kennt, welche die Macht der Geschichte schon einmal in Frage gestellt hat. Der in die höchsten Höhen steigen wollte, stirbt frei wie der Ahn de La Mole; die stolze Frau, angesichts des Todes verschmäht, richtet dem gemeinen Geliebten ein Begräbnis von sinnloser Größe. Ihre Zukunft ist ungewiß.

So greifen in der psychologischen Grundstruktur der Hauptgestalten die individuellen und die historischen, die persönlichen und die allen Menschen gemeinsamen Faktoren ineinander. Die überzeugenden Gestalten, unvergeßlich, als hätte man sie im Leben gekannt, machen deutlich, welche Mächte das Zeitalter beherrschen, indem sie von ihnen bestimmt sind und sich über sie zu erheben trachten. Niemand entrinnt seiner geschichtlichen Stunde, und welcher Art sie eigentlich sei, wird eher begreiflich, wenn man die Leiden und Hoffnungen menschlich erlebt, welche sie auslöst, als wenn der Begriff ihnen die vergängliche Gegenwart nimmt; denn der Begriff macht allgemein, die Erzählung belebt. . . . *on ne peut plus atteindre au vrai (il n'y a plus de vérité), que dans le roman.*

Das derart gefaßte geschichtliche Wahre ist nicht nur in den großen Massen des Romans anwesend, sondern bestimmt auch die Behandlungsweise der psychologischen Einzelheiten. Sie sind so ungewöhnlich erleuchtet, daß der Leser bei jedem neuen Lesen in einen Zustand geistiger Lust versetzt wird, welche nur das Erkennen („So ist es – so muß es gewesen sein!") zu verursachen vermag. Sie wird bewirkt nicht zuletzt durch das richtige Detail. Es war schon die Rede von dem Augenblick, da der schöne junge Bauernknabe Julien der blühenden Madame de Rênal gegenübertritt. In diesem Augenblick beginnt die Kette von Wirkungen, welche die Hausfrau und den Lehrer ihrer Kinder leidenschaftlich aneinander bindet. Sie ist übersehbar. Die Entscheidung fällt in den wenigen Minuten, die den fragenden Satz der Frau: *Que voulez-vous ici, mon enfant?* von dem anderen trennen: *Quoi, monsieur, lui dit-elle enfin, vous savez le latin?*[59] Julien, erhoben von der Anrede, die ihm noch nie geworden, die Frau, benommen von seinem schönen Antlitz und der Fähigkeit, lateinisch zu reden: das ist gleichsam die Ausgangslage, aus der alles folgt. Zum ersten Male handelt Julien kühn, aus Angst, nicht kühn zu sein. Er küßt ihr die Hand, erblickt den schönen Arm, der ihn bald umschlingen wird; sie nimmt Anstoß, aber nicht schnell genug, und so trägt das nächste Kapitel die Überschrift *Les Affinités électives*. Aber wie anders entfaltet sich die Liebe in Goethes Roman, wo das Verhängnis Menschen ergreift, die sich übereinander im klaren sind und keine andere Kondition kennen als die ihres eigenen Wesens. Stendhal dagegen setzt unter die Kapitelüberschrift „Die Wahlverwandtschaften" das Motto *Ils ne savent toucher le cœur qu'en le froissant* und verbirgt seine Autorschaft unter dem anonymen *Un moderne*[60]. Die Kränkung stellt ein Band zwischen den Menschen her, das Mißverstehen begründet ihre Beziehung, das gehört zur gegenwärtigen Welt. Julien haßt die reichen Leute, und die Macht, welche Frau von Rênals Schönheit über ihn hat, ist ein Teil der Macht der Reichen: deshalb will er triumphieren, und der Stolz leitet ihn. Sie hingegen findet sich bewegt von Mitgefühl, Bewunderung und Rührung, denen Ausdruck zu verleihen ihr unmöglich ist. Als sie es tut und ihm ein Geschenk anbietet, ist Julien tief verletzt. Er sieht nicht das schüchterne Zeichen einer Neigung, sondern Herablassung: *Voilà, se disait-il, comme sont ces gens riches, ils humilient, et croient ensuite pouvoir tout réparer par quelques singeries!*[61]

Der eigentliche Nexus der menschlichen Beziehungen beruht auf Negationen; Verkennen und Nichtwissen voneinander treiben die Handlung voran. Der andere, mit dem sich der Sinn unausgesetzt beschäftigt, ist nicht nur der Herkunft nach fremd. Seine Absichten werden falsch gedeutet, seine Motive bleiben unerkannt, und dies alles bei so großer, erregter Neigung. Weitgehend ist die soziale Bedingtheit Ursache des Mißverhältnisses, welches das Verhältnis begründet, aber sie ist es nicht allein. Sie kann nur so wirksam werden, weil dem seelenkundigen Blick des Dichters eine tiefere Einsamkeit an ihr deutlich wird, die zur Person überhaupt gehört. Vordem war sie aufgehoben in ständischen und sittlichen Ordnungen. Indem diese sich verflüchtigen, bleibt die Isolation zurück. Beyles Zeitgenosse Tocqueville hat auch davon mit prophetischem Scharfsinn gehandelt. Julien, dem Tode nahe, wird diese Erfahrung – einem Gott nachdenkend, an den er nicht glaubt – auf die verzweifelte Formel bringen: *Vivre isolé! . . . Quel tourment!. . .*[62] Der junge Julien sucht die Einsamkeit zu durchbrechen, und eben dies macht ihm die Schranken aller Art nur noch bewußter. Er sieht sich nicht einmal imstande, Madame de Rênal anzureden, das Wahrnehmungsvermögen für ihr Interesse fehlt ihm, und selbst die ländliche Heiterkeit löst die Starre nicht, in der sein Stolz ihn hält. Die Szene ist bekannt, in der er zufällig die Hand der Hausfrau berührt und sich, gekränkt durch deren Zurückweichen, zur Pflicht macht, sie zu ergreifen. Die Empfindungen beider nach der unbemerkten Vertraulichkeit (*un dernier effort de courage et non d'amour*[63]) gehen folgerecht aus den Voraussetzungen hervor – Frau von Rênal kann nicht schlafen vor Glück, Julien sinkt in bleiernen Schlaf, *mortellement fatigué des combats que toute la journée la timidité et l'orgueil s'étaient livrés dans son cœur*[64]. Als Frau von Rênal an einem anderen Abend nach seiner Hand greift, schwört er sich: *. . . je me dois à moi-même d'être son amant.*[65] Sich selbst schuldet er ihren Besitz; erst als er gelingt, schmilzt die Glut der Leidenschaft die Schale des Stolzes, nicht die des Mißverstehens. Er weiß sich in köstlichem Triumph trotz seiner Herkunft bestätigt im eigenen Wert. Aber das Glück der Nächte ist flüchtig, wo nur die allzu menschlichen Bedingungen gelten; es folgt das Kapitel mit der Überschrift *Le Lendemain* – an diesem und an allen Tagen darauf gelten wieder die sozialen.

Angesichts dieser Personen hat Stendhal selbst darauf hingewiesen, sie seien *peints avec vérité, mais peu aimables*. Man kann sich kaum Gestalten denken verschiedener von denen der ›Wahlverwandtschaften‹, deren nicht im Geschichtlichen gegründetes Wesen unwandelbar ist. Als Figurationen des Wesentlichen kommen sie im Laufe der Erzählung zu sich selbst, aber sie entwickeln sich nicht; an ihnen wird sichtbar, was dauernd gilt. In ›Le Rouge et le Noir‹ hingegen wird die Relativität aller Verhältnisse vorschreitend deutlicher, was auch berichtet wird, ist Relation im Hinblick auf Situation und Zeit, deren Geschöpfe die Menschen sind, die sie gefangenhält. Als das Schicksal Juliens und Mathildes an den Entscheidungen des Marquis de La Mole hängt, zeigt dieser sich, zeigen sich Vergangenheit und Zukunft abhängig von einem ganzen Bündel schwer bestimmbarer Größen. *Dans cette étrange circonstance, les grands traits du caractère, imprimés par les événements de la jeunesse, reprirent tout leur empire.*[66] Von der Kondition des Marquis hängt Julien ab, das Urteil aber des Marquis von den Konditionen Juliens. Ist er, der er scheint? er, der dem Tartuffe nachspricht: *Je ne suis pas un ange...*; den der Marquis *Monstre!* nennt, nur um dann auszurufen: *Ce n'est point là un méchant homme.*[67] Liebt er Mathilde wirklich? will er Geld, Ruhm? *Y a-t-il eu amour véritable, imprévu? ou bien désir vulgaire de s'élever à une belle position?*[68] So wenig wissen die Menschen voneinander, die zusammen leben. „*Il est des moments où je crois n'avoir jamais lu jusqu'au fond de ton âme*"[69], hatte Madame de Rênal leidenschaftlich an den Lehrer ihrer Kinder geschrieben, und wie ein Echo klingt es aus dem Brief des Marquis an seine Tochter Mathilde. „*Je ne sais pas encore ce que c'est que votre Julien, et vous-même vous le savez moins que moi.*"[70] Das ist das Ergebnis von soviel Leidenschaft, Verstrickung, Liebe, Verstellung, Erhöhung und Fall, mit einem ganzen Zeitalter als Kulisse: *Je ne connais pas Julien...*[71]

Und welches andere Ergebnis dürfte man bei einem solchen Autor erwarten, dessen stolzestes Motto einem nie geschriebenen Brief an ihn selbst entnommen ist; es wurde schon zitiert: *Car tout ce que je raconte, je l'ai vu; et si j'ai pu me tromper en le voyant, bien certainement je ne vous trompe point en vous le disant.*[72] Das Individuum wird erkennbar in seiner Geschichtlichkeit. Stendhal täuscht uns nicht, wenn er sagt, dies sei, so sei der Mensch des 19. Jahrhunderts, erfunden, als ob er wirklich wäre. Alle psychologische und historische Evidenz erklärt nichts, sie macht nur sichtbarer. Keineswegs lösen sich Personen und Geschehnisse auf in einem gänzlich übersehbaren Zusammenhang, vielmehr dienen sie dazu, das Wesentliche einer geschichtlichen Stunde hervorzubringen, eine neue Weise, den alten Menschen zu demonstrieren. Der Roman ist so konsequent wie der Goethesche. Aber wenn dort im Zusammenwirken von Freiheit und Dämon hervortrat, wie der Mensch i m m e r ist, so tritt hier der immer wieder die Erde beschreitende Mensch hervor in seiner Jeweiligkeit. Konnte in den ›Wahlverwandtschaften‹ das Einzelne im Ewigen aufgehoben werden, so erweist sich hier im Zeitlichen ein Menschliches: *Je ne connais pas Julien*, ich kenne den Menschen nicht.

Diese Diagnose findet ihre Entsprechung in einem Wort der Mathilde, welches sie noch verschärft, indem es die Folgerung aus dem *inconnu* (Stendhal hebt die Wendung durch den Druck hervor) *du caractère de Julien* zieht: *Eh bien! je me dirai comme Médée: Au milieu de tant de périls, il me reste MOI.*[73] Die Einsamkeit ist unübersteiglich, erst der Tod erweist sich als Gemeinsames, und er wird der Rivalin geschenkt. Bis dahin ist der Mensch sein eigener Gefangener, wenn er nicht vorzieht zu erkennen, wie sehr er Gefangener der Umstände sei. Das *il me reste MOI* kommt Mathilde in den Sinn, indem sie eine der Analysen anstellt, welche die Personen des Romans, der sich als große Analyse versteht, im kleinen ihrer Lebensumstände vornehmen. Sie schreibt, so sagt sie sich, *à un être d'une bien autre nature*[74], keinem aus altem Geschlecht, vielmehr aus den untersten Klassen der Gesellschaft. Sie schreibt an Julien, der mit dem Schicksal hadert, das ihn in diese Klassen verwies, und der, um sich am Schicksal zu rächen, das *il me reste MOI* auf seine Weise auslegt; handelnd, indem er Mathilde erobert, erwägend, indem er sagt: ... *chacun pour soi dans ce désert d'égoïsme qu'on appelle la vie.*[75] Wahrhaftig, diese Liebenden wissen, warum sie sich nach einem anderen, jesuitischen Motto des Autors richten, der ihnen das Leben gab: *La parole a été donnée à l'homme pour cacher sa pensée.*[76] Wie anders nimmt sich daneben aus, was Ottilie in ihr Tagebuch schrieb: *„Sich mitzuteilen, ist Natur; Mitgeteiltes aufzunehmen, wie es gegeben wird, ist Bildung.“*[77] Aber die Zeiten der Bildung gehen dahin wie das ancien régime, und der Marquis spricht nicht nur für sich, wenn er sagt: *Il faut renoncer à toute prudence. Ce siècle est fait pour tout confondre! nous marchons vers le chaos.*[78]

Das Bewußtsein also von Herkunft und Zusammenhang, die Reduktion der Handlungen auf ihre Gründe, der Blick auf Ursachen und Wirkungen im Leben der Menschen einer bestimmten Zeit bringen gerade den Unzusammenhang in den Blick des

Lesers, welcher in die gleiche Zeit verstrickt ist, und sei es nur für die Dauer des Romans. Die poetische Behandlungsweise der Realität, die neu ist, bringt nicht festeren Halt, sondern eröffnet Abgründe der Ungewißheit. Auf Juliens letzte Frage gibt es keine Antwort: *J'ai aimé la vérité . . . Où est-elle?*[79], keine jedenfalls mit den Gründen der Psychologie und den Verknüpfungen, die der geschichtliche Blick entdeckt. Eben diese Erfahrung ist die Erfahrung des geschichtlichen Bewußtseins, das der Roman darstellt und das ihn ermöglicht. Indem es seine Relativität erkennt, nimmt es seine Grenzen wahr – *La vérité, l'âpre vérité*[80]. Der in die gelebte Geschichte Verstrickte vermag die Wahrheit nicht zu sehen. Der Dichter, der das Ganze einer Zeit zum Kunstganzen macht, bringt die bittere Wahrheit hervor für alle Zeiten, welche noch lesen können.

Allerdings ist es keine inhaltliche Wahrheit. Sie bedarf der epischen Form, weil sie sich einer totalen begrifflichen Darstellung entzieht, denn sie durchdringt alle Äußerungen des Lebens und alle, auch die geringen Erscheinungen, darin es Gestalt gewinnt. Sätze wie *La fin du paganisme était accompagnée de cet état d'inquiétude et de doute qui, au XIXᵉ siècle, désole les esprits tristes et ennuyés*[81] – solche Sätze entspringen der historischen Reflexion und formulieren ein Motiv, das sich genauso bei Musset und Tocqueville findet. Sie relativieren das Ganze der dargestellten Zeit, aber nicht die Darstellung, die Kunstcharakter gewonnen hat. Dichter und Zeitschriftsteller kommen zur Kongruenz. Dem letzteren hat Meinecke zugebilligt, daß er das *erste historiographische Erfordernis, aus der Eigenart der zu schildernden Zeit heraus die Dinge hervorgehen zu lassen, . . . unwillkürlich und selbstverständlich*[82] erfülle. Der Dichter hingegen erfüllt es nicht unwillkürlich, denn er ordnet die Dinge so an, daß ihre Gesamtheit – die wiederum mehr ist als die Summe der konstituierenden Teile – erst die Eigenart der Zeit hervorgehen läßt und begreiflich macht. Er behandelt die Realien, nach dem Kunstganzen strebend, so, daß er sie diesem unterordnet. Er macht die Person seines Helden zum Brennpunkt aller Erfahrung und verbürgt so eine Einheit des Gesichtspunktes, die um so wirksamer wird, als Autor und Held keineswegs identisch sind. Das derart entstehende Porträt – *le portrait de la société de 1829* –

ist per definitionem nicht Geschichtschreibung, sondern Kunst. Es ist lebenswahr, aber nicht nachprüfbar. Stendhal sagt zwar: *Une chose étonnera le lecteur. Ce roman n'en est pas un. Tout ce qu'il raconte est réellement arrivé en 1826 dans les environs de Rennes...*[83] – aber diese Mitteilung erstaunt den Leser nicht, sie macht erst recht aus der Historie einen Roman, ja sie hat die prima materia sich selbst schon entfremdet, denn „in Wirklichkeit" fand der Vorgang, auf welchen Stendhal anspielt, 1827 statt, in der Dauphiné. So gleichgültig ist der bloße Stoff, so gefügig die für sich genommene Einzelheit. Der Dichter will nicht die wahren Fakten wie der Geschichtschreiber, er will die wahre „Geschichte" erfinden, welche reiner und folgerichtiger erscheint als die Geschichte selbst. Ihm wird der Stoff – mag er von der Wirklichkeit entliehen oder einer zutreffenden Imagination verdankt sein – zum Mittel, er verfügt über die Elemente historischer Tatsächlichkeit, um der Kunstwahrheit willen: *...on ne peut plus atteindre au vrai (il n'y a plus de vérité) que dans le roman.* Dabei tut nichts zur Sache, daß es eine Wahrheit ist, die Abgründe auftut, und erst recht nichts, daß auch sie vergänglich ist wie der Held der Geschichte, der die Erfindung zum scheinbar erlebten Leben werden ließ. Um ihn kristallisierten sich die verschlungenen Figuren der historisch-sozialen Wirklichkeit. Die Geschichte endet mit seinem Tod, der das Ganze notwendig abschließt, um es zum unermeßlichen Definitivum zu machen, wie es die noch so bestimmte Vergangenheit niemals für unseren Rückblick sein kann. *Qu'ai-je donc été? Je ne le saurais.*[84]

IV

UTOPISCHE GEGENWART

Stifter: ›Der Nachsommer‹

Am Schalttag im Februar 1856 sandte Stifter den Schluß des ersten Bandes seines ›Nachsommer‹ an den Freund und Verleger Heckenast von Linz nach Pest mit dem Wunsche: *Möge das Werk so rein so edel einfach und innig sein, als es mein Gefühl beim Arbeiten ist.*[1] Es war das gleiche Jahr, welches zu Paris dem Autor der ›Madame Bovary‹ den Prozeß eintrug, weil der Avocat Imperial eben jene Eigenschaften vermißte; im Februar 1857 sprach das Gericht Flaubert frei von dem Vorwurf *d'outrage à la morale publique et religieuse et aux bonnes mœurs*[2]. Im Februar 1858 schrieb Stifter an Heckenast über die Gründe, welche seinem Roman den Erfolg vorenthielten: *Ich habe wahrscheinlich das Werk der Schlechtigkeit willen gemacht, die im Allgemeinen mit einigen Ausnahmen in den Staatsverhältnissen der Welt in dem sittlichen Leben derselben und in der Dichtkunst herrscht. Ich habe eine große einfache sittliche Kraft der elenden Verkommenheit gegenüber stellen wollen.*[3] Selten ist ein Buch so sehr und absichtsvoll gegen den Strich der Zeit geschrieben worden. Die Absicht war pädagogisch und schloß von vornherein den Gedanken aus, man könne erzählen um des Erzählens willen; der Anspruch war nicht gering, denn der Maßstab, an welchem Stifter sich orientierte, wurde von Goethe gewonnen. Das Ziel war ein Kunstprodukt: *. . . eine Dichtung ist es, kein Unterhaltungsbuch.*[4]

So waren an der Wiege dieser großen Erzählung alle literarischen Feen versammelt, deren Wünsche das Geschick der neueren deutschen Erzählkunst mitbestimmten: eine klassische (oder klassizistische), welche edle Einfalt wünschte; eine pädagogische, welche der Zeit den Spiegel vorzuhalten und sich der Bildung des Helden anzunehmen riet; und eine die Realität um der Kunst willen verwandelnde, welche *uns das Zauberbild des Lebens in Verklärung bringen soll*[5]. Ob diese Wünsche zum Besten gedient haben, ist nachträglich schwer zu sagen. Fromme, aus wahrhaftigem Herzen kommende Wünsche waren es jedenfalls, und bis heute haben sie dem ›Nachsommer‹ zu stillen und reinen Wirkungen verholfen. Aber sie konnten dennoch das Unbehagen nicht verhindern, das Hebbel als erster mit unangenehmer Schärfe und ohne Wohlwollen sogleich beim Erscheinen geäußert hat. Denn der ›Nachsommer‹ erzählt von einer Welt, die nicht von dieser Welt ist, und er tut es keineswegs mit der fabulierenden Naivetät des Märchens (die seiner Kunstabsicht ganz zuwiderliefe), sondern er hat dabei unüberhörbare erzieherische Absichten. Bei Goethe war die pädagogische Provinz in der Welt gelegen; bei Stifter wurde die Welt zur pädagogischen Provinz. Er setzte dem Jahrhundert, an dem er litt wie alle Dichter, die schönste Utopie[6] entgegen, die die deutsche Dichtung kennt. Sie entsprang innigen und unerfüllbaren Wünschen seines Herzens, wie sie sonst gern die Trivialliteratur und in früheren Zeiten die Idylle befriedigt hatten: *Hätte ich mein ruhiges Leben (im Winter in Wien im Sommer in den Bergen unter Bäumen und Wolken) dürfte ich nichts anders thun als mit Großem Reinem Schönem mich beschäftigen, vormittags schreiben nachmittags zeichnen lesen Wissenschaften nachgehen und Abends mit manchem edlen Freunde oder in der Natur oder in meinem Garten sein...*[7] Da der Schulrat Stifter so wenig wie andere Menschen dieser in seinem Herzen ersehnten utopischen Idylle teilhaftig werden konnte, schenkte er sie ersatzweise dem Helden seines Romans. Sein Name ist, wie sich gegen Ende herausstellen wird, Heinrich Drendorf, und er erhält in der Fiktion all das zugeeignet, was dem Dichter in der Realität eine durch den optativus irrealis ausgedrückte, vergebliche Hoffnung bleiben mußte.

Auch für Heinrich findet sich diese Hoffnung nicht sogleich verwirklicht, nicht etwa, weil die Widrigkeiten des Geschicks ihr entgegenwirkten, sondern weil er der erhofften Güter überhaupt erst gewahr werden mußte. Dann fallen sie ihm zu oder bleiben ihm greifbar versprochen, als die Früchte, welche eine vorschreitend und duldsam errungene Bildung dem Gebildeten entgegenwachsen läßt. Der ›Nachsommer‹ ist der Bildungsroman schlechthin, ein rührend-unheimlich deutsches Buch aus Österreich, welches dem Leser das Menschlichwerden zeigen will. Es begreift diesen Vorgang als einen Reifungsprozeß, und diesen selbst wieder als ein Ergreifen und Ergriffenwerden von Welt. Der Stoff, der dabei bildend wirkt (es ist oft ein sehr geistiger Stoff), ist zugleich der, aus dem die Hoffnungsschleier gewirkt sind: Großes, Reines und Schönes, Bäume und Wolken, Winter in Wien und Sommer in den Bergen – ein Bildungsgang, dessen Zirkel Weg und Ziel beschreibt. Die Welt, welche den Bildungsstoff hergibt, ist wohl von dieser Welt, aber es ist nicht die ganze Welt. Vielmehr wird sie vorzüglich auf zwei Bereiche der Realität reduziert, auf den der Natur und den der Kunst. Der künstlichen Strenge des Fortschreitens in diesen Bereichen entspricht die Strenge des Stils, dessen scheinbare Einfachheit die pädagogische Grundhaltung zur Erscheinung kommen läßt. Sie besteht in dem Bewußtsein, daß Warten eine Form der Tätigkeit sei. Nur der Wartende wird ergriffen, nur wer gelassen ist in der Zeit, kommt weiter. „*. . . wie erscheint denn Euch die Welt, die Ihr zu erforschen trachtet?*"[8] fragt die edle Natalie den Jüngling Heinrich in dem *Der Einblick* überschriebenen Kapitel. „*Es war zu verschiedenen Zeiten verschieden*"[9], antwortet dieser und sucht die Epochen seiner Erfahrung zu bezeichnen: „*einmal war die Welt so klar als schön . . . Dann wurden alle Dinge schwieriger, die wissenschaftlichen Aufgaben waren nicht so leicht zu lösen, sie verwickelten sich, und wiesen immer wieder auf neue Fragen hin. Dann kam eine andre Zeit; es war mir, als sei die Wissenschaft nicht mehr das Letzte, es liege nichts daran, ob man ein Einzelnes wisse oder nicht, die Welt erglänzte wie von einer innern Schönheit, die man auf ein Mal fassen soll, nicht zerstückt, ich bewunderte sie, ich liebte sie, ich suchte sie an mich zu ziehen, und sehnte mich nach etwas Unbekanntem und Großem, das da sein müsse.*"[10] Auch dies wird in Heinrich Drendorfs Leben treten, als Liebe Nataliens. Vorher aber durchläuft er mit einer schon dem Kinde vom Dichter geschenkten Gelassenheit all die Erfahrungsstufen, welche in den Kapitelüberschriften durch eine Fülle von Abstrakta (zumeist auf -*ung*) benannt werden. Sie bezeichnen den Grad der Reife, der von den Initiationen des Kindes in die einfachen Künste und Wissenschaften über die *Erweiterung* des naturkundigen Jünglings zu *Einblick* und *Entfaltung* des werdenden Mannes reicht, der das Erkennbare begreifen und vor dem Unerkannten sich zu bescheiden gelernt hat.

Allein dem Vokabular zum Trotz ist die Nähe zu Goethe nicht so groß, wie man nach solchen Wendungen meinen könnte. Sie ordnen den Bildungsgang des Helden und formulieren mit den zeitig eintretenden Erlebnissen zugleich das Programm, in welchem der Zufall keinen Platz hat und das Gegenwärtige im Lebensplan sich als immer schicklich erweist. *Häuslichkeit – Erweiterung – Entfaltung* überschreiben die wesentlichen Phasen des Individuums; *Begegnung – Annäherung – Vertrauen* benennen das Gewahrwerden der menschlichen Beziehungen; *Wanderer – Bund – Abschluß* weisen auf den äußeren Verlauf der Lebensreise, die trotz allem Wandern von der romantischen so ganz verschieden ist, die den *Abschluß* nicht kennt und die bürgerliche Gesinnung nicht will. Der Weg ist nicht ins Unendliche entworfen wie in ›Ahnung und Gegenwart‹, auch nicht von einer als Zufall eintretenden Notwendigkeit wie bei Goethe gelenkt, sondern er ist bestimmt wie der Verlauf eines wohlgeordneten Hauswesens. Schon das Kind drängt auf Bestimmung, denn es war *schon als Knabe ein großer Freund der Wirklichkeit der Dinge*[11]. So erhält im Falle Heinrich Drendorfs das dem Sprechenlernen natürliche Fragen von vornherein eine spezifisch Stiftersche Einfärbung: *Ich fragte unaufhörlich um die Namen der Dinge . . . und konnte mich nicht beruhigen, wenn die Antwort eine hinausschiebende war. Auch konnte ich es nicht leiden, wenn man einen Gegenstand zu etwas Anderem machte, als er war.*[12] Hier geht es um den adamitischen Grundakt der Aneignung der Erscheinungen durch die Benennung, den jeder Mensch noch einmal für sich vollzieht; im Benennen ist das wahre Erkennen und das richtige Bezeichnen enthalten. Allein der ganz ursprüngliche Vorgang wirkt hier pädagogisch und merkwürdig altklug, weil er nicht, wie in Adams und wohl jeden Kindes Falle, zuerst auf die Herrschaft über die Dinge zielt, sondern sogleich auf Ordnung und Wahrheit als die Grundlagen von Bildung. Der Erzähler macht uns glauben, er habe sie von vornherein im Auge gehabt – *Ich fragte unaufhörlich* –, als ob das Bewußtsein des Einzelnen sich dieser frühesten Frage-Stufe noch zu erinnern vermöchte. Daß er es zu tun vorgibt, macht eben das Altkluge aus: wie aus einem vollständigen orbis pictus, welchen man in der Aufklärung den Kindern so gern und absichtsvoll in die Hand gab, eignet sich der Schüler die Grundlagen der Welt an, in der er leben soll. Aber der Dichter läßt die erziehend gesehene Welt selber dem Knaben ihre angeordneten Reiche vorweisen: die der mathematischen Grundlagen, die Steine, die Pflanzen, die Tiere. Er eignet sie sich nach dem Muster einer altehrwürdigen Hierarchie an und versteht zur gegebenen Zeit die Einsicht des Freiherrn von Risach: „ *. . . wenn ein Übermaß von Wünschen und Begehrungen in uns ist, so hören wir nur diese immer an, und vermögen nicht die Unschuld der Dinge außer uns zu fassen.*"[13] Es gilt, von sich absehen zu lernen, wenn es zu erkennen gilt. Es gilt hinzusehen, wenn man das Einzelne in seinem Zusammenhang begreifen will. Die Naturbeobachtung ist Stifters großes Erziehungs-Institut, welches zur Wahrheitsliebe im Kleinen anhält und damit, auf dem Wege einer geistigen Aneignung, zur Vergewisserung des Platzes im Ganzen der Schöpfung führt, wo alles wie im guten Hause *seine Ordnung*[14] hat. *Einblick* und *Erweiterung*, Reife sind erreicht, wenn sich die Einzelheiten zum Zusammenhang, Pflanzen und Steine des Gebirgs zur Schöpfungslandschaft ordnen.

Hier ist die Wurzel des sogenannten Stifterschen Realismus, der niemals seine sittlich-pädagogischen Absichten verleugnet: „*Überall aber sind die eigentlichen Lehrmeister die Werke der Natur gewesen.*"[15] Dem beobachtenden Betrachter, dessen reinste Erscheinung der Künstler ist, werden *Richtigkeit*[16] und Wirklichkeit nahezu zu Wechselbegriffen, Mittel, sich in ein Verhältnis zur Wahrheit zu setzen. Der Betrachter nimmt keine *âpre vérité*[17] wahr, sondern eine tief innen stimmige, *mit Gegenständlichkeit und Maß*[18]. An ihnen wird kein Zweifel zugelassen, und sie kennen so wenig Zufälligkeit wie der Lebensweg des Erkennenden selbst, hinsichtlich dessen die Vorentscheidungen sämtlich getroffen sind, ehe er ihn antritt. So ist bei diesem „Realismus" auch die Vorentscheidung vorgegeben, daß *Treue und Sachgemäßheit*[19] eine schöne Wahrheit an den Tag bringen werden. Wie der Maler Eustach sucht auch der Dichter zu verfahren, *um dem Ganzen einen Ton der Wirklichkeit und Zusammenstimmung zu geben*[20]. In den Zeichnungen Eustachs war *der Stoff des Schwarzstiftes . . . gut beherrscht, und mit seinen geringen Mitteln war Haushaltung getroffen, darum standen die Körper klar da . . . Wo die Farbe eine Art Wirklichkeit angenommen hatte, war sie mit Gegenständlichkeit und Maß hingesetzt, was, wie ich aus Erfahrung wußte, so schwer zu finden ist* . . .[21]

Die Ökonomie, die maßvoll nach Gegenständlichkeit strebt, um *eine Art Wirklichkeit* zu erlangen, ermöglicht sich durch den sittlichen Grundsatz der *großen Treue*[22]. Sie will das immer Gleiche in seiner verschiedenartigen Bestimmtheit bestehen lassen. Der romantische Blick aus dem Fenster eröffnete hinter dem festen Rahmen eine unerschöpfliche Unendlichkeit. Stifter holt sie in die Zeit und die reproduktive Anschauung zurück. Mehrmals tut Heinrich Drendorf den Blick aus dem Fenster, das erste Mal am ersten Abend im Rosenhause, wie man an einem fremden Ort tut:

Meine Fenster gingen also auf der Seite der Rosenwand heraus. Von dem Garten tönte noch schwaches Vogelgezwitscher herüber, und der Duft von den tausenden der Rosen stieg wie eine Opfergabe zu mir empor.

An dem Himmel, dessen Dämmerung heute viel früher gekommen war, hatte sich eine Veränderung eingefunden. Die Wolkendecke war geteilt, die Wolken standen in einzelnen Stücken gleichsam wie Berge an dem Gewölbe herum, und einzelne reine Teile blickten zwischen ihnen heraus. Die Blitze aber waren stärker und häufiger, die Donner klangen heller und kürzer.[23]

Der Blick dient zunächst der Lokalisation, mit der Stifter eigenen peniblen Tatsächlichkeit, die nicht Vollständigkeit anstrebt, aber begründete Einzelheit braucht, welche die Frage, wo der Berichtende sich finde, beantwortet: auf der Rosenseite, in der Dämmerung, wenn die Vögel verstummen. Dann richtet sich der Blick auf den Himmel, der zuvor Gegenstand des Streites gewesen war. Der sachliche Bericht stellt *Veränderung* fest, was als Landschaft erscheint, ist zugleich Gegenstand meteorologischer Betrachtung, die im Augenblick das eigentliche Interesse des Beschauers beansprucht, der Stunden zuvor *die über den ganzen Himmel liegende Wolkendecke*[24] beobachtet hatte. Am Morgen danach wird das Firmament heiter sein, ohne daß ein Gewitter zum Ausbruch gekommen wäre. Mit Heinrich hat der Leser Stand und Wandel der Atmosphäre genau zu Gesicht bekommen, und es herrscht weder ein Zweifel an der Anschaulichkeit der Vorstellungen – *die Wolken standen in einzelnen Stücken* – noch an ihrer

überzeugenden *Sachgemäßheit*. Die Natur stimmt. Stifter drückt
das mit den Worten aus: „*. . . in Sachen der Natur muß auf Wahrheit gesehen werden.*"[25]

Als Heinrich wieder im Rosenhaus einkehrt, geht er später zu
Bett. Es ist schon dunkel, und das Interesse ist nicht nach außen,
sondern das Gefühl auf ihn selbst gerichtet.

*Es war heute nicht wie damals, da ich zum ersten Male in diesem
Hause über dem Rosengitter aus dem offenen Fenster in die Nacht hinaus-
geschaut hatte. Es standen nicht die Wolken am Himmel, die ihn nach
Richtungen durchzogen, und ihm Gestaltung gaben, sondern es brannte bereits über dem ganzen Gewölbe der einfache und ruhige Sternenhimmel. Es
ging kein Duft der Rosen zu meiner Nachtherberge herauf, da sie noch in
den Knospen waren, sondern es zog die einsame Luft kaum fühlbar durch
die Fenster herein, ich war nicht von dem Verlangen belebt wie damals,
das Wesen und die Art meines Gastfreundes zu erforschen, dies lag entweder aufgelöst vor mir, oder war nicht zu lösen. Das Einzige war, daß
wieder Getreide außerhalb des Sandplatzes vor den Rosen ruhig und unbe-
wegt stand . . .*[26]

Der aus dem Fenster blickt, ist nicht derselbe wie vordem; die
Person hat sich gewandelt, so wie der Himmel sich anders darstellt. *Ich war sehr traurig*[27], so wird die Erinnerung an diesen Anblick eingeleitet; es ist die unbegreifliche Traurigkeit der Jugend,
welche keinen andern Grund hat als den, daß die Jugend noch
nicht ist, was sie sein möchte, und noch nicht weiß, was sie nur
zu bald wissen und wieder verloren haben wird. Die Schwermut
macht sich fühlbar, die auszeichnet, weil sie das Bewußtsein
eigenen Ungenügens und einer unbegreiflichen Vergeblichkeit
ahnt, nicht aber aussprechen kann. So nimmt sie sich wahr vor
allem angesichts des Vergänglichen, wie es der Wandel der immer
gleichen Natur unabweislich macht. *Es standen nicht die Wolken am
Himmel. . . Es ging kein Duft der Rosen . . . ich war nicht von dem Verlangen belebt . . .* In der Negation wird eine Erfahrung objektiviert,
ohne daß der Dichter sie bestimmter bezeichnete. Man sollte angesichts eines solchen Textes mit dem undeutlichen Begriff der
Stimmung zurückhalten. Zwar kommt hier die Lage des Gemütes zu Worte, aber nicht auf die romantische Weise eines entgren-
zenden Übergangs der Seele in die Natur und der Natur in die

Seele. Vielmehr bleiben beide sie selbst, an dem, was nicht mehr ist, erfährt der Betrachter, was jetzt ist; an dem, was ihm unerreichbar bleibt (*der einfache und ruhige Sternenhimmel*), erfährt er, was ihm vorenthalten bleibt. Der kindische Optimismus ist geschwunden, der aus den Zeichen des Himmels den Verlauf des Tages so sicher zu erkennen glaubte. Es gibt ein Unerkennbares, und das Wesen des eigenen, vertrauteren Gastfreundes gehört dazu. Die Naturschilderung, wenn dies Wort hier überhaupt anwendbar ist, führt nicht von der Natur fort zum Selbstgenuß des Gemütes; vielmehr weist sie es auf sich selbst zurück. Sie behält ihr eigenes, bedeutendes Recht, in dessen Darlegung Stifter das Größte leistet. Nichts ist bei ihm undenkbarer, als daß die natürliche Welt zum Milieu würde, die doch als Schöpfung unmittelbar zum Schöpfer ist.

Diese Überzeugung ist der tiefste Grund für Stifters *Wahrheit*, die *in Sachen der Natur* vorzüglich zu beachten ist. Sein Stil folgt auch hier notwendig aus seinen Überzeugungen. Das genaue Nacheinander der Wahrnehmungen, der Versuch, ein Wirkliches in seiner *Gegenständlichkeit* treu und sachgemäß wiederzugeben, hat nichts mit den zeitgenössischen Absichten der *vérité* gemein, ja steht in Opposition zu ihnen, denn die Wahrheit, um die es hier geht, ist geschichtslos. Was sie treu beschreibt, wird es immer geben, und es wird aller Verkennung zum Trotz sinnvollen Einblick eröffnen. „*Verehrter Herr, der Winter ist doch auch recht schön*"[28], sagt der alte Kaspar auf der Höhe des winterlichen Gebirgs zu seinem Herrn, das in einer Art von Expedition erstiegen wird, ganz gegen Rat und Herkommen. *In diese Ferne wollte ich noch einen Blick tun ... Aber ich konnte die Täler nicht sehen. Die Wirkung, welche sich aus dem Aneinandergrenzen der oberen wärmeren Luft und der unteren kälteren, wie ich schon am schwarzen Steine bemerkt hatte, ergab, war noch stärker geworden, und ein einfaches wagrechtes weißlichgraues Nebelmeer war zu meinen Füßen ausgespannt. Es schien riesig groß zu sein, und ich über ihm in der Luft zu schweben. Einzelne schwarze Knollen von Felsen ragten über dasselbe empor, dann dehnte es sich weithin, ein trübblauer Strich entfernter Gebirge zog an seinem Rande, und dann war der gesättigte goldgelbe ganz reine Himmel, an dem eine grelle fast strahlenlose Sonne stand, zu ihrem Untergange bereitet. Das Bild war von un-*

beschreiblicher Größe.[29] Es geht über in ein nicht minder großartig beschriebenes Spiel der Farben, welche erlöschend dem Sternenhimmel Raum geben. Es könnte in seiner gewaltig-farbigen Weite in der Art zu sehen an Caspar David Friedrich orientiert sein; aber in Wirklichkeit orientiert es sich an der Natur selbst, und die zugrundeliegende Gesinnung ist die einer ehrfürchtigen naturwissenschaftlichen Betrachtungsweise. Ehe das Phänomen selbst benannt wird, werden seine Ursachen mit dem Zusammenstoß warmer und kalter Luft erklärt. Es wird erst im großen, darauf im einzelnen wahrgenommen, wobei das bei Stifter oft beschreibend benutzte *dann* nicht nur das Hintereinander im Raum, sondern auch das Nacheinander der Wahrnehmung gewissenhaft zu bezeichnen sucht. Große Genauigkeit waltet in den überlegten Bezeichnungen von Farben und Sachen – *„in Sachen der Natur muß auf Wahrheit gesehen werden"*, welche schließlich ein *Bild von unbeschreiblicher Größe* ergibt. Was mit den physikalischen Feststellungen begann, endet im ästhetischen Urteil, das durch die Erfahrung des Grandiosen noch über sich hinausweist. Farbensinn, Ökonomie und Verantwortlichkeit der Benennung (man lese die Stelle in ihrem weiteren Verlaufe nach!) und die Ruhe der Sprache, welche der großartigen Ruhe der bewegten Natur zu folgen scheint, ergeben ein bewundernswertes Ganze.

So gelingt es Stifter, im Verlaufe des Romans die Realität einer bestimmten Landschaft lebensvoll erscheinen zu lassen. Der Wechsel der Orte und Jahreszeiten fügt sich zusammen zum Bild einer bestimmten ländlichen Provinz. Es wird um so vollständiger und ausgefüllter, je mehr der Held im Fortschreiten seines Bildungsganges auf ein Ganzes sieht, so daß die Fülle des Wahrgenommenen zugleich auf den Zuwachs an Welt und Bildung deutet. Der Leser erfährt den Zuwachs mit, der durch *Gegenständlichkeit und Maß*, durch *Treue und Sachgemäßheit*, zuweilen nicht ohne Pedanterie, aber immer im Hinblick auf die natürliche Wirkung vorgestellt wird, und wie dem alten Kaspar ergibt sich ihm ein Bild, das Größe hat. Es ist das Bild einer natürlichen Natur, und es steht in dem merkwürdigsten Gegensatze zur Behandlung der menschlichen Verhältnisse; denn im ›Nachsommer‹ wird nur die Natur natürlich, der Mensch aber ideal genommen.

Stifters Sinn für Wirklichkeit will sich nicht auf die Personen er-
strecken; er wird gegenüber der zeitlosen Schöpfung angewandt,
im Hinblick auf den Herrn derselben erweist sich, daß das Buch
auch in tieferem Sinne ein Buch gegen die Zeit ist.

Nicht allein nämlich durch seine pädagogische Absicht, welche sich gegen die Tendenzen seiner Gegenwart stellt; der ›Nachsommer‹ richtet sich gegen die Zeit auch darin, daß er die außerordentlichen Verwandlungen des Bewußtseins nicht zur Kenntnis nimmt, die als historische oder psychologische Fragen die
Zeitgenossen beschäftigten. Ursachen und Wirkungen, welche
in der belebten Natur mit Hilfe der Wissenschaft verstanden werden können, sind dem Dichter wichtig. Wirkungen, die den bestimmten Menschen in bestimmter Zeit betreffen, gelten ihm
gleich. So kommt es, daß der ›Nachsommer‹ gegen die Zeit ist
auch insofern, als er „zeitlos" ist, er spielt in einer kaum bestimmbaren Zeit und berücksichtigt wohl die Stunde, welche die Uhr,
nicht aber die, welche die Geschichte schlägt. Er ist ein zeitgenössischer Roman, aber er negiert die Zeit der Zeitgenossen.

Auf diese Weise entsteht eine merkwürdige Diskrepanz zwischen der Genauigkeit im einzelnen und der Indefinition im großen, sobald es sich um menschliche und nicht um natürliche Verhältnisse handelt. Stets berücksichtigt der Autor auf das sorg-
fältigste eine consecutio actionum in der Zeit, die auch den scheinbaren Bagatellen ein Recht zugesteht. Der Nexus einzelner Handlungen, auch wenn sie gleichgültig erscheinen, und der Verlauf
der Lokomotion wird uns klar überliefert. Vor jenem ersten
abendlichen Blick aus dem Fenster des Rosenhauses, so teilt der
Autor mit, setzt sich Heinrich Drendorf nieder, nimmt *nach einer
Weile* sein Ränzlein, öffnet es, blättert in Papieren, *die ich daraus
hervor genommen hatte*[30], und schreibt darin. Nach dem Blick aus
dem Fenster, welcher durch die Aufforderung zur Mahlzeit sein
Ende findet, legt er seine Papiere auf das Tischchen – es steht
neben dem Bette –, legt sein Buch darauf und folgt der Magd,
nachdem ich die Tür hinter mir gesperrt hatte[31]. Das Momentane erscheint mit Genauigkeit und wird mit Pedanterie gewürdigt;
nach dem zweiten Nachtblick, den Heinrich traurig in das Dunkel vor dem Rosenhause tut, verrichtet er sein Gebet. *Dann*

entkleidete ich mich, schloß die Schlösser meiner Zimmer ab, und begab mich zur Ruhe.[32] Es sind dies die Stellen – und es gibt zahllose –, mit deren Hilfe Stifter, vielleicht ohne es zu wollen, das Detail neutralisiert. Seine Zufälligkeit ist gleichgültig und hat mit Goethes ökonomisch gebrauchter, dämonischer Einzelheit nichts zu tun, ja sie ist ihr wie der *vérité* entgegengesetzt. Die ständige Wiederholung der alltäglichsten Vorgänge drängt zum Typischen, so wie es auch die sprachliche Repetition tut. Was sich scheinbar als Besonderes darstellt und auf die Genauigkeit des Autors im Kleinen deutet, ist tatsächlich von vollkommener Allgemeinheit. Es hängt eng zusammen mit der öfters beobachteten Tatsache, daß die Figuren des Romans lange auf ihre Namen verzichten: „*das ist ein fremder Reisender, der auch heute unser Dach mit uns teilen will.*"[33] So wird der Held am ersten Abend im Rosenhause eingeführt, dessen Besitzer er erst sehr spät mit Namen kennenlernen wird; und als er die ihm nahestehenden Frauen zum ersten Male trifft, so verspricht er sich, *ich wolle nach Mathilden und ihren Verhältnissen eben so wenig eine Frage tun, als ich sie nach meinem Gastfreunde getan habe*[34]. Erfährt man aber bei später und gelegentlicher Nennung die Nachnamen einiger Gestalten, so ist das Gefühl schwer zu unterdrücken, es werde ihnen damit eine Art bürgerlicher Enge aufgenötigt, die das Reine und Exemplarische ihres Charakters beeinträchtigt. Daß Mathilde de La Mole so heißt, wie sie heißt, erscheint dem Leser notwendig; daß Natalie einen bürgerlichen Namen führen soll, erscheint ihm unziemlich. In diesem Buche sind die Namen der Kakteen gewichtiger als die der Menschen.

Damit ist von mehr die Rede als nur von vorbildlicher Diskretion. Die Menschen im ›Nachsommer‹ haben keinen eigentlichen sozialen Ort, obwohl Stifter in den Anweisungen für den Illustrator viel Wert auf die Tatsache ihrer großen Wohlhabenheit legt[35]. Aber alles Soziale bestimmt sich als ein Geschichtliches, und eben diese Bestimmtheit findet sich gemieden. Die Zeit erscheint entweder als Augenblick, dessen stets gleiche und stets wiederholbare Einzelheiten beachtet werden; oder sie erscheint als Verlauf eines Bildungsplanes, in dem weder die Ereignisse der Epoche noch der Zufall in irgendeiner Weise eingreifen, so wenig wie er durch äußere Bedingungen beeinflußt wird. Er ist gegen alles Inkalkulable abgesichert und findet unter idealen Voraussetzungen statt: eben dies macht das Buch zur Utopie. Weil aber nach der Mitte des 19. Jahrhunderts eine vollständige Elimination des historischen Bewußtseins in der auf Totalität angewiesenen Erzählkunst nicht denkbar ist, ersetzt der Dichter das Historische durch das Antiquarische. Insofern Geschichte erscheint – und auch die Idealfigur braucht eine Vergangenheit und eine Zukunft, wenn anders sie nicht unmenschlich werden soll –, erscheint sie als Naturgeschichte oder vor allem als Kunstgeschichte. Sie wird pädagogisch oder ästhetisch neutralisiert; an die Stelle des Geschichts- tritt das Stilgefühl, und das Wort *alt* gewinnt beinahe den Wert eines Synonyms für „richtig" oder „schön". Die Utopie ist konservativ, sie hält der Zeit nicht ohne Nostalgie die edlen Überbleibsel der tempora acta entgegen.

Heinrichs ästhetischer Bildungsgang ist deshalb mehr als eine Erziehung in den Künsten; er deutet auch auf ein Verhältnis zur Zeit, das diese im Schönen aufzuheben trachtet. Die Kunstsammlungen des Freiherrn wie des Vaters entspringen den gleichen Motiven, und mit der Erkenntnis ihres Wertes wächst Heinrichs Bildung und seine Beziehung zum schönen Vergangenen, das mehr Gegenwart hat als die Gegenwart selbst. „*Die Voreltern legten so sehr einen eigentümlichen Geist in ihre Dinge – es war der Geist ihres Gemütes und ihres allgemeinen Gefühlslebens – daß sie diesem Geiste sogar den Zweck opferten. . . 'Man kann daher alte Geräte von ziemlich gleicher Zeit aber verschiedenem Zwecke ohne große Störung des Geistes der Traulichkeit und Innigkeit, der in ihnen wohnt, zusammenstellen, während von unseren Geräten, die keinen Geist aber einen Zweck haben, sogleich ein Widersinniges ausgeht, wenn man Dinge verschiedenen Gebrauches in dasselbe Zimmer tut. . .*"[36] Der zum Stilgefühl verengte Geschichtssinn beklagt den Mangel an verbindlicher und geistreicher Einheit, welche dem Augenblick abgehen. Um sie zurückzugewinnen, wird ein ebenfalls utopischer, auf Konservation gerichteter Selbstbetrug veranstaltet, dessen in unserer Gegenwart verheerende Folgen Stifter nicht zu ahnen vermochte. Die Unsicherheit gegenüber der eigenen, stillosen Zeit flüchtet in die Repristination und ahmt die alten Sachen nach: „*Wir haben daher lieber solche Stücke im alten Sinne neu gemacht als alte Stücke von einer ganz anderen Zeit zugemischt. Damit aber niemand irre geführt werde, ist an jedem solchen altneuen Stücke ein Silberplättchen eingefügt. . .*"[37] Bei all dem ist die Rede von den Wohnräumen der Damen im Sternenhof, darin das antiquarische Bewußtsein aus dem living-room ein Museum macht. Aber der sittliche Mensch bezeichnet die Kopie als das, was sie ist – eine Art von Fiktion gewesenen, echten Daseins, dessen Eigenschaften man sich borgt, weil man sie nicht produzieren kann; so reproduziert man sie. Aus der sentimentalen Verehrung der alten entsteht eines der gespenstischsten Phänomene der neuen Welt, die beliebige Vervielfältigung dessen, was in fremden Zeiten und Räumen original war.

Es mutet merkwürdig an, daß diese massenhafte Erscheinung, welche das Einzelne multiplizierend vernichtet, dem Geist der Bewahrung entstammt. Aber es ist gerade die ergreifende Fiktion dieses Romans, daß das Bewahrende mächtiger sein könne als die Zeit. Zur konservativen Utopie gehört der Konservator, und Stifters eigene, im ›Nachsommer‹ verewigte Bemühungen um den Schnitzaltar von Kefermarkt geben davon Zeugnis. Sie werden auf den Freiherrn und seine handwerklichen Helfer übertragen, und auch Heinrich steht nicht zurück, wenn es gilt, das Verfallende zu erhalten und seinem gleichgesinnten Vater oder seiner Schwester damit eine Freude zu bereiten. Auch sie ist nur scheinbar ästhetischer Natur, sie zeigt überdies, in wie vielfältigem Sinne das Buch seinen Namen zu Recht führt. Die Abschiedsstimmung bleibt kaum verhehlt, und sie wird gerade durch die Elimination alles Neuen und geschichtlich Beunruhigenden gesteigert, indem sie einen künstlichen Zustand als einen gewöhnlichen, einen erwünschten als einen wirklichen vorführt. Aber die alte, als zusammenhängend und sinnvoll genommene Welt geht dahin und liefert im Hingang dem Buch Gegenstände, welche wiederkehrend zu seiner Form beitragen. „*Diese Dinge haben so gut wie bedeutendere Gegenstände ihre Geschichte. . .*"[38], sagt der Freiherr von Risach, und sein Wort kann wohl angewandt werden auf die Zithern des Zithermachers, dessen edle Kunst ausstirbt.

Sie sind noch nicht *die leeren und geistesarmen Arbeiten einer ohnmächtigen Zeit*[39] und werden deshalb, wie die volkstümliche Musik ihres Verfertigers, in dem Roman als ordnende und zusammenfassende Zeichen verwendet, so wie die geschnitzten Wandverkleidungen, die Heinrich verschenkt. Im Heimweh nach einer „*Wirklichkeit*", aus der „*etwas ganz anderes*" spricht „*als bei unseren neuen Dingen*"[40], stand Stifter nicht allein; Riehl suchte es in konkrete gesellschaftliche Einsichten zu wandeln, und ein liebenswürdiger Künstler wie Ludwig Richter vermochte die Abschiedsstimmung als anmutigen Glanz über eine ganze kleinbürgerliche Welt zu verbreiten. Heute, da die Zerstörungen die Überhand haben, ist die Nostalgie nur um so stärker; vielleicht ist sie die moderne Form der immerwährenden laudatio temporis acti, vielleicht mehr.

Verwandt mit dem antiquarischen Hang, aber nicht mit ihm zu verwechseln sind die Auffassungen von der Kunst, die Heinrich sich vorschreitend erwirbt. Sie entspringen einer Unmittelbarkeit, die alles Konservative beiseite schafft und im Erlebnis des Schönen unendlich viel mehr wahrnehmen läßt als dieses selbst. Man hat mit Recht immer wieder darauf aufmerksam gemacht, daß die im Rosenhause aufgestellte antike Marmorfigur die Mitte des Buches in jedem Sinne bedeutet. Heinrich nimmt sie zunächst nicht wahr, bis ihm eines Tages bei währendem Gewitter die Erkenntnis ihres wahren, über alles Geschichtliche erhabenen Wesens zuteil wird. *Ich empfand, daß ich in diesen Tagen in mir um vieles weiter gerückt werde*[41], sagt er von sich und zeigt damit den Rang des Eindruckes an, der neben Nataliens erschüttertem Antlitz sein tiefster Bildungseindruck ist. *Er war aber nicht einer, wie ich ihn öfter vor schönen Sachen hatte, ja selbst vor Dichtungen, sondern er war, wenn ich den Ausdruck gebrauchen darf, allgemeiner geheimer unenträtselbarer, er wirkte eindringlicher und gewaltiger; aber seine Ursache lag auch in höheren Fernen, und mir wurde begreiflich, ein welch hohes Ding die Schönheit sei. . .*[42] Die so vor allem negativ gefaßte Erschütterung entbehrt der Unverbindlichkeit. Das Bild steht da als Gegenbild gegen die ganze *elende Verkommenheit*, von der im Buche nicht die Rede ist. Seine Wirklichkeit macht das Große im Menschen sinnfällig und eine unerforschliche Ordnung sichtbar, die weit über das Ästhetische hinausgeht, *„um Großes zu stiften und zu erzeugen"*[43]. Die alte Überzeugung von der Identität des Schönen und des Sittlichen wird noch einmal dem Jahrhundert vorgehalten und gründet sich auf den Glauben, daß es in der Kunst um die *„Erschaffung einer Schöpfung, die der des Schöpfers ähnlich sein soll"*[44], geht. Sie ist dem Dichter eine Weise der Annäherung an das Schöpfungsgeheimnis selbst, unmittelbarer noch als jede wissenschaftliche Beschäftigung und deshalb für den Bildungsplan seines Helden ungleich zentraler; ist doch *„die Kunst ein Zweig der Religion, und darum hat sie ihre schönsten Tage bei allen Völkern im Dienste der Religion zugebracht"*[45]. In ihr kommt das fromme Wirklichkeitsverhältnis Stifters ganz zu sich selbst, mehr als angesichts der Natur: *Die Gebirge standen im Reize und im Ganzen vor mir, wie ich sie früher nie gesehen hatte. Sie waren meinen Forschungen stets Teile gewesen. Sie waren jetzt Bilder so wie früher bloß Gegenstände. In die Bilder konnte man sich versenken, weil sie eine Tiefe hatten, die Gegenstände lagen stets ausgebreitet zur Betrachtung da.*[46]

Man findet in diesen Anschauungen zwei ehrwürdige Traditionen vereinigt, eine theologische, welche den Erscheinungen der Schöpfung Offenbarungskraft zutraut, und eine weltliche, die dem poeta den Beinamen creator gönnt. Sie hat ihre letzte Ausprägung in der Schönheitsästhetik der deutschen Klassik gefunden, und das deutsche Bürgertum des 19. Jahrhunderts hat sich einen vordergründigen Religionsersatz daraus gefertigt. Gewiß steht Stifter noch diesseits solcher Gesinnungen, wie er überhaupt dem Josefinischen näher scheint als seiner eigenen Zeit. Aber er steht auch diesseits aller Bewußtseins-Erweiterungen, welche die Poesie seines Jahrhunderts wiedergegeben oder mitbewirkt hat. Er weiß sich in der alten Welt gegründet, aber er hängt durch seine gegen die neue gerichtete pädagogische Absicht per negationem mehr von dieser ab, als wenn er sich mit ihr identifiziert hätte. Hier zeigen sich die eigentlichen Gründe für den tiefen Stilbruch im ›Nachsommer‹, der das Beharrende der anschaulichen Welt in schöner Lebenskraft und die Menschen in einer klassizistischen Starre erscheinen läßt, weil ihnen die Wahrheit des Wandelbaren fehlt, die so menschlich ist wie die Nötigung, dem Zufall zu begegnen. Für Stifter geht es in der Dichtkunst um „*das ewig Dauernde in uns und das allzeit Beglückende*"[47]. Wenn er die Dichter als die „*Priester des Schönen*"[48] hinstellt – eine Wendung, deren Faltenwurf nicht leicht fällt –, so rechnet er sie unter die Wohltäter der Menschheit und ist überzeugt, daß sie, wie alle Künste, das „*Göttliche in der holden Gestalt*" und „*im Gewande des Reizes*"[49] darbieten. Aber er nennt einen Vorzug der Poesie, den sie vor den anderen Künsten, der Musik, der Malerei, der Bildhauerkunst, voraushabe, welche sämtlich mit dem Stoff ringen müssen: „*. . . nur die Dichtkunst hat beinahe gar keinen Stoff mehr, ihr Stoff ist der Gedanke in seiner weitesten Bedeutung . . . Die Dichtkunst ist daher die reinste und höchste unter den Künsten.*"[50]

Man kann sich schwerlich ein unerwarteteres Wort aus dem Munde eines Dichters denken, den man um seiner Zuwendung zu den Erscheinungen der natürlichen Welt willen mit mehr oder weniger Recht zu den Realisten zu zählen pflegt. Daß der Maler Stifter, der Liebhaber der Natur und der unübertroffene Schilderer einer gewachsenen Landschaft gerade das Immaterielle seiner liebsten Kunst hervorkehrt, verrät deren idealischen, ja wenn man die Wendung wagen will, pädagogisch-dogmatischen Charakter. Der Absicht nach überwiegt das *ewig Dauernde*, und schon das Überwiegen dieser Absicht entrückt ihn der Nähe des so verehrten Goethe. Am sichtbarsten wird die Unstofflichkeit bei der Behandlung der Menschen, deren Hauptfiguren sämtlich auf die Figuration des Dauernden angelegt sind, die Frauen übrigens mehr als die Männer, und die Jungen mehr als die Alten. Ihr Verhalten ist von einer gewissen archaisierenden Künstlichkeit, eigentlich immer vorbildlich und prototypisch, wozu die anhaltende Namenlosigkeit wohl stimmt. Auch ergibt sich das Verhalten keineswegs aus psychologischen Zusammenhängen, sondern allein aus den Regeln des Schicklichen und Richtigen, so daß dem Fehlen des Zufalls das Fehlen des Spontanen entspricht. Nur in der berühmten, antithetischen Liebesgeschichte des Freiherrn und Mathildens walten die unberechenbaren Mächte der Leidenschaft; aber diese Geschichte, als Folie gedacht und von schöner menschlicher Wärme erfüllt, stellt einen Erdenrest dar, der den jüngeren Liebenden zu tragen nicht auferlegt ist. Sie sind vom Schicklichen gelenkt – besonders Natalie – wie Ottilie in den ›Wahlverwandtschaften‹, aber dies Schickliche ist von leichterem Gewicht und hat sich nie in der Begegnung mit dem Dämonischen verwirklichen müssen. Es realisiert sich vielmehr in Lebensformen, deren Beobachtung eine so große Rolle unter den Menschen dieses Buches spielt, wohl in dem Vertrauen, daß auch Formen Bildungskraft innewohne. An die Stelle der psychologischen Begründung tritt oft diejenige durch ein vorgebildetes Verhalten, welches die Handlungen regelt. Ankunft und Kleidung, Ruhe und Speisung, Verweilen und Abschied werden in ihren wohlgeordneten Verläufen so oft wiederholt, daß die Verhaltensweisen geradezu rituell wirken. So versichert sich in der einprägsamen Repetition eine gefährdete bürgerliche Kultur ihrer eigenen Lebensart und idealisiert sich selbst, indem sie sich rein darstellt. Daher kommt es auch, daß reale Einzelheiten, wie die Umstände bei Tische, durch die bloße Wiederholung eine stilisierende, antirealistische Wirkung hervorbringen.

Ähnliches gilt von der Redeweise, die – ganz unabhängig vom Personalcharakter – vom Schicklichen, zuweilen ebenfalls bis zur Pedanterie, bestimmt ist. Wenn Heinrich zum ersten Male der Frau Mathilde vorgestellt wird, so geht eine wohlgesetzte Rede von seinem Munde, die seine bescheidene Unerfahrenheit, seine Einführung in das Haus, seine Wiederkehr in dasselbe, sein Verhältnis zu ihm ausspricht, um in der Wendung zu enden: *„Wenn ich nicht ungelegen bin, und die Umgebung mir nicht abgeneigt ist, so sage ich gerne, wenn ich auch nicht weiß, ob man es sagen darf, daß ich immer mit Freuden kommen werde, wenn man mich einladet." „Ihr seid eingeladen," erwiderte mein Gastfreund. . .*[51] Solche homerischen Anreden, grüßende oder bestätigende Wortwechsel, neigen so sehr zum Statuarischen und Formelhaften, wie die Darstellung der Landschaft ein jeweils Anschauliches sucht. Das Typische im menschlichen Bereich entspringt nicht einer verdichteten, auf die wesentlichen Züge reduzierten Empirie, es sucht vielmehr den vorbildlichen Typus hinzustellen und zu zeigen, wie der wünschbare Mensch spricht, sich trägt und handelt. Auf diese Weise gerät die edle Natalie trotz allen berührenden Einzelheiten, ja trotz einer der schönsten Liebesszenen in unserer Literatur mehr in die

Nähe der marmornen Kunstfigur als in die des liebenden Mädchens. Nachdem sich Heinrich ihr erklärt hat, erblickt er sie zufällig, ohne selbst erblickt zu werden, in den Zimmern der Frauen. Der Hergang wird zunächst ganz real geschildert, deutlich erklärt, warum es sich nicht um unziemliches Belauschen handle und warum eine halbgeöffnete Glastür den Blick auf die Geliebte freigibt. *An den Wänden hinter ihr erhoben sich edle mittelalterliche Schreine. Sie stand fast mitten in dem Gemache vor einem Tische, auf welchem zwei Zithern lagen, und von welchem ein sehr reicher altertümlicher Teppich nieder hing.*[52] Es folgt eine Beschreibung ihres nach der damaligen schönen Mode geschnittenen undekolletierten Kleides aus grauer Seide mit roten Streifen, und dann erst fällt das Auge auf die Person. *Der linke Arm war ausgestreckt, und stützte sich mittelst eines aufrecht stehenden Buches, auf das sie die Hand legte, auf das Tischchen. Die rechte Hand lag leicht auf dem linken Unterarm.*[53] Stifter hat die größte Mühe darauf verwendet, seinem Illustrator Geiger diese den Positionen auf den Daguerreotypien so verwandte Pose deutlich zu machen[54]; man kann sie auf dem Frontispiz der alten Ausgaben betrachten und auch wahrnehmen, auf welche Weise der Zeichner das Folgende anschaulich zu machen versucht hat: *Das unbeschreiblich schöne Angesicht war in Ruhe, als hätten die Augen, die jetzt von den Lidern bedeckt waren, sich gesenkt und sie dächte nach. Eine solche reine feine Geistigkeit war in ihren Zügen, wie ich sie an ihr, die immer die tiefste Seele aussprach, doch nie gesehen hatte.*[55]

Die in einer wiewohl ästhetisch bestimmten, dennoch realistisch gefaßten Umgebung Stehende wird zur Kunstgestalt, zur Allegorie ihrer selbst, welche die Idee der reinen Liebenden vermitteln soll. Die realistische Einzelheit (*Die Ärmel waren enge, reichten bis zum Handgelenke, und hatten an diesem wie am Oberarme dunkle Querstreifen...*[56]) ist gänzlich außer Kraft gesetzt durch das Idealische eines vor alten Schreinen aufgestellten Frauenideals. Der liebende Zuschauer sieht sie nicht wie einen Menschen, sondern wie eine Kunstgestalt an, deren Bedeutung es zu fassen gilt: *Ich verstand auch, was die Gestalt sprach, ich hörte gleichsam ihre inneren Worte: „Es ist nun eingetreten!"*[57] Sie verkörpert, was auch ihr Verlobter als Jüngling auf dem Wege zum Manne darstellt: die Idee einer bürgerlichen Kalokagathie in einem Zeitalter, das sie, leider, längst überholt hatte. So erhält der Ausspruch des Freiherrn von Risach den tragischen Klang, den nur das Wahre haben kann: „. . . *es wird hier wie überall gut sein: Ergebung Vertrauen Warten.*"[58]

Die Haltung Nataliens, so wie die des Romans, hat eine verzweifelte Größe, die auch dem Leben und dem Tod ihres Autors eigen ist. Die konservative Utopie gipfelt im Bildnis einer Jugend, der ein ewiger Adel, aber keine Gegenwart gehört. Das Zeitlose wiegt vor, und die lebendigste Gegenwart ist wie die Prosa des Lebens in der Vergangenheit zu finden, in der Jugend des Freiherrn und Mathildens, deren Versäumnisse nie mehr einzuholen und soviel menschlicher sind als alle stilisierte Menschlichkeit. Merkwürdig, daß das ganze Buch seinen Namen von der Episode gewinnt, die aus Leidenschaft und Mangel an Liebes-Vertrauen zwei Liebende um den Sommer gebracht hat. Ihr *Nachsommer*[59], eine lange und mild entsagende Zeit, ist dem Ganzen überschrieben, welches doch eigentlich den Werdegang eines jungen Menschen zum Gegenstande hat, die letzten Seiten sind um die Illusion von *dauern* bemüht, um *Rundung und Festigkeit*, sie sprechen von *ungeminderter Fülle*[60]; aber auch über ihnen liegt das nachsommerliche Licht, das ein Abschiedslicht ist. Der Name des Romans gewinnt seinen ganzen Sinn erst, wenn man ihn nicht allein auf des Freiherrn Wunsch bezieht, daß er *seinen Nachsommer bis zum Ende ausgenießen könne*[61]. Er sucht noch einmal den Nachsommer einer ganzen Epoche zu befestigen, die gute Sitte, das Vertrauen in den Sinn und Zusammenhalt der ganzen Welt. Wie groß sind die Macht des geschichtlichen Bewußtseins und der Verfall der alten Ordnungen geworden, wie sehr müssen die Veränderungen den Sinn des Dichters erfüllen, wenn er keinen anderen Weg mehr sah als den, sie zu verschweigen! Nochmals zeichnet er ein Leben vor nach alten, nie rein verwirklichten Mustern, die wenigstens die Kunst rein zur Geltung bringen soll. Er geht noch zurück hinter die Ästhetik der Klassik, welche das Schöne, das Geziemende und das Sittliche identifizierte. Er hält sich, wider sein eigentliches Bewußtsein, an die Leitsätze einer josefinischen Theologie und scheut sich nicht, die optimistischen

Lehren des 18. Jahrhunderts mit schwermütiger Feder nochmals niederzuschreiben. So sagt der Freiherr von Risach bei
der Betrachtung der nützlichen Singvögel, die seinen Garten
von allem Ungeziefer rein halten: „*Allen Tatsachen, die wichtig
sind, hat Gott außer unserem Bewußtsein ihres Wertes auch noch einen
Reiz für uns beigesellt, der sie annehmlich in unser Wesen gehen läßt.
Diesen Tierchen nun, die so nützlich sind, hat er, ich möchte sagen, die
goldene Stimme mitgegeben, gegen die der verhärtetste Mensch nicht verhärtet genug ist.*"[62]
Diese Sätze mit ihrer ein Jahrhundert zurückweisenden Tele-
ologie sprechen im kleinen die Anschauungen aus, denen der Roman im großen die Wirklichkeit noch einmal anzupassen sucht.
Man müßte verhärtet sein, wollte man die Reinheit der Absicht
nicht bemerken und von der Vergeblichkeit nicht ergriffen werden, mit der in deutscher Sprache, im 19. Jahrhundert und in
einer alternden Kultur eine Art von erzieherischem ›Robinson‹
versucht wird. Allein wie dieser auf seiner Insel, leben die Menschen des ›Nachsommer‹ in einer anderen Welt und Zeit, überzeugt, daß alles ihnen zum Besten dienen und seinen Sinn erweisen werde. Wäre Stifter nicht ein großer Erzähler gewesen, so
hätte das Programmatische seines Werkes Leben und Wirklichkeit zum Erliegen gebracht. Es blieb dies seinen Nachfolgern
minderen Ranges überlassen, die, vom „Bildungsroman" fasziniert, letzte Fragen stellen zu müssen glaubten, wo der große
Roman Welt aufstellt. Stifter war ein Dichter und trug die Wi-
dersprüche, die sein Buch im Gegensatz von natürlicher Natur
und idealischen Menschen noch eben zusammenfaßte, bis an das
bittere Ende. Auch die Utopie ist eine altbegründete Dichtweise,
wie das Lehrgedicht, und wer will und vermag, der kann beide
mischen und wiederum nur mit einem dünnen Faden an die Wirklichkeit gebunden eine andere, wünschenswertere vorbringen.
Dabei mögen Hoffnungen für Realitäten ausgegeben oder in der
Einsamkeit des Dichters als solche angesehen werden. Der Ana-
chronismus dieser Verwechslung hat eine außerordentliche, dichterische Würde; er hält an dem Kunstbegriff fest, den das 19.
Jahrhundert in seinem Blick auf eine wandelbare Wirklichkeit
aus dem Auge verlor. Einer von Stifters größten Verehrern,

Friedrich Nietzsche, hat nicht sehr lange nach der Veröffentli-
chung des ›Nachsommer‹ die tieferen Ursachen des großen Wan-
dels sehr genau ausgesprochen: *Es ist wahr, bei gewissen metaphy-
sischen Voraussetzungen hat die Kunst viel größeren Wert, zum Beispiel wenn der Glaube gilt, daß der Charakter unveränderlich sei und das
Wesen der Welt sich in allen Charakteren und Handlungen fortwährend
ausspreche: da wird das Werk des Künstlers zum Bild des ewig Beharrenden, während für unsere Auffassung der Künstler seinem Bilde
immer nur Gültigkeit für eine Zeit geben kann, weil der Mensch im ganzen
geworden und wandelbar und selbst der einzelne Mensch nichts Festes und
Beharrendes ist.*[63]

V

DER ROMAN ALS MÄRCHEN

Dickens: ›Great Expectations‹

Gegen Ende seiner ›Epigonen‹ stellt Immermann eine Frage, die nur von wenigen Autoren deutscher Romane mit der gleichen Schärfe begriffen worden ist: *Wenn Sie die Neigung so unwiderstehlich zur Betrachtung der menschlichen Schicksale treibt, warum schreiben Sie nicht lieber Geschichte selbst? Da hätten Sie die volle Traube am Stocke vor sich und könnten uns einen gesunden, reinen Wein zubereiten, während Sie in der Sphäre, welche Sie wählten, notwendig mischen müssen und also auch nur einen Zwittertrank hervorbringen.*[1] Derart zweifelnde Sätze waren das Ergebnis langer Bemühung, erzählend die ungewisse Atmosphäre der Restaurationszeit darzustellen, über die Stendhal seinen Lesern reinen Wein eingeschenkt hatte. Er war im späten Nachglanz der Sonne Napoleons reif geworden, und ihm fehlt all die idealische Verwässerung, welche in den ›Epigonen‹, und nicht nur in diesen, den Leser an der Wirklichkeit irre macht. Wo Stendhal erzählt, legt der Deutsche einem großen Muster theoretische Grundgedanken unter: Nicht die raffinierte Unmittelbarkeit des ›Werther‹ und nicht die kunstvolle Ökonomie der ›Wahlverwandtschaften‹ waren zum Vorbild des deutschen Romans geworden, sondern die ›Lehrjahre‹. Man übersah, daß der geniale Griff Goethes nicht wiederholbar war. Er hatte die ästhetische Welt mit der Welt lebendigen Lebens identifiziert, indem er seinen Helden durch die Schule des Schauspiels gehen, ihn darüber denken und schließlich ihn freizusprechen hieß. Da war jeder Fortschritt in der Theorie ein Fortschritt auf dem Wege des Lebens. Bei den Epigonen des ›Wilhelm Meister‹ blieb nur der Weg übrig und ein dumpfes Bewußtsein, er müsse zu Höherem führen, wie, das wußte man so wenig, wie man dies Höhere kannte. So behalf man sich mit den einmal angenommenen Hindernissen auf dem Wege des

immer wandernden Jünglings; sie bestanden in Mignon-gleichen
verkleideten Mädchen, heimlichen Verwandtschaftsverhältnissen
und offenbaren Rätseln, Gegenwarts-Reflexionen und dem wiederholten Versuch, mit deren Hilfe die Weltanschauung des
Wanderers zu einer der Länge der Wanderung entsprechenden
Reife zu bringen.

Daß die ›Lehrjahre‹ dies nur vermochten, weil sie eine Sphäre
der Wirklichkeit, die zugleich Kunstsphäre war, zum wahrhafti-
gen Grund all der Fragen machten, welche Wilhelm bedrängen
und fördern, blieb unbeachtet. Die Imitation war äußerlich und
geschah meist der Form nach. Schon Goethe hatte die theoretischen Tendenzen seines Buches nicht ohne Mühe bewältigt, wovon der Briefwechsel mit Schiller Zeugnis ablegt. Wie sollten
solche Schwierigkeiten, die Immermann jedenfalls erkannte, etwa einem Gutzkow deutlich sein? Ihm ging es, wie den meisten
Autoren des überaus mittelmäßigen „Jungen Deutschland" um
Programmatisches, so wie es so vielen Späteren keineswegs um
Realität, sondern um „letzte Fragen" ging. Wo andere Völker
Welt aufstellten (welche als Welt wohl letzte Fragen enthalten
mochte), stellte man bei uns gerne verkleidete Theorien auf. Sie
waren notwendig dürftig, und zwar um so mehr, je unbeschei-
dener sie waren. Denn die Absicht überwog den ersten Zweck
jeder Erzählkunst, daß sie nämlich erzählen will. Oder, wie es
der scharfsinnigste Kritiker formulierte, den die Mitte des vergangenen Jahrhunderts in Deutschland hervorgebracht hat: *Die
philosophische Abstraktion hat sich der dichterischen untergeschoben . . .
unser Unglück ist nicht der Mangel, sondern der Überfluß an Mustern.*[2]
Damit traf Otto Ludwig den eigentlichen Grund all der hoch-
fliegenden Dürftigkeit, die bis weit in unser Jahrhundert hinein
unbemerkt ließ, daß der große Roman nicht sagt: dies ist des
Lebens Geheimnis, sondern: so ist es gewesen; auch nicht: so
denke ich, sondern: so tat und dachte der Held; und nicht: so
soll es sein, sondern: so stellt es sich dar. Es gibt kein Erzählen
ohne Freude an der Wirklichkeit, mag sie immer erfunden sein;
wenn sie nur unterhält, so ist sie zu brauchen‹.

Eben dies wurde bei uns verachtet, und Ludwig hatte den Maßstab auch keineswegs in der Betrachtung der deutschen Literatur

gewonnen, der ihn instand setzte, über die bloßen Zweifel Immermanns hinaus zu denken. Er fand ihn in der Beschäftigung mit Shakespeare und dem englischen Roman: *Im ganzen waltet im englischen Roman noch Shakespeares Geist* – das war seine wohlerwogene Überzeugung, und sie gründete sich vor allem darauf, daß dort Leben waltete *in dem Abwenden von aller Schwärmerei und hohler Idealität. Die Engländer studieren den Gegenstand, den sie behandeln, sie machen sich aufs genauste mit den Verhältnissen bekannt, die der Stoff ihrer Erzählung, aber nur, um ihnen abzugewinnen, was von Poesie und sonstigem Effekt in ihnen liegt, ... nicht aber, um ihn lehrend und räsonnierend abzuhandeln. Das giebt ihren Werken das Anspruchslose, das so wohl thut.*[3] Eine solche Erzählkunst, in *der Darstellung des Weltlaufes, der Illusion, der Ganzheit des Lebens, in der Mischung des Komischen selbst in das Ernsteste, ohne daß es diesem schade*[4], entsprach dem ursprünglichsten literarischen Bedürfnis, dem, eine Geschichte erzählt zu bekommen, mochte sie auch Effekte nicht verschmähen. In ihm lag auch einer der Gründe für den unbeschreiblichen Erfolg, den der Engländer Charles Dickens in Deutschland (wie in England) hatte. Manche der Gründe mögen, wie sich zeigen wird, noch tiefer liegen und treten deutlich in dem Roman ›Great Expectations‹ hervor.

Allerdings fand sich in diesem die *Mischung des Komischen selbst in das Ernsteste,* und er verzichtete nicht auf *Poesie und sonstigen Effekt,* um das Heranwachsen eines dörflichen Hans im Glück namens Pip recht zu Herzen gehen zu lassen. Arm am Anfang und arm am Ende hat der hoffnungsvolle Jüngling für eine Weile „große Erwartungen" – der Leser mag sie nachlesen, um dabei zu sein, wenn sie sich zerschlagen. Er – der Leser – wird im Unterschiede zu Pip reich belohnt, schon allein durch die Menschen, welche er kennenlernen darf. Es gibt sie nicht mehr, und vielleicht gab es sie auch zu Dickens' Zeiten nicht so oder nicht mehr, wenn der Erzähler nicht ohne Abschiedswehmut auf die grüne, fast biedermeierliche Idylle blickte, welche das englische Landleben ihm präsentierte. Hier war das goldne Herz noch daheim, in der kräftigen Brust des Schmiedes Joe, unter der gestärkten Schürze der bescheidenen Biddy (ach – würde Pip nur den ländlichen Edelstein erkennen!); und dem von Dickens geschärften

Blick des Lesers entgeht es nicht einmal hinter den strengen Erziehungsmethoden der Schmiedsgattin Mrs. Gargery, Pips viel älterer Schwester, *who brought him up by hand*[5]. Diese drei machen Pips Familie aus, und man weiß kaum, wem mehr Zuneigung gebührt, dem schlichten und des Wortes unmächtigen Ziehvater, der gut und stark, ein treuer Bär und ein Gentleman von Herzens wegen ist; oder der altjüngferlichen Mrs. Gargery, deren in zwanzig Jahren Lebensvorsprung angesammelte Säuerlichkeit weder die Pflichttreue noch den Sinn für das Richtige beeinträchtigt; ganz zu schweigen von der sauberen und klaren Biddy: *Biddy was never insulting, or capricious, or Biddy to-day and somebody else to-morrow.*[6] Sie vermochte, auch wenn das Herz blutete, leichthin zu sagen: „*Don't mind me*"[7] – so war Biddy. Und etwas von der gleichen unwandelbaren Treue haftet auch Freund Herbert an, der Pip zur „einzigen" guten Tat seines Lebens veranlaßt und sich nicht scheut, auch einem gehetzten Sträfling gegenüber die Tugenden des Gentleman zu üben.

Allein keineswegs alle Figuren des breiten, aber für Dickens' Verhältnisse straff geführten Romans sind von derart echtem Schrot und Korn. Der hellen Welt der Getreuen steht eine Gruppe dunkler Gestalten entgegen. Immer mehr enthüllt sich im Fortgang der Erzählung, daß das Kind Pip den finstern Schmiedegesellen Orlick mit Recht gefürchtet hat, welcher den Jüngling und Gentleman Pip in dramatischer Szene beinahe ermordet. Beinahe, denn eine glückliche Fügung und Herberts Klugheit bringen Hilfe in die hoffnungslose Einsamkeit, ohne doch rückgängig machen zu können, was Orlick der redlichen Mrs. Gargery angetan. Mit der entschiedensten Genugtuung sieht man die Gerechtigkeit diesen Schuft ereilen. Allerdings fehlen solche genugtuenden Gefühle, wenn die Häscher dem Sträfling Magwitch nachsetzen, der zu Beginn im Marschgelände den Wachen entflieht, um am Ende in der gleichen Landschaft das Zeitliche zu segnen, in dessen Verlauf er mit ungerechtem Mammon als ein unbekannter Wohl- und Übeltäter Pip die geheimen Mittel, die *Great Expectations*[8] auf eine Gentleman-Zukunft zugänglich gemacht hat. Er erscheint als eine finstere Gestalt, und mit ihm verbindet sich der Einblick in die nie zuvor so geschilderte Verbrecherwelt von Newgate: das Gegenbild des freundlichen, hellen, geschrubbten und polierten Dörfleins. Aber mit Pip lernt der Leser, daß im Unterschied zum echten Schurken Orlick aus Magwitch ein scheinbarer Schurke nur wurde, weil die Chancen der Gesellschaft ihm entgegenstanden – der Kern ist gut, der Anschein schwarz. Wie ihn, mag sein Schicksal auch rühren, Meilen trennen von dem niemals gestrauchelten wackeren Joe, so gibt es auch kein Band zwischen Biddys Trefflichkeit und den Capricen Estellas, dem Kind aus scheinbar besserem Hause, das Pip lebtags und vergebens liebt. Vergebens jedenfalls so lange, bis Dickens den Schluß des Buches umzuarbeiten sich entschloß. Der zweite Schluß läßt Estella geläuterter erscheinen, welcher der Leser die Läuterung nicht gern zutraut: wer will Aschenbrödels hochmütige Schwester gebessert sehen? Wäre das nicht gegen alle Regeln einer geordneten Erzählkunst und genauso undenkbar, wie wenn Aschenbrödel (ein Biddy-Charakter) plötzlich eine Wendung zum Bösen nehmen wollte; wenn also Biddy den Pip so quälte, wie Estella es tut?

Die Frage macht deutlich, daß es in diesem Buche extreme und zugleich von alters präfigurierte Gestalten gibt, die entgegengesetzten Bereichen zugehören: es gibt die Guten und die Bösen, die Lichten und die Dunklen. An dieser Grundanlage der geschilderten Welt ändert auch das Heer lebensvoller Erscheinungen nichts, welche die ganze Skala menschlicher Möglichkeiten zwischen den Extremen realisieren; Bauern und Kleinbürger, feine (oder scheinbar feine) Leute und Kriminelle, zwielichtige Gestalten und skurrile, Provinz und London erwachen zu einem Leben, wie es Dickens allein hervorzuzaubern vermag. Die Zauberformel ist uralt und dem Märchen entnommen, das die Welt von jeher in Schwarz und Weiß einzuteilen pflegt, wie es die Menschen gern hören. Dickens behält diese Grundfigur einfachsten Erzählens bei, vor allem in den reinen Verkörperungen der entgegengesetzten menschlichen Möglichkeiten, welche die Handlung seiner sämtlichen Erzählungen bestimmen. Der Schmied Joe, in gegenwärtiger Zeit in bestimmter Landschaft einen bestimmten Dialekt sprechend, bleibt doch die uralte Märchenfigur des treuen Dieners; Orlick enthüllt seine ganze Schlechtigkeit am Ende, wie die Bösen im Märchen am Ende durch das Gute entlarvt sind; Biddy bleibt Biddy, wie Aschenbrödel Aschenbrödel, und auch eine Fee, welche dem Hans im Glück das Glück verwünscht, wird nicht fehlen. Allein sie alle treten unter den Bedingungen des modernen Romans auf, der die Grundtypen einfachsten Erzählens beibehält, um sie lediglich den Forderungen eines veränderten Bewußtseins anzupassen. Er verifiziert sie durch die bestimmbaren Konditionen von Zeit und Ort und erfüllt so das neue Bedürfnis, das Wirkliche als ein Geschichtliches zu erkennen. Und da die Imagination die alten Handlungsverläufe nicht mehr durch deren bloßen Kontur beglaubigt sieht, wird den historischen Bedingungen eine – noch recht bescheidene – Anzahl psychologischer hinzugefügt.

Eine solche auf die Reproduktion auch „empirischer" Realität gerichtete Verfahrensweise ist für den Dichter jedoch nur Mittel, um seine Absicht: zu erzählen, dem Publikum der Jahrhundertmitte noch annehmbarer zu machen. Wenn es treue Beobachtung will, um wirklich überzeugt zu sein, so gibt er sie ihm; wenn es den Zusammenhang auch in dem Nexus zwischen Person und Umwelt aufzusuchen trachtet, so erhält es diesen. Aber weder die Einbeziehung eines (etwa in der Schilderung sozialer und großstädtischer Verhältnisse) damals unerhörten Realismus noch die Beachtung psychologischer Gegebenheiten sind mit dem Zweck des Romans so verbunden wie die Geschichte mit den Zwecken Stendhals. Sie sind nicht programmatisch aufzufassen, sondern stellen lediglich eine Form dar, die das Märchenhafte, Grundtypische annimmt. Dickens' fast unermeßlicher und immer noch anhaltender Erfolg beruht auf der Fähigkeit, die elementaren, ja primitiven Figuren und Konstellationen des Erzählens im wesentlichen unangetastet zu lassen, aber durch Gegenwärtigkeit zu beglaubigen. In einem sich aufgeklärt dünkenden Zeitalter ist für ein lesendes Publikum die ungeschichtliche, immer präsente Gegenwart des Märchens nicht mehr möglich. Viel zu lange hat man die säkularisierenden Wirkungen der Aufklärung nur im Hinblick auf die Glaubensinhalte betrachtet und unbeachtet gelassen, wie sie noch einfachere und frühere Vorstellungen zerstört haben. Dickens gibt seinen

Lesern das Märchen zurück, indem er es aktualisiert und damit, wenn man so will, historisiert. Indem das eine jede Fortsetzung verschlingende Publikum mit Behagen „unser England" zu erkennen vermeint, liest es in Wahrheit Märchen. Der Roman leistet, was heute vor allem der Kriminalerzählung vorbehalten ist und was das Märchen zu allen Zeiten geleistet hat: es zeigt die einfachen Bedingungen der Welt und bringt sie, mögen Hindernisse und boshafte Gewalten noch so sehr am Werke sein, schließlich „in Ordnung".

An dieser Stelle ist eine bescheidene Warnung wohl am Platze. Es wäre – und nicht um Dickens' Können willen – verfehlt, wollte man so simplen literarischen Ambitionen hochmütig begegnen. Sie erfüllen ein Bedürfnis, welchem die Literatur zu gutem Teil ihr Leben verdankt; es ist das Bedürfnis, Weltdeutung zu erhalten, nicht in Spekulationen oder mühsam drapierten Symbolismen, auch nicht im unerschöpflichen Anspruch ganz großer Poesie, sondern in der lebhaften Anschauung einnehmend erzählter Geschichten. Daß sie die Welt anders schildern, als unsere Lebenserfahrung sie kennt (welche die Fälle belohnter Tugend und Treue „in Wirklichkeit" nicht zu entdecken vermag), ist kein Einwand. Denn es handelt sich um Weltdeutung nach der Märchenform, die das Unverständliche und Ungerechte zurechtrückt und die Welt nicht deutet, wie sie erscheint, sondern wie sie sein müßte, wenn anders man das Leben überhaupt aushalten soll. Im Märchen erscheinen die reinen Möglichkeiten und die reinen Bedingungen des Daseins unvermischt. Sie sind schwarz – wie die böse Verwandte, die verräterische Schwester, der treulose Bräutigam – oder weiß, wie die unbeirrbare Unschuld, der treue Diener und der wider alle Vernunft gehorsame Held. Das Märchen vernichtet die unreinen Schattierungen der Realität, die den Blick beirren; mit ihnen „vernichtet" es die „unmoralische Wirklichkeit"[9], um seine eigene an ihre Stelle zu setzen. André Jolles hat das dargestellt und den märchenhaften Grundsatz ausgesprochen, nach dem auch Dickens verfährt: „. . . wir können wohl die Welt an das Märchen heranbringen, aber nicht das Märchen an die Welt."[10] Im Märchen ist – im Unterschied zur Welt – das Wunderbare das Wahrscheinliche und das Wahre, und ganz gegen jeden romantischen Gebrauch ist der Zufall nicht unergründlich, sondern die Erscheinungsweise des Sinnvollen. Wer den Schatz erhält, der verdient ihn, denn das Märchenglück ist nicht blind, es schenkt nichts ohne Prüfung, und kein Held gewinnt die schöne Prinzessin, der nicht in blindem Gehorsam die Bedingungen erfüllt hat, mochten sie noch so widersinnig erscheinen.

Trotz aller Verflechtung der empirischen Welt mit der märchenhaften bleiben deren Elemente wirksam und erkennbar, und zwar nicht nur in der Entgegensetzung von Gut und Böse oder in der vertrauten Typologie, die uns – neben dem vom unerklärlichen Glück verlockten jugendfrischen Helden – den edlen Riesen, den treuen Freund, die selbstlose Dulderin so wenig vorenthält wie die Frau ohne Herz. Solches Personal handelt und leidet nach dem Muster der Handlungsstrukturen, welche das Märchen vorgebildet hat. In ihm setzt die höhere Macht unverrückbare und oft genug unerklärliche, ja widersinnige Bedingungen; für den Helden hängt alles davon ab, daß er sie erfülle, blind und gläubig: sobald er denkt und nach dem Warum fragt, hat er verloren. Den Sinn der Bedingungen enthüllt erst das Ende – er liegt im gewonnenen Glück. Sogleich zu Anfang der ›Great Expectations‹ begegnen wir zum ersten Male der höheren Macht, welche Bedingungen setzen, lohnen und strafen kann. Sie erscheint nicht auf dämonisch-übersinnliche Weise, aber ist doch schrecklich genug; denn welcher ganz kleine Knabe würde einem in Ketten entsprungenen finsteren Sträfling auf dem Kirchhof ohne zu zittern begegnen? Es sind Märchenformeln, mit denen dieser die Erfüllung seiner Wünsche erzwingt: *„You fail, or you go from my words in any partickler, no matter how small it is, and your heart and your liver shall be tore out, roasted and ate.*[11] Der vorweltliche Klang solcher Drohungen hallt im Gemüte des Lesers nach, obwohl er weiß, daß sie möglich sind nur, weil ein Erwachsener zu einem Kind spricht. Indem es gehorsam ist, zeigt es sich der *Great Expectations* würdig, deren Bedingungen nicht minder strikte festgelegt werden. Hatte Dickens zunächst den Widerspruch zwischen dem Märchenhaft-Wunderbaren und der realistischen Behandlung durch die Naivetät des Kindes aufgehoben, so bedient er sich später des Grotesken, um sein eigentliches Stilproblem zu lösen. Es besteht in der Notwendigkeit, die Bedingungen der Märchenwelt, welche das Publikum vorgeführt haben möchte, mit den vordergründigen Bedürfnissen zu versöhnen, die ohne den Anschein der Geschichtlichkeit und Plausibilität unbefriedigt von der Erzählung blieben.

Der nächste Abgesandte der höheren Macht kommt aus London; Pip ist ihm – das gehört dazu – schon einmal im Hause des unerreichbar geliebten Mädchens Estella als einem Unbekannten begegnet. Als er wieder auftritt – *„My name . . . is Jaggers, and I am a lawyer in London“*[12] – ändert der Name nichts an der Unfaßlichkeit der Erscheinung: *My dream was out; my wild fancy was surpassed by sober reality* . . .[13] Um die nüchterne Wirklichkeit bestehen und den Boten des Unbekannten in ihr möglich und nicht ganz entfremdet erscheinen zu lassen, tut Dickens den Schritt in die groteske Verzeichnung. Sie macht das Vertraute unvertraut, ohne doch alle Verbindung zum Gewöhnlichen aufzugeben. Ein paar sinnlos wiederkehrende Gesten, ein besonderer Blick genügen dazu, und kein anderer europäischer Autor neuerer Zeit hat eine nur annähernd vergleichbare Fertigkeit, auf diese Weise das Unwahrscheinliche in der Welt des Wahrscheinlichen durch Deformation oder Karikatur zu ermöglichen. Zur Wahrscheinlichkeit – *my wild fancy was surpassed by sober reality* – trägt widersinnigerweise auch bei, daß Jaggers märchenhaft auftritt. Nicht nur, weil er seiner Funktion entsprechend allwissend erscheint; auch, weil die Bedingungen des von ihm in Aussicht gestellten Glückes, der *Great Expectations*, Märchenbedingungen sind: *„. . . the name of the person who is your liberal benefactor remains a profound secret, until the person chooses to reveal it . . . you are most positively prohibited from making any inquiry . . . It is not the least to the purpose what the reasons of this prohibition are. . . This is not for you to inquire into. The condition is laid down.“*[14]

Näher kann die Welt des 19. Jahrhunderts nicht an die des Märchens herangebracht werden; durch einen dialektischen Kunstgriff macht Dickens den Leser mit Pip glauben, daß die Wirklichkeit die Phantasie übertreffe. In Wahrheit wird sie den zwingenden Mustern unvordenklicher Phantasie unterworfen.

Der Held soll den Weg der Prüfung gehen; alle guten Gaben sind sein eigen, nur die eine Frage ist ihm versagt; *the condition is laid down*. Die Bedingungen der Mächte wollen Gehorsam und den Glauben wider alle Vernunft. Der Lohn des Gehorsams wird am Ende auch in der Erkenntnis bestehen, daß alles Sinn hatte. Die undurchsichtigen Zusammenhänge werden plötzlich übersehbar, geheime Fäden liegen bloß, und wenn Dickens auch mit einiger Mühsal versucht, an die Stelle des stets widervernünftigen Märchenschlusses einen moralischen zu setzen (hier wird die Harmonisierung der historischen mit der Märchenwelt beinahe mißlingen), so verzichtet er keineswegs auf die abschließende Enthüllung. Auch sie gehört zum Märchen, und ihre Funktion ist wichtig, denn sie schenkt die Wahrheit und stellt die wahren Verhältnisse her. Sie leistet all das, was die Realität, die von uns als Geschichte erfahren wird, niemals leistet. Der wahre Schurke wird entlarvt, wie Orlick entlarvt wird, übrigens in der gleichen Weise, wie sie der moderne Kriminalroman liebt. Der vermeintliche Schurke, Magwitch, erhält die Absolution; die wahre Treue stellt sich dar, wenn Joe und Biddy auch dem des Glückes beraubten Hans im Glück nicht anders treu sind als vordem. Und die wahren Werte treten hervor, indem die *Great Expectations* als ein weltliches Gut zerrinnen, ohne der wahren Liebe etwas antun zu können. Ist so eine befriedigende märchenhafte Gerechtigkeit am Werke, welche „die unmoralische Wirklichkeit vernichtet", so werden dem Leser noch weitere Befriedigungen gewährt. Sie sind äußerlicher, aber der epischen Gattung ganz eigentümlich; Goethe hatte für diese mit Recht die dem Leben abgehende Folgerichtigkeit verlangt, die sich in derjenigen Literatur, welche um zu erzählen erzählt, als die Aufklärung der im Prozeß des Erzählens entstandenen Rätsel darstellt. Es liegt ein merkwürdiger ästhetischer Genuß in der Entwicklung des Verwickelten und der Aufklärung des Unverständlichen, und immer ist die rechte Lösung nah bei der Hand. Magwitch ist der Wohltäter, nicht die unglückliche Miß Havisham; Estella, man höre, ist Magwitchs Tochter. Wie nahe hätte es gelegen, sie nach allen Irrungen doch noch zu Pips Prinzessin zu machen, die nach so vielen Hindernissen am Ende dem Helden zuteil wird. Dickens schließt die Möglichkeit nicht völlig aus, dem Märchensinn des Lesers entgegenkommend. Er folgte damit einer Forderung des Erfolgsautors Bulwer Lytton[15], welcher wohl wußte, das das happy end verlangt wird, denn Märchen enden gut. Allein Dickens hatte, aus einer bemerkenswerten Hemmung, ursprünglich anders, mit einer entsagenden Note, enden wollen. Der jetzige Schluß ist ein lehrreicher Kompromiß – er schließt das gute Ende nicht aus, aber er vermeidet die allzusehr den Erfahrungen dieser Welt entgegengesetzte Trivialität des „und wenn sie nicht gestorben sind, so leben sie heute noch". Er bewahrt den Leser gleichermaßen vor der Enttäuschung der zunächst geplanten greifbaren „Moral" wie vor dem allzu sichtbaren Widerspruch der Märchen- zur Erfahrungswelt. Denn keines der Mittel, mit welchen im Verlauf des Erzählens dieser Widerspruch neutralisiert werden konnte, wäre am Ende möglich: ein komischer Schluß, oder gar ein grotesker, würde das Ganze vernichten.

Dickens waren also die Grenzen durchaus deutlich, die dem nach Märchen verlangenden Sinn durch ein modernes Bewußtsein gesetzt sind. Wo er um der Märchenbedingungen willen nicht – wie noch zu betrachten – den Gesetzen empirischer Wirklichkeit, sondern anderen folgt, sucht er nach einer Begründung. Wo er die gewohnte Realität nicht zu brauchen vermag, setzt er mit dem freien Recht des Dichters eine antirealistische Fiktion, die, als solche erkennbar, dennoch mit einem Fädchen an die Erfahrungswelt geknüpft bleibt. Solch ein Fädchen kann auch aus dem noch undifferenzierten Näh- und Stickkasten der Psychologie entnommen sein, welche die ganze Skala von Seelenfarben erst zu entwickeln im Begriffe stand. Zweifellos hätte Maupassant nicht so grobe Zusammenhänge hergestellt, wie sie das Schicksal der unglücklichen Miss Havisham begründen, die, am Tage der Hochzeit verlassen, nun den Rest ihres Lebens in lichtlosen Gemächern verbringt, in einem nie endenden, makabren Brautstand: Jahrzehnte bei Kerzenschein im gelb gewordenen Brautschleier: *Once, I had been taken to one of our old marsh churches to see a skeleton in the ashes of a rich dress ... Now, waxwork and skeleton seemed to have dark eyes that moved and looked at me.*[16] Aber das groteske Skelett ist die Tante der süßbösen Estella, und die ganze

Grabesatmosphäre findet ihre Begründung in dem lang zurückliegenden seelischen Schock. Mehr noch: er begründet auch auf
psychologisch vollkommen einleuchtende Weise die Verwünschung, welche Miss Havisham in der Rolle der bösen Fee, eine
böse Fee in der Rolle der Miss Havisham dem unschuldigen Pip
zuteil werden läßt. Weil sie von Liebe gelitten hatte, soll sich keiner
der Liebe freuen. „Bewunderst du Estella?" fragt sie lockend; aber
statt der Antwort kommt der Spruch: „*Love her, love her, love her!
If she favours you, love her. If she wounds you, love her. If she tears your
heart to pieces . . . love her, love her, love her!*"[17] Das immer wiederholte Liebeswort wird in ihrem Munde zum Fluch; die nachträg-
liche Rationalisierung, eine Definition wahrer Liebe, macht nur
unheimlicher und unwirklicher, was hier geschieht. Denn die heiß
geflüsterten Worte von verwelkten Lippen lassen Liebe als eine
Tugend erscheinen, wie sie nur dem Helden des Märchens möglich ist: „*It is blind devotion, unquestioning self-humiliation, utter sub-
mission, trust and belief against yourself and against the whole world, giv-
ing up your whole heart and soul to the smiter – as I did!*"[18]

Derart heftet Dickens die wirkliche an die Märchenwelt, indem
er für das Irreale eine psychologisch-empirische Begründung findet, während es selbst wiederum Konsequenzen für die wirkliche
Welt zeitigt, in der des Helden Leben sich abspielt. Denn wie soll
er, nach solcher Verwünschung von solchen Lippen, noch wirklich glücklich lieben können? Mit wahrer Meisterschaft weiß der
Autor den Übergang vom einen in den andern Bereich zu finden,
so, als ob die gegenwärtige Geschichte, in deren einigermaßen
vertrauten Räumen sich die Menschen einzurichten suchen (auch
Gemütlichkeit fehlt nicht), überall unversehens Türen ins Bodenlose öffnete. Zunächst erscheint dem Jüngling Pip die Realität
selbst bodenlos, wenn er erstmals im Kriminalviertel von Newgate einer sozialen Sphäre begegnet, von der er bislang nichts
geahnt, und die zeitgenössischen Leser nicht viel mehr. Der Eintritt in Jaggers' Büro ist so entmutigend wie Julien Sorels erster
Eintritt in das Zimmer des Seminarvorstandes; es ist eine noch
häßlichere Szene, aber in anderem Stil: *Mr. Jaggers's room was light-
ed by a skylight only, and was a most dismal place; the skylight, eccen-
trically patched like a broken head, and the distorted adjoining houses*

looking as if they had twisted themselves to peep down at me through it.[19] Es gibt weniger Akten dort, als Pip erwartet hat, aber dafür die merkwürdigsten Objekte, eine Pistole, einen Säbel, zwei grauenhafte Abgüsse geschwollener Gesichter. An der Wand ist ein fettiger Streifen, wo die Klienten ängstlich entlanggerutscht waren, wenn sie Jaggers' Stuhl gegenüberstanden. Der Stuhl war *of deadly black horse-hair, with rows of brass nails round it, like a coffin*[20]. Ein Oberlicht wie ein gebrochener Schädel, ein Sessel wie ein Sarg, verrenkte Häuser und die Köpfe von Gehenkten: was zunächst als Schilderung erscheinen mag, ist durchaus emotionalisiert. Wenn die Franzosen ein Milieu in der Annäherung an die objektivierende Deskription zu treffen suchen, schaltet sich hier der Dichter ein. Der Schauplatz, so wahr er sein mag (und des Autors Darstellungen der Londoner Elendswelt haben mehr zu deren Reformation beigetragen als alle humanitären Bestrebungen) – der Schauplatz ist nicht nur Teil einer objektiven Welt. Vielmehr wird er durch die Metaphern aus dem Bereich des gewaltsamen Todes gleichsam vom Schatten des Galgens gekreuzt, und Dickens sorgt dafür, daß seine Leser dies sowenig vergessen wie Jaggers' Klientel.

So überraschend es klingen mag, haben wir es hier wiederum mit einem Zug zu tun, der wenigstens mittelbar der Welt des Märchens entstammt. Dickens' Schauplätze sind im Einverständnis mit den erzählten Situationen und Vorgängen, so wie im Märchen die Natur im Einverständnis mit dem Helden ist. Der Dichter mißachtet jede bloße Abschilderung, jede Behandlung der Wirklichkeit nur um der Wirklichkeit willen. Was er schildert, ist Milieu im ursprünglichen Wortsinn, Mittel, die Handlung zu bestimmen, die Situation zu erklären, den Fortgang zu fördern. Aus der Technik des Trivialromans, der die Entlarvung des Bösewichts mit wildem Sturm und das Liebesgeflüster mit dem Säuseln des Lenzes zu parallelisieren liebt, macht Dickens ein gewandt gebrauchtes Kunstmittel. Jaggers' Büro kehrt, im Unterschied zu dem Zimmer des Seminars, wieder. Es ist ein notwendiger Schauplatz, und als solcher entspricht es vollkommen einer bis dahin unbeachtet gebliebenen, ebenso häßlichen wie geschichtlichen Wirklichkeit. Aber es steht zugleich für eine ganze Welt der

Finsternis und gehört zu dem Netz von Motiven, mit welchem der Dichter die Handlung promoviert und bezeichnet, angefangen von der Feile, welche Pip dem entsprungenen Sträfling bringt, die Fesseln zu durchfeilen. Insofern herrscht, trotz dem Umfang der Dickensschen Erzählungen, auch eine Art von Ökonomie, die allerdings zuweilen der aufdringlichen oder gefühlvollen Hinweise auf das so gehandhabte epische Verfahren nicht entbehrt. Dickens' Realismus neigt zum Sentimentalen, und er bedient sich durchaus der ausdrücklichen Parallelisierung der Handlungs- mit der seelischen Situation.

Die Nacht, da Magwitch kommt, um sich dem erschreckten Pip als unerwarteten und unerwünschten Wohltäter zu präsentieren, ist ein Beispiel für solche Parallelisierung, mit deren Hilfe der Leser der Situation angepaßt, diese selbst als keineswegs zufällig kenntlich wird. *It was wretched weather; stormy and wet, stormy and wet; mud, mud, mud, deep in all the streets . . . and gloomy accounts had come in from the coast, of shipwreck and death . . . I saw that the lamps in the court were blown out, and that the lamps on the bridges and the shore were shuddering . . .*[21] Das ganze Arsenal wird aufgeboten, das in der Volkserzählung die Wahrnehmung der bösen Mächte begleitete, die in den Winterstürmen die Menschen heimsuchen. Man muß sich verdeutlichen, welche Gemütsbeängstigungen eine derart feindliche Natur auszulösen vermochte, ehe sie, wie hier, zum sogenannten Stimmungsmittel wurde. Stimmung, das heißt die Korrelation eines Seelenzustandes mit einem sinnfälligen, diesen Zustand ausdrückenden und stimulierenden Zustand anschaulicher Wirklichkeit, hat eine lange und ganz unerforschte Vorgeschichte. Es gab sie nicht immer als literarische und dadurch mittelbare Erscheinung; sie ist ursprünglich unmittelbar gewesen und war erregt von den unvordenklichen Befürchtungen und Emotionen, welche die Seele angesichts der Dinge und Zustände dieser Welt zu befallen vermögen. Erhebung und Angst gingen unmittelbar zu Herzen, um so mehr, je geringer die Distanz des Menschen zu seiner Umwelt war. Im gleichen Maße, wie er sich von der Natur und diese sich aus dem größeren Zusammenhang der allumfassenden Schöpfung emanzipierte, wurden die Gefühle verfügbar, die man heute Stimmung nennt. Der

Bauer auf einsamer Alpe mochte die Sturmgeister noch fürchten; der Literat, der nicht mehr an sie glaubte (auch Stimmung ist ein Kind der vielbeschrienen Säkularisation), benutzte das Unheimliche als Mittel des Reizes. Eine einläßliche Untersuchung wird vermutlich zeigen, daß diese Effekte in der Trivialliteratur gebraucht und durchgesetzt wurden, ehe sie in die Literatur von Rang übergingen. Eine Nacht wie die von Dickens geschilderte ist für den Schauerroman des 18. Jahrhunderts unerläßlich; die domestizierte Furcht wird in ihm zum Kitzel, welcher der pompösen Erscheinung des Geistes durch den bloßen Reiz der Sinne einige widersinnige Plausibilität verleiht. Der Kitzel ist verfügbar und wird wiederholt, so wie ihn Tieck im ›Blonden Eckbert‹ und im ›Runenberg‹ wiederholte[22], ehe er, etwa in ›Wuthering Heights‹ oder bei E. T. A. Hoffmann, kunstvoll eingesetzt wurde, um der Unergründlichkeit des Menschen entsprechenden Ausdruck zu verleihen durch die Unergründlichkeit der Natur.

Dickens steht meist dem Kunstgebrauch von „Stimmung" näher als dem trivialen, weil er deren notwendige Begründung in der auf empirische Wirklichkeit zielenden Szene nicht außer acht läßt. Es stürmt nicht, weil Magwitch kommt, nicht um seinetwillen scheitern die Schiffe an der Küste. Vielmehr schlägt der Regen an die Fenster und rüttelt der Wind am Hause wie Wogenprall oder Geschützdonner, weil das im herbstlichen London so ist. Die Realität stimmt, und sie stimmt zu dem, was sich ereignet: *. . . in the country, trees had been torn up, and sails of windmills carried away . . .*[23] – eine bessere Entsprechung ist nicht denkbar zu dem, was Pip bevorsteht: *. . . the blow was struck, and the roof of my stronghold dropped upon me.*[24] Man sieht, mit welcher Genauigkeit der Autor darauf achtet, den Zustand des Gemütes in Bilder zu übertragen, welche dem wahrscheinlichen Zustand der Wirklichkeit entnommen sind. Aber schon die Wendung „entnommen" führt in die Irre, weil sie die Parallelität zwischen Gemüt und Natur stärker fixiert, als es ihrem Wesen entspricht. Sie ist in der Sprache selbst zu Hause; der Mensch könnte von nichts reden, wenn er nicht eines durch ein anderes bezeichnen könnte, ohne daß dies eine das andere wäre – die Parallelen zwischen Gemüt und Natur treffen sich nicht mehr in dieser Welt. Aber ohne die Dinge dieser Welt gäbe es sie nicht.

Wenn der Erzähler jedoch, um der bedeutenden Verständlichkeit willen, ihnen die natürliche Selbstverständlichkeit nimmt, so wird aus der ersichtlichen (und damit überredenden) Realität eine sentimentale. Es ist dies die größte Gefahr des Dickensschen Stiles; nicht durch den Märchencharakter werden die Grenzen der Kunst dieses Autors gesetzt, sondern durch die Überanstrengung des Realismus. Das allzu Evidente ist nicht nur antipoetisch, es ist auch nicht überzeugend Mit Selbstverständlichkeit greift die Imagination des Lesers die Schilderung der Marschlandschaft auf: ... *flat and monotonous, and with a dim horizon; while the winding river turned and turned, and the great floating buoys upon it turned and turned, and everything else seemed stranded and still.*[25] Vor diesem endlosen Horizont findet die letzte Flucht Magwitchs statt, deren Mißlingen der Leser ahnt. Allein dem Erzähler will solche Ahnung nicht genügen, die Natur selbst soll auf das Stranden des müden Lebensschiffleins verweisen: ... *some ballast-lighters, shaped like a child's first rude imitation of a boat, lay low in the mud; and a little squat shoal-lighthouse on open piles, stood crippled in the mud on stilts and crutches; and slimy stakes stuck out of the mud, and slimy stones stuck out of the mud, and red landmarks and tidemarks stuck out of the mud, and an old landing-stage and an old roofless building slipped into the mud, and all about us was stagnation and mud.*[26] Zwar stimmt dies alles zu der Landschaft, wo das Land an der Mündung endlos in die endlose See übergehen will; aber die Darstellung nimmt der Natur den Schein der Absichtslosigkeit, welche ihr eigen ist, und ersetzt sie nicht durch eine dem Kunstganzen untergeordnete Absicht. Vielmehr läßt sie sich verleiten, die Erscheinungen dem Reiz eines flüchtigen Moments unterzuordnen, die Sache aufzuheben in einer gar zu offenbaren Allegorese, der die Unerschöpflichkeit und Notwendigkeit des lebensvollen Symbols abgeht. Die Natur wird erniedrigt, wenn ihr wahres Leben der Explikation des bloßen Moments untergeordnet wird. Sie hört auf, wirklich zu erscheinen, und wird trivial.

Die Trennungslinien sind außerordentlich fein, welche an dieser Stelle zwischen einer lebensvollen und einer nur noch

sentimentalen Wirklichkeit, zwischen Kunst und Trivialität ver-
laufen. Man erkennt sie wohl am ehesten, wenn man nach der Notwendigkeit der Phänomene fragt, sei es der ihnen von Natur eigenen, sei es der vom Dichter im Kunstzusammenhang konstitu-
ierten. Es ist, als ob der finstere Herbststurm in London „natürlich" genug, der Situation so selbstverständlich zugehörig sei,
daß sein Zusammentreffen mit Magwitchs Auftritt den letzteren
nur vorbereiten und erhöhen kann; der Parallelismus ist nicht
überanstrengt. Das *mud . . . mud . . . mud, and all about us was stag-*
nation and mud hingegen ist so unüberhörbar absichtsvoll, daß es
den geübteren Leser nicht stimmt, sondern verstimmt. Und so
wird ihm zur Irritation, was dem naiven Gemüt zum Genuß
dient: *The sun was striking in at the great windows of the court, through*
the glittering drops of rain upon the glass, and it made a broad shaft of
light between the two-and-thirty and the Judge, linking both together, and
perhaps reminding some among the audience, how both were passing on . . .
to the greater Judgment that knoweth all things and cannot err.[27] Die
Sonne, die Richter und Geschworene mit ihrem Strahl verbindet,
erinnert nicht nur die Zuhörer, sondern auch den Leser; sie ist
eine bestellte Sonne, weder dem Märchen angehörig noch der
Welt der Geschichte. Sie leuchtet dem Publikum zuliebe, und das
ist ein künstliches Licht; ihre Wahrheit ist so aufdringlich, daß
es nicht die der Natur, und so explicit, daß sie nicht lebendiger Gei-
steseinsicht entsprungen sein kann. Hier haben wir die sentimentale Kunstbeleuchtung, welche das spätere 19. Jahrhundert so
gern auf seine Genreszenen fallen ließ. Nicht mehr das Erzählen
ist wichtig, sondern der Effekt des Erzählens; nicht mehr die
Sache, sondern ihre Wirkung.

Der solcherart allzu effektiv arbeitende Dickens begibt sich
seiner wirksamsten Instrumente, deren Zweckmäßigkeit er im
allgemeinen sicher zu beurteilen weiß. Keiner weiß den Wechsel
der Töne so vollkommen zu gebrauchen, der eines der wichtigsten ästhetischen Mittel wirksamen Erzählens ist. In Dickens'
vorzüglicheren Werken – nicht zuletzt in ›Great Expectations‹ –
finden wir jenen befriedigenden Wechsel zwischen Neugier
erregender Anspannung und behaglichem Verweilen; zwischen
Ernst und Heiterkeit; zwischen Realität und ihrer grotesken

Negation. Solcher Wechsel dient nicht allein der Abwechslung nach dem alten Motto variatio delectat. Er konstituiert vielmehr auch hier innerhalb des Kunstganzen Proportionen, die der Leser zunächst als angenehme Verwandlung der Formen seiner Teilnahme wahrnimmt: eben dies heißt Unterhalten-Werden, und so wird er nicht nur in ein Verhältnis zu den Lebenszeiten des Helden, sondern auch zu seiner eigenen versetzt. Der Wechsel erweckt den Eindruck der Vollständigkeit, welche für Goethe wie für Hegel gleich wichtig war, wenn es einen guten Roman galt. Indem die Verfassungen des Gemütes und die Möglichkeiten der Darstellung ausgeschritten werden (und noch dazu immer auf der Grundlage des Märchen-Musters), wird der Wunsch nach Welt-Erkennen befriedigt, der vor allem nach Erzählung verlangen läßt. Er ist gleichsam der Punkt, wo die Bemühungen der größten Dichter und das schlichte Verlangen nach Unterhaltung einander begegnen können. Bei Dickens widersprechen sie sich nicht, wie überhaupt die englische erzählende Literatur keinen Widerspruch zwischen dem Dichterischen und Unterhaltlichen gelten läßt. *Das giebt*, so hat Otto Ludwig mit Recht gesagt, *ihren Werken das Anspruchslose, das so wohl thut*. Dickens ordnet der Aufhebung jenes Scheinwiderspruchs auch die Behandlung der Realität unter, welche ohnehin schon der Auflösung des Widerspruchs zwischen der „historischen" Welt (der Welt wie sie ist) und der märchenhaften (der Welt wie sie sein sollte) untergeordnet ist.

Man kann diese Aufhebung und Unterordnung im Ganzen beobachten, welches sich im Wechsel der Töne, Behandlungsweisen und Situationen begründet. Man kann es auch an einzelnen Figuren beobachten, was die größte Meisterschaft des Autors voraussetzt und die tieferen Gründe seines berühmten Humors darlegt, der unter so zahlreichen unvergeßlichen Figuren auch die von Jaggers' Angestelltem Wemmick hervorbrachte. In Newgate ist Wemmick in einer empirischen Wirklichkeit zu Hause, wie sie Dickens überhaupt erst für das englische Publikum entdeckt hat; Jaggers' Büro scheint seine Welt, die Hehler, Diebe und Galgenvögel sind ihm vertraut, seinen Schmuck verdankt er den letzten Verfügungen der Gehenkten. Mit Leichtigkeit bewegt er sich im Reich des Häßlichen und des Unrechts, welches Dickens allein durch die gelegentliche groteske Behandlung erträglich macht. Dies, so meint der zum Realismus geneigte Leser, sei die „wirkliche" Welt. Allein Wemmick scheint anderer Ansicht und nötigt den Leser in einen Wechsel, wie er schärfer nicht gedacht werden kann; denn Wemmick ist in Walworth zu Hause. Dort hat er sich und seinem alten Vater ein kleines Holzhaus gebaut, mitten in Kleingärten, *and the top of it was cut out and painted like a battery mounted with guns*[28]. Der Galgenvertraute wohnt in einer Spielzeugfestung eigener Herstellung, winzig klein, mit gotischen Fenstern, Zugbrücke (die nur aus einem Brett besteht), Graben (vier Fuß breit und zwei Fuß tief) und Böller (von einem wachstuchenen Regenschirm bedeckt). „*That's a real flagstaff, you see,*" said *Wemmick*, „*and on Sundays I run up a real flag. Then look here. After I have crossed this bridge, I hoist it up – so – and cut off the communication.*"[29] Er kann sich's leisten, denn das kindliche Fort ist nicht nur armiert, sondern auch wohlausgestattet mit einem Schwein, Gurken, Kaninchen und Hühnern. In einer Laube stehen die Gläser bereit für das Getränk, welches in einem kreisrunden, winzigkleinen Teich kühlt, in dessen Mitte eine salatschüsselgroße Insel sich erhebt und einen Springbrunnen hervorbringt (setzt man nur eine kleine Mühle in Gang), der kräftig genug ist, den Handrücken zu benetzen. Das ist Wemmicks Festung: „*When I go into the office, I leave the Castle behind me, and when I come into the Castle, I leave the office behind me.*"[30] Der Wemmick im Büro widerrät aufs entschiedenste, dem Freund Herbert zu helfen; der Wemmick zu Walworth macht es möglich.

Der Widerspruch zwischen den beiden Welten, zwischen denen laut Wemmick keine Beziehung besteht, wäre von unerträglichem Pseudosymbolismus, fände er sich nicht in der grotesken Einheit von Wemmicks Person aufgehoben. Das Komische, das diese bestimmt, nimmt sie auch zurück; der Leser kann sie so kindlich akzeptieren, wie sie selbst die kindlich-fiktive Welt der Festung für wahr nimmt, wo am Sonntag am richtigen Fahnenmast eine richtige Fahne weht. Was heißt da *real*? Was ist wirklicher – die Domäne der Unschuld, welche eine naive Imagination sich geschaffen und gegen die wirkliche Welt abgegrenzt hat, oder diese Welt, deren Bosheit dem Freund die Hilfe verweigert, die das Märchen zu gewähren gebietet? Dickens' Humor (oft harmlos-absurd und oft phantastisch) ist das Bindemittel zwischen der Märchen- und der wirklichen Welt; die Aushilfe Wemmicks: „*Walworth is one place, and this office is another*"[31] kann im Leben nicht funktionieren. In der Fiktion macht Dickens sie möglich, als Märchen nehmen wir sie an, als Groteske bedarf sie keiner Begründung, und die komische Spannung zur „historischen" Realität macht uns diese erträglich.

Deshalb ist Wemmick eine überaus Dickenssche Figur, an deren zahlreiche Geschwister der Leser selbst sich mit Vergnügen erinnern wird. Sie ermöglichen nicht nur auf eine erträgliche Weise die Vereinigung der Extreme menschlichen Verhaltens (auch der liebenswürdige Sam Weller etwa verleugnet sein Teil an Erbsünde nicht!), sie wirken auch am Wechsel der Töne und Stimmungen mit, deren der Roman bedarf. Das Grotesk-Komische macht ein Äußerstes an Menschlichem noch darstellbar, das sich einer realistischen Darstellungsweise entzöge: eine „vernünftige" Wemmick-Psychologie wäre unsinnig. Insofern hat das Komische oder Groteske eine Funktion im Zusammenhang der Plausibilität, gegen die es nicht verstößt; seine Realität ist der des Märchens näher als der geschichtlichen, seine Wahrscheinlichkeit hat nichts gemein mit den Bedingungen der Erfahrungswelt. Es hat deshalb auch eine ästhetische Funktion, insofern es den Nexus der psychologisch-historisch begründeten Erzählung ungestraft durchbrechen kann. Es ist Dickens' bewährtestes Mittel, wenn es gilt, den Ton zu wechseln.

Und das muß der Roman-Autor, weil er sonst langweilig wird; der Künstler muß es, weil das Kunstganze in der lebendigen Vielfalt seiner Teile und Töne besteht, die den Stil bestimmen. Es war ebenfalls Otto Ludwig, der in der Betrachtung von Dickens' ›Tale of Two Cities‹ (und nicht ohne sich der ›Great Expectations‹ zu erinnern) das Kunstgesetz dieses Dichters vortrefflich formuliert hat: *Immer ist es Ernst, und immer doch ist es Scherz mit dieser dargestellten Welt; wenn es uns Scherz ist, so ist es den Gestalten desto heiligerer Ernst; nie darf beides zusammenfallen; das Phantastische muß fortwährend durch ein wirkliches Element balanciert werden; je mehr Freiheit, desto mehr Notwendigkeit, je phantastischer, desto wirklicher.*

Denn der ganze Reiz und der ganze Zauber beruht auf der steten Synthese der beiden Welten; sobald die eine heraustritt aus der Verbindung, ist der Zauber vorbei. Darin besteht hier die poetische Wahrheit.[32] Es ist dies eine der Mitte des vergangenen Jahrhunderts angemessene Ausdrucksweise für das Verhältnis von Märchen und „Geschichte", um das es hier geht. Indem Dickens, weil denn erzählt werden muß, beides in einem ermöglicht, stellt sich die Immermannsche Frage als ein theoretischer Irrtum dar: die Erfindung und die *Geschichte selbst*, die Welt der Phantasie und die der Wirklichkeit müssen keinen *Zwittertrank* hervorbringen; ein wirklicher Erzähler kann aus beiden *einen gesunden, reinen Wein zubereiten*, wie es Dickens tat. Es gibt keine Wirklichkeit an sich, welche in der Poesie sich wiederfände; gäbe es sie, so hörte die Dichtung auf. ... *die Wirklichkeit ist weder das Gute noch das Schlimme, weder das Schöne noch das Häßliche; sie hat beides in sich, dem Menschen steht die Wahl offen, und sein Schicksal hängt an seiner Wahl.*[33] Der Dichter trifft die Wahl für den Leser und gibt der Realität ein anderes Leben voll neuem, mit den Stilen sich wandelndem Kunstcharakter. In den schönen Stunden, da er der Erzählung lauscht, kann der Leser mit ihm sagen: „*That's a real flagstaff, you see, ... and on Sundays I run up a real flag.*" So groß ist die Macht der Fiktion und wird es bleiben.

KÜNSTLICHE ABENTEUER

Das Buch, dem Baudelaire[1] den Namen eines *roman analytique*[2] gab, beginnt so, wie Abenteuererzählungen von je begonnen haben: mit der Versicherung des Autors, alles Berichtete, möge es noch so unwahrscheinlich erscheinen, sei wirklich, wahr und selbst erlebt, und mit dem üblichen biographischen Vorspann, der auch dem ›Robinson Crusoe‹ nicht fehlt. *My name is Arthur Gordon Pym. My father was a respectable trader in sea-stores at Nantucket, where I was born.*[3] Die Sätze sind so sachlich wie ihr Inhalt, und der bloße Geburtsort des umgetriebenen Helden genügt, um dessen Sehnsucht nach dem Meer zu erklären. In dem neuenglischen Hafen waren die schnellen Schiffe und stolzen Walfänger zu Hause, deren einer unter dem Kommando des Kapitän Ahab den weißen Wal auf allen Meeren gejagt hat. So ist auch nichts Wunderbares an der von Poe berichteten Tatsache zu finden, daß Arthur Gordon Pym mit dem Sohn eines Schiffskapitäns namens Mr. Barnard bekannt wurde, der ihm von den glücklichen Eingeborenen der Insel Tinian erzählte. Sie hatte ein knappes halbes Jahrhundert früher schon das wehmütige Verlangen des deutschen Dichters Hölderlin erregt; er versprach sich dort – wie andere seiner Zeitgenossen – Anmut und Frieden, welche die Alte Welt nicht mehr beherbergte. Pym, in der Absicht, dorthin zu gelangen, fand nichts als Schrecken und sah Dinge *of a nature so positively marvellous that, unsupported as my assertions must necessarily be (except by the evidence of a single individual, and he a half-breed Indian), I could only hope for belief . . .*[4]

Das erste Abenteuer des Knaben, noch in der Heimat, zeichnet bereits alle künftigen vor und ist durchaus plausibel begründet. Die beiden Halbwüchsigen besitzen ein Boot namens Ariel, im Wert von 75 Dollar und immerhin so groß, daß zehn Personen ohne Mühe Platz darin finden. Sie benutzen es mit der dem Jugendalter eigenen Unbekümmertheit, die dem Verfasser im Rückblick höchst wunderbar erscheinen läßt, daß sie lebend davonkommen, besonders nach einer bei Mr. Barnard durchzechten Nacht. Ein steifer Südwest treibt sie wieder aus dem Bett, in dem sie schon lagen, und *in a kind of ecstacy*[5] beschließen sie, in die mondhelle, kalte Oktobernacht hinauszusegeln, ein Unternehmen, das man nüchternen Sinnes kaum, in diesem Alter und mit Wein und Schnaps im Kopf durchaus unternehmen wird. Die schöne Brise erweist sich als Sturm, Barnard jr. als voll betrunken, und der eben noch begeisterte Pym (*a thrill of the greatest excitement and pleasure*[6] war seine Reaktion auf den tollen Einfall) sieht sich mit einem seiner selbst unmächtigen Kameraden und einem geschwinde das Land hinter sich lassenden Fahrzeug hilflos den Elementen preisgegeben. Die Erzählung berichtet davon in großer Sachlichkeit und in schnellem Tempo, die Begeisterung ist einer *extremity of . . . terror*[7] gewichen, und erst als der Mast über Bord gegangen, der Betrunkene festgezurrt und ein wenig neue Hoffnung gefaßt ist, befiehlt der Held seine Seele Gott und nimmt sich vor, alles, was kommen mag, mit Fassung zu tragen. Nach solchem Wechsel von Rausch, Verzweiflung und Ergebung findet die unerwartetste Peripetie statt: *Hardly had I come to this resolution, when, suddenly, a loud and long scream or yell, as if from the throats of a thousand demons, seemed to pervade the whole atmosphere around and above the boat. Never while I live shall I forget the intense agony of terror I experienced at that moment . . . and without having once raised my eyes to learn the source of my alarm, I tumbled headlong and insensible upon the body of my fallen companion.*[8]

Der unsägliche Schrecken, der das Blut in den Adern gerinnen ließ, erweist sich als Bote der Rettung. Ein heimkehrender Walfänger hat die Schiffbrüchigen überrannt, Augustus Barnard wird ernüchtert aufgefischt, und ein Splint, welcher Pyms grüne Jacke und seinen Nackenmuskel durchbohrt hatte, hält ihn am gekenterten Boot. So kommt auch er, wiewohl mit einer scheußlich aussehenden Verwundung, für diesmal (und viele folgende Male) davon. Junge Männer sind zäh: das Schiff läuft zu einem Zeitpunkt im Hafen ein, der es ihnen ermöglicht, noch eben das durch die Zecherei ohnehin verspätete Frühstück zu erreichen. Die Sache bleibt unentdeckt, wenn sich auch beide Freunde nur mit Schauder ihrer erinnern können.

Das Abenteuer einer einzigen Nacht ist vorbei wie ein Traum, eingebettet in „normales Leben" vorher und nachher; und eben damit gibt es auf den ersten Seiten des Romans das Muster ab für alles, was die folgenden füllt. Die ganze Summe der Erfahrungen und Schrecknisse setzt sich aus einzelnen Stationen zusammen, deren jede auf vergleichbare Weise angelegt ist und abläuft. Aus einer verständlichen und einleuchtenden Ausgangslage (die durchzechte Nacht, das lockende Boot) entsteht unversehens eine äußerste Situation; Wohlgefühl und Hoffnung auf Rettung schlagen um in furchtbaren Schrecken. Wenn es eben noch heißt: *I recommended myself to God*[9], so folgt unverzüglich und vollkommen unerklärlich der Schrei *as if from the throats of a thousand demons*. Aber das ganz Unfaßbare, das die Vernichtung anzukündigen scheint, ist die Rettung, und bei ruhiger Betrachtung erklärt sich das Unvorhergesehene und läßt sich begründen. In einem einzigen knappen Vorgang werden die Extreme menschlicher Zustände und Wahrnehmungen durchlaufen. Es ist wirklich Wahrnehmung in extremis, und der Intensität der Erfahrung entspricht die der Gefühle. Zwischen *excitement, pleasure* und *ecstacy* auf der einen, *horror*[10] und *terror* auf der anderen Seite sieht sich das hilflose Individuum hin und her geworfen, bis die *deliverance*[11] (ein religiöser Begriff!) kommt auf eine Weise, die aller Erwartung Hohn spricht. Höchstes Selbstgefühl und scheinbare Vernichtung liegen nahe beieinander, und immer wieder während der Beschreibung seiner unsäglichen Abenteuer wird Pym die Wendungen gebrauchen, die schon die ersten Seiten brachten: *I felt a thrill of the greatest excitement and pleasure...*[12] – *It is hardly possible to conceive the extremity of my terror.*[13] – *Never while I live shall I forget the intense agony of terror... – ... and our deliverance seemed to have been brought about...*[14] Aber zwischen diesen extremen Zuständen ergeht ein sachlicher, begründender Bericht, wie es schon bei den ältesten Abenteuererzählungen der Fall gewesen ist. Das Wunder des Davongekommen-Seins wird erst vollkommen, wenn die unerhörten Umstände, welche nur wenige davonkommen lassen, in einleuchtendem Licht erscheinen. Was wären Skylla und Charybdis, wenn nicht ein Odysseus, den sie wieder freigegeben, davon zu berichten wüßte?

Allein damit ist das Prototypische des nächtlichen Knaben-Abenteuers für dies Buch noch nicht erschöpft. Seine Struktur ist nicht zuerst literarisch, vielmehr entstammt sie der Welt der Träume. Der Traumcharakter tritt im Fortschreiten der Erzählung immer stärker hervor, und es ist schon von daher verständlich, daß die ›Narrative of A. Gordon Pym‹ zu einem Exerzierstück der Psychoanalyse[15] geworden ist, ohne daß damit für das Verständnis des epischen Kunstwerkes viel gewonnen worden wäre. Die Angstzustände des den Elementen oder dem Bösen Preisgegebenen sind von der Art, die wir aus unseren Angstträumen kennen, die Erlösung gleicht jedesmal der des Erwachens. Nirgendwo ist die Intensität des lähmenden Schreckens so stark wie in der Traumerfahrung, nie die Erleichterung so groß wie die der Erkenntnis, daß der Schrecken nicht „wirklich" war. Nie auch ist der Mensch so isoliert und so preisgegeben wie in seinen Träumen, ganz allein in einer Welt, in der sein Wille schlechthin gar nichts gilt. Die produktive, im hellen Licht des Tages erfindende Phantasie konnte für jene Traumzustände keine realere Figuration finden als die vom Menschen auf dem Meere. Und wie sehr galt dies erst in den zurückliegenden, längsten Zeiten der Menschheit, denen das Meer ein unberechenbares und feindliches Element war, das Schiff eine Nußschale, die Küsten fremd und voller Abenteuer und der Seefahrer preisgegeben wie der Träumende. Odysseus und Sindbad erleben das Schlimmste ohne Gefährten. Zweimal erlebt Pym, wie die unberechenbaren Gewalten ihn und sein alter ego Peters immer mehr der Einsamkeit aussetzen, indem ein voll bemanntes Schiff auf entsetzliche Weise immer leerer wird, bis nur die beiden übrig bleiben. Diese beiden sind im Grunde Einer, weil auch dieser Roman, wie so viele (und nicht zuletzt die der deutschen Romantik), das Ich des Helden auseinanderfaltet in ein handelndes und ein leidendes, welche als poetischer Zwilling die eine Menschennatur vorleben.

Der Mensch zeigt sich als asoziales Wesen von dem Augenblick an, da Gordon, durch die Lust am Abenteuer getrieben,

sich als blinder Passagier in den Bauch der Brigg „Grampus"
einschließen läßt, um endlich auf See zu kommen. Sein melan-
cholischer Charakter, seine *somewhat gloomy although glowing imagination* sind sich wohl bewußt, was da folgen könnte: *a lifetime
dragged out in sorrow and tears, upon some gray and desolate rock, in an
ocean unapproachable and unknown*[16]. Aber solche Befürchtungen,
deren allegorische Tendenz nicht zu übersehen ist, werden unermeßlich übertroffen von der Wirklichkeit, die Poes Fiktionen
annehmen. Sie läuft auf eine Preisgegebenheit hinaus, an der gemessen Robinsons Dasein auf der einsamen Insel mit der Einsamkeit eines Kindes zu vergleichen ist, das von den Eltern für
einen sicheren Sonntagnachmittag allein zu Hause gelassen
wurde. In ›Gordon Pym‹ ist der Mensch isoliert; sofern soziale
Zustände erscheinen, sind sie gänzlich negativ. Die meuternde
Besatzung hat die kurzsichtige Torheit von Odysseus' Gefährten, aber ganz ohne den noch von Göttern und Sitte gesetzten
Maßstab. Auch endet diese im Juni 1827, in vorgeblich historischer Gegenwart, begonnene Odyssee nicht in der sicheren Heimat nach dem uralten Vorgang der Seereise, die eine Lebensreise ist. Vielmehr ist das Ganze der Erzählung ebenfalls dem
Muster unterworfen, welches das Knaben-Abenteuer im einzelnen andeutete und das sich in ihren Episoden wiederholt. Indem
der wider alles Erwarten widersinnig Überlebende in der Seku-
rität Neuenglands einem Zufall zum Opfer fällt, wird zum letzten
Male der unheimlich vertraute Ablauf durchgespielt. Er entlarvt das Böse als harmlos, die Hoffnung als trügerisch. Nichts
ist, was es ist, auf diesem absoluten Schauplatz, für den menschliche Heimat nur als Land am äußersten Rand einer Seekarte vorkommt. Sonst gibt es allein das in der Unendlichkeit treibende
Schiff oder als Variante die Gefangenschaft auf einer Insel, wenn
sie nicht gesteigert wird zur Gefangenschaft auf einer abgeschnit-
tenen Bergkuppe dieser Insel; selbst wenn man hinuntergelangte,
so fände man sich unter Wilden nie gesehener Art, die sich aus-
zeichnen durch die Meisterschaft sinnloser Vernichtung.

Der Leser des Buches weiß, daß all dies keineswegs mit den
glühenden Farben geschildert wird, die so extremen Imaginationen entsprechen könnten. Vielmehr wendet Poe, wie sich zeigen

wird, eine kühle und wissenschaftlich-distanzierende Schreibart an, die in einer außerordentlichen Spannung zu der Intensität der Erlebnisse steht. Aus ihnen ließe sich ein Katalog der
Elementarängste und Urerinnerungen herstellen, die das 19. Jahrhundert verdrängt hat und die heute mit aller Brutalität wieder
an die Oberfläche und in die Wirklichkeit getreten sind. Der
ehrlich Träumende hat sie immer gekannt, und Poes Roman vereinigt sie im merkwürdigsten Kunstzusammenhang. Es gibt keinen Schrecken, den Pym nicht erleidet, keinen Zustand der Hilf-
losigkeit, aus dem er nicht erlöst werden müßte. Er erfährt die
Angst des Ertrinkens; er findet sich unerklärlich eingeschlossen
in den vollkommen lichtlosen Schiffsbauch; er erleidet die Pein
des Durstes und die Angst vor dem Verdursten, die Pein des
Hungers und die Angst vor dem Verhungern; er kennt den
Schwindel ohne Halt; die Qual der Schlaflosigkeit; den Verlust
des Zeitsinns; die hoffnungslose Mühe des Sisyphos im vollau-
fenden Schiff; Verzweiflung über das Vergessen des Wichtigsten; er verirrt sich im unkenntlichen Labyrinth; er kennt das
Entsetzen vor dem Schiff voller Toten; das Spiel ums nackte
Leben mit dem Los; er kann die rettende Botschaft nicht lesen;
er kennt die hoffnungslose Enttäuschung des Briefes, der nichts
enthält; er kennt die Angst des Verschütteten, des Opfers im
Blutbad, des Verstummens in dem Augenblick, wo ein Schrei
retten könnte...

Poes unbegrenzte Imagination für den ursprünglichen Schrek-
ken wird nur übertroffen von seiner Fähigkeit, ihn nicht im ir-
realen Zusammenhang der Träume, sondern in einer kühlen und
zunächst wahrscheinlichen Erzählung erfahrbar zu machen. Die
Bedingungen der Seefahrt geben ihm die Möglichkeit, all diese
abenteuerlich-horrifizierenden Erlebnisse auf vollkommen ratio-
nelle Weise zu begründen; ja er legt es darauf an, den Abenteuer-
roman im Stile einer wissenschaftlichen Reisebeschreibung vor-
zutragen, lange bevor man den Begriff der science-fiction er-
fand. Die Sachlichkeit des Berichtes und die Tatsache, daß die
unerwartetsten Schrecken eine vernünftige Erklärung finden, erhöhen die Angst, weil sie plausibel wird. Die Plausibilität wird
noch schrecklicher, weil jedes dieser Ereignisse die Erinnerun-

gen aus längst vergessenen Menschheitsstufen und Kindheits-
ängsten evoziert. Der Appell an das in den Tiefen des Gemüts
Verborgene macht die geschilderten Ängste wiederum um so
überzeugender. So verwundert es nicht, in dem meisterhaft ge-
schlagenen Zirkel des Schreckens neben den Stoffen der Träume
auch die Stoffe der Sagen wiederzufinden. Einige wurden schon
berührt: der Schiffsbauch als Labyrinth, in dem der Faden der
Ariadne nicht fehlt; überhaupt das Herabsteigen in den Schoß
des Schiffes wie der Erde, das Pym wie so viele seiner Situationen
mit Odysseus teilt; die archaisch-schreckliche Wirkung des Blutes; die Vordeutung des Todes; dann das ganze Arsenal sagen-
hafter Wesen, die plötzlich in dem scheinbar naturwissenschaftlich gesonnenen Buch wieder in ihre Urstände zurückversetzt
werden, nachdem sie jahrhundertelang ein gezähmtes Dasein als
Wappentiere und Maskottchen gefristet hatten. Albatros und
Möwe werden zu Erscheinungsweisen des Schicksals, Hund und
Polarbär werden zum Monster, bis schließlich die Monster selbst
gesichtet werden, Tiere, die unheimlich sind schon allein, weil
sie noch nie eines Menschen Auge gesehen hat.

Es muß wiederholt werden, daß all dies niemals ohne einleuchtende Begründung vorkommt, sieht man von den „Wundern" des Schlusses ab. Die Erfahrung der Verlassenheit in der
labyrinthischen Schwärze des untersten Schiffsrumpfes wird
durch das Versteck des blinden Passagiers begründet; Hunger,
Durst, Zeitlosigkeit in eben dieser Episode durch die Meuterei
an Bord, die dem Freund die Befreiung unmöglich macht. Der
Verlust des Zeitgefühls erklärt sich durch den ohnmächtigen
Schlaf des Erschöpften dort, wo Tag und Nacht gleich finster
sind. Wer könnte Angst und Ungewißheit, Durst und Hunger
nicht mitfühlen, eine Lage, die erst durch das Eintreffen der geschriebenen Botschaft leichter zu werden verspricht und dann
um so schrecklicher ist, denn die Botschaft ist nicht zu lesen. Es
folgt die Kette von Hoffnung, Enttäuschung und Schrecken, als
die Reste der Zündhölzer ein leeres Blatt zeigen. Pym zerreißt
es verzweifelt, um es wegzuwerfen. Nach Stunden erst kommt
ihm in seinem kläglichen Zustand der Einfall, die andere Seite
könnte beschrieben sein – aber welche ist die andere? Als es

schließlich gelingt, noch einmal einen Phosphorglimmer zu erzielen, liest er statt hoffnunggebender Erklärung knapp die
Worte: „*blood – your life depends upon lying close.*"[17] So
findet er sich nicht mehr nur von Finsternis, Hunger, Durst, Fieber bedrängt, sondern eine neue Angst tritt zu den übrigen:

   *... the harrowing and yet indefinable horror with which I was in-
spired by the fragmentary warning thus received. And „blood," too,
that word of all words – so rife at all times with mystery, and suffering,
and terror – how trebly full of import did it now appear – how chilly
and heavily (disjointed, as it thus was, from any foregoing words to
qualify or render it distinct) did its vague syllables fall, amid the deep
gloom of my prison, into the innermost recesses of my soul!*[18]

Die Stelle ist sehr instruktiv in bezug auf Poes poetische Verfahrensweise, und zwar nicht nur durch den reflektierenden Kommentar des Davongekommenen. Der Nexus des Vorgangs ist
durchaus psychologisch begründet, das heißt modern. Die Altera-
tion zwischen Hoffnung und Verzweiflung, die sinnlose Reaktion des Fortwerfens und die ihr folgende Dumpfheit, in die
dann der Blitz der Einsicht in die Fehlhandlung fällt: all dies
ist plausibel in der Abfolge und erklärt das Verhalten des Ge-
fangenen im Dunkel hinlänglich, der von Meuterei und Blutbad auf Deck nichts weiß. Aber nur die Behandlung des Vorgangs ist modern, nicht die Sache selbst. Der hilflose Gefangene
im Dunkel findet sich in einer Lage, die vor aller Literatur erfahren wurde; sie hat in diesem Buche ihr erregendes Widerspiel
in einem Bewußtsein, das durch den sachlichen Reisebericht und
die materielle, naturwissenschaftlich formulierte Information bestimmt ist. Das moderne Bewußtsein will Begründung und ein-
sichtige Erklärung. Der Autor liefert beides und vergißt auch
nicht die Bestimmung von Ort und Zeit, indem er sich als Zeit-
geschichtschreiber gibt. Aber das sachliche Verfahren trügt – es
hat gar keine objektiven Gegenstände und ist nicht auf die Vergegenwärtigung der weiten Welt gerichtet; es will vielmehr die
Vorstellungen wieder ermöglichen, denen keine Historisierung
oder Rationalisierung etwas anhaben kann – *so rife at all times
with mystery, and suffering, and terror.* Geheimnis und Schrecken
mögen ex post in historischen oder psychologischen Zusammen-

hängen erklärbar werden; aber zuvor sind sie in die Welt der Vernunft eingebrochen, welche sie für ein Weilchen zu vergessen gesucht hat. Bei Poe treten also die Elemente von Traum und Sage ein in den Zusammenhang der modernen Erzählkunst; man könnte den gleichen Sachverhalt durch die Wendung ausdrücken, Poe bringe die Grundbestandteile der Sage einem modernen Bewußtsein nahe, indem er sie (scheinbar) historisiert. Er aktualisiert sie, um sie seinem Jahrhundert realisierbar zu machen. Insofern verfährt er ganz ähnlich wie Dickens im Hinblick auf das Märchen, und die Kritik wird verständlich, die er an dem von ihm geachteten englischen Autor geübt hat. Dickens habe, so sagte er, keinen Sinn für das Geheimnis.

Der Kommentar macht all dies nochmals deutlich, den Poe als Erzähler, Pym als Rückblickender der Episode mit der unlesbaren Botschaft zuteil werden läßt. Hätte der Gefangene sogleich die ganze Botschaft lesen können (*„I have scrawled this with blood – your life depends upon lying close.“*[19]), so wäre der Schrecken wohl groß, aber nie so groß geworden. Aber er findet sich allein mit dem Worte Blut, *disjointed, as it thus was, from any foregoing words to qualify or render it distinct*. Isoliert, allbeherrschend, unerklärlich steht das schreckliche Wort da und entbindet alle Assoziationsmöglichkeiten in einer ohnehin erschütterten Seele. Die Rationalisierung, welche nachträglich vorgenommen wird, gibt dem Wort erst Bestimmtheit und Sinn. Es ist dies genau das Verfahren, mit dem Poe auch im größeren Zusammenhang arbeitet. So wie hier ein einzelnes Wort voller indefinierten Möglichkeiten des Grauens den Pym angreift, so greifen ihn immer wieder ganze Situationen an, die der Dichter dem ursprünglichen Wörterbuch elementarer menschlicher Rückerinnerung entnommen hat. Sie erscheinen zunächst isoliert, unerklärlich, gleichsam ohne den Kontext der Vernunft und nur mit ihrem aller Vernunft spottenden, so atavistischen wie übermächtigen Erlebnisgehalt. Der Katalog bedrängender Urphänomene aus dem Arsenal der Träume und Sagen gab von dieser Technik Zeugnis, die der Verehrer Poes, Baudelaire, später im allgemeinen Zusammenhang der Künste (und er meinte die kommenden) beschrieben hat: *„La nature n’est qu’un dictionnaire, . . . mais personne* *n'a jamais considéré le dictionnaire comme une composition, dans le sens poétique du mot. Les peintres qui obéissent à l'imagination cherchent dans leur dictionnaire les éléments qui s'accommodent à leur conception; encore, en les ajustant avec un certain art, leur donnent-ils une physionomie toute nouvelle.*"[20]

So erhalten die Elemente des Urwörterbuches der Menschennatur eine neue Wirkungskraft durch die Art, in der sich Poes Imagination ihrer bedient. Abgenutzte Erfahrungen und nicht mehr glaubhafte Geschichten gewinnen schrecklichen Reiz im modernen Bericht. Poe inkorporiert ihm etwa die uralten Bilder vom Unglücksschiff und vom Unglücksvogel so, daß er die Erscheinungen wiederum in den psychologischen Ablauf von Anschein und Entlarvung, von wilder Hoffnung und maßloser Enttäuschung einspannt. Die Begegnung mit dem Unglücksschiff erscheint Pym in der objektivierenden Erinnerung *more intensely productive of emotion, as far more replete with the extremes first of delight and then of horror*[21] als alles, was folgen sollte. Wieder ist es die Spannung zwischen *ecstacy* und *extremity of . . . terror*, die sich während des ganzen Buches erneuert: *I . . . shall never forget the ecstatic joy . . ., when I perceived a large brig bearing down upon us . . .*[22] – die Reaktion des verhungernd und verdurstend auf hilflosem Wrack Dahintreibenden ist wahrscheinlich. Das merkwürdige Verhalten des mit seemännischer Exaktheit beschriebenen Schiffes wird zunächst rationalisiert: der Rudergänger sei betrunken, so meint Pym und sieht kein Arg in dem freundlichen, aber merkwürdigen Nicken, mit welchem einer von drei Matrosen herüberzublicken scheint. *I relate*, so heißt es, *these things and circumstances minutely, and I relate them, it must be understood, precisely as they appeared to us.*[23] Bis dann der Wind mitten in die Dankgebete *for the complete, unexpected, and glorious deliverance* den Aasgestank (*hellish – utterly suffocating – insufferable, inconceivable*[24]) hineintreibt, der den Hoffnungsschein als ekelhaft tödlichen Irrtum entlarvt. *We were raving with horror . . .*[25] Nochmals und kürzer wiederholt sich der grausige Zirkel, als ein Schrei ertönt, der auch dem feinsten Ohr wie menschlich erscheinen mußte; aber es zeigt sich, daß er von einer großen Möwe stammt, die sich am Rücken eines Toten gütlich tut. Dann fliegt sie über das Wrack und läßt zu Füßen eines der vier Schiffbrüchigen ein Stück ekelhaften leberartigen Fleisches fallen. Der Vorgang erscheint als ein Zeichen, wie von alters Vögel und Eingeweide Zeichen gaben – Parker wird das Opfer sein, mit dem die Schiffsgenossen kannibalisch sich vor dem Verhungern zu retten suchen. Die Assoziationen, die das niederfallende Fleisch weckt, lösen diesen Gedanken aus. Aber die damit gegebene psychologische Erklärung ändert nichts am Zeichencharakter, so wenig wie alle nachträglichen Erwägungen über das Totenschiff – daß es ein Holländer gewesen sei, die Krankheit das gelbe Fieber – etwas an seinem elementaren Schrecken ändern. In jedem Falle erhält der Vorgang seine Eindruckskraft durch Isolation und Intensität. In jedem Falle ist der Schein trügerisch und die Wirklichkeit entsetzlich, und in jedem Falle gibt die Sachlichkeit der Beschreibung der Irrationalität erst die ganze Kraft. Die plausible Assoziation, die das Stück menschlichen Fleisches hervorruft, gibt der Erscheinung des Vogels als Unglücksvogel recht. Mag dies Recht auf diese Weise auch erklärbar werden – wie wenig ist damit in einer Welt getan, in der auch das Verständliche dazu dient, die ältesten Ängste neu zu beheimaten: ... *it is utterly useless to form conjectures where all is involved, and will, no doubt, remain for ever involved, in the most appalling and unfathomable mystery.*[26]

Dieser Schlußsatz des zehnten Kapitels schließt die Betrachtungen über das Totenschiff ab; er gibt, wiewohl nur für einen Augenblick, Raum für die Vermutung, Poe habe in seiner Erzählung mehr als den Zusammenhang entsetzlich wechselnder Reize gewollt. Die Ungewißheit des Daseins klingt in ihm an, die jede einzelne Episode immer aufs neue vergegenwärtigt und immer so, daß es um Leben und Tod geht. Ganze Serien von Sensationen werden den Fehlurteilen derer verdankt, die sie erleben, und je mehr Pym erlebt, um so undurchschaubarer wird ihm die Realität. In ihr ist auch das Nächste imstande, ein Fremdes und Schreckliches zu sein, so wie der treue Hund, der plötzlich als Monster und wahrer Nachtmar erscheint. Auch dies wird erklärt, und der Hund bleibt Hund. Aber das wischt Schrecken und Nachtmar nicht fort. Unversehens führt Poe aus dem Vertrauten ins immer Unvertrautere, und wenn die letzten Kapitel nie gesehene Landschaften, Erscheinungen und Vorfälle melden, so sind sie damit nicht wesentlich von den ersten verschieden, in denen das Gewöhnliche unerhört erscheint. Die Natur gewinnt ihre älteste Qualität zurück, welche die Zivilisation hatte vergessen lassen. Sie ist des Menschen Feind; die Welt ist unberechenbar. Langsam setzt Poe im Fortschritt der Erzählung an die Stelle bekannter und durch die Erfahrung bekräftigter Phänomene gänzlich unbekannte und durch keinerlei Nachricht verifizierte.

Mit jedem Breitengrad, den das Schiff weiter nach Süden treibt, zeigt die Wirklichkeit auch äußerlich ihre Fremdheit greifbarer an. Am 14. Januar 1828 ist die Position der Jane Guy, welche die Schiffbrüchigen der Grampus aufgenommen hat, 42^0 westlicher Länge, 81^0 $21 \cdot$ südlicher Breite. Eine südliche Strömung von etwa einer halben Seemeile Stundengeschwindigkeit treibt das Schiff, wider alles Erwarten ist die Luft nach der Packeiszone mild mit einer Temperatur von 47^0 Fahrenheit. Die Kompaßabweichung geht zurück, man glaubt sich dem Südpol zu nähern. Unzählige Vogelschwärme fliegen zu Häupten, und auf einer Eisscholle wird ein großes Tier vorübergetrieben. Es ist eine Art Eisbär, dessen Größe alles bis dahin Bekannte übertrifft. Mehrere Schüsse können ihm nichts anhaben, erst ein Messerstich nimmt ihm das Leben, den Peters, Pyms anderes aktives Ich, ihm beibringt. Die Länge des Bären betrug fünfzehn Fuß. *His wool was perfectly white, and very coarse, curling tightly. The eyes were of a blood red, and larger than those of the Arctic bear; the snout also more rounded, rather resembling the snout of the bull-dog.*[27] Im gleichen Ton naturkundlicher Deskription erfährt man von dem vorbeitreibenden Kadaver eines Landtieres, das drei Fuß lang und nur sechs Zoll hoch war, lange scharlachrote Klauen hatte, schneeweißes Haar und einen langen Rattenschwanz. Der Kopf war bis auf die Ohren katzenartig, die Zähne rot wie die Klauen: die Reisenden sind in Gebieten jenseits aller bisherigen Erfahrung, der Dichter im Reich der vollkommenen Erfindung angelangt. Auf den Unglücksinseln nahe dem Südpol sieht nicht nur alles anders aus, vielmehr ist alles anders. Oder um es genauer zu sagen, die mit den unsern vergleichbaren Erscheinungen haben die unvergleichbarste Gestalt, und wenn sich der Dichter der gewohnten Worte bedient, so nur, um Gebilde zu zeigen, die nicht sind, was sie dem Namen nach sind: *We saw nothing with which we had been formerly conversant. The trees resembled no growth of either the torrid, the temperate, or the northern frigid zones, and were altogether unlike those of the lower southern latitudes we had already traversed. The very rocks were novel in their mass, their color, and their stratification; and the streams themselves, utterly incredible as it may appear, had so little in common with those of other climates, that we were scrupulous of tasting them, and, indeed, had difficulty in bringing ourselves to believe that their qualities were purely those of nature.*[28] Das Wasser ist kein Wasser, sondern eine vielschichtige, zähere, purpurn changierende Flüssigkeit; die Asche ist keine Asche, das Licht kein vertrautes Licht, die Menschen sind keine Menschen. Im Entwurf dieser Inseln löst sich die Fiktion von der Realität ab, soweit sie es kann, solange sie sich der Sprache bedienen muß. Aus ihren alten Elementen, ohne welche es weder Vorstellung noch Mitteilung gäbe, setzt sie eine neue imaginierte Realität zusammen, aus dem Wörterbuch der natürlichen eine künstliche Welt. *The phenomena of this water formed the first definite link in that vast chain of apparent miracles with which I was destined to be at length encircled.*[29] Es sind die Wunder der Imagination.

Solche kombinatorischen Möglichkeiten dichterischer Phantasie sind mehr als nur Spiel, auch mehr als ein Sinnfällig-Werden der Unbegreiflichkeit dieser Welt. Die Vorstellung, daß die Welt auch anders sein könnte, kann eine Form der Angst sein, und durch unendliche Jahrhunderte hat die Phantasie diese Angst genährt. Der sogenannte Aberglaube schuf sich Gestalten oder fand sie, die nicht aus unserer Realität kamen, aber in sie eindrangen oder an ihren unerreichbaren Grenzen angesiedelt waren. Denn überall war die Wirklichkeit offen ins Wunderbare, es konnte im Dunkel hinter jeder Türe lauern, und wie sehr erst im Dunkel der Wälder, der Nacht, oder in den Fernen hinter den Bergen und Meereshorizonten. Das Alltägliche vermochte unversehens, waren nur die Bedingungen erfüllt, sich ins ganz andere zu verwandeln, und es gab Leute, die darüber Macht hatten. Hinter den Säulen des Herkules, an den Grenzen der bekannten

Welt, begann die unbekannte, wo nicht nur Inseln der Seligen, sondern auch Breiten des Schreckens vorkamen. Wer kam schon zurück, der Polyphem gesehen hatte? Wer wollte es wagen, nicht zu glauben, daß es Zonen gebe, wo die Leute den Kopf unter dem Arm oder den Fuß als Schirm trugen? Insofern diese Vorstellungen wahr genommen wurden, waren sie Teil einer Welt-Explikation und fanden sich abgeschafft im gleichen Maße, in dem die Welt übersehbarer, erklärlicher und vernünftig ergründet wurde. Allein das Gemüt des Menschen vermochte sich, wider besseres oder schlechteres Wissen, nicht so leicht von dem Bewußtsein zu trennen, es gebe mehr Dinge zwischen Himmel und Erde, als welche der Schulweisheit vertraut sind. Es empfindet das Bedürfnis weiter, vom Unerfahrbaren zu erfahren, auch wenn es dies nach den Spielregeln eines aufgeklärten Zeitalters nicht mehr gibt. Poe sucht das Bedürfnis zu befriedigen.

Allerdings sieht er sich und seine Leser in einer von den Zeiten urtümlicher Vorstellungen wesentlich verschiedenen Lage. Er benutzt den Nachhall der Vorstellungen, aber er benutzt auch den Reiz des Widerspruches zwischen der ungebrochenen Wirksamkeit der Imagination und dem Bewußtsein, daß sie nur Fiktion sei. Wer einst von Polyphem hörte, mochte dem Sänger glauben; wer von den Wundern der Reise Pyms hört, akzeptiert sie mit der Imagination, aber verwirft sie mit der Vernunft. Der Leser reagiert auf das Elementare der Phantasie, aber nimmt sie als artifiziell. Es ist dies eine Art von Spannung, die der bürgerliche Roman nicht kennt, der sich über die „richtige" Welt auf wahrscheinliche Weise verbreitet. Auch die Sagenwelt war einmal „richtige" Welt, in Wirklichkeit nie gesehen, aber glaubhaft. Die Welt Poes ist Kunstwelt, sie zielt nicht auf *vérité*[30] und sucht trotz allen allegorischen Deutungen nichts anderes zu explizieren als sich selbst. Das Wörterbuch der Natur erklärt nicht mehr dieselbe, sondern liefert die Mittel zum Zwecke der Komposition, das heißt der Kunst. Wenn Baudelaire den ›Gordon Pym‹ einen *roman analytique* genannt hat, so nicht so sehr um der Analyse des menschlichen Herzens willen, als wegen der analytischen Behandlung des bis zu diesem Zeitpunkt in der Erzählung sinnvoll zusammenhängenden Weltwesens, für das noch Goethe Vollständigkeit gefordert hatte. An die Stelle einer wirklichen Gesamtschau tritt in der › Narrative of A. Gordon Pym ‹ der Reiz einer artifiziellen Welt. *I prefer commencing with the consideration of an effect* [31], ist Poes kompositorisches Credo, und dem ordnet er das Kunstganze wie dessen Teile unter. Bewußt unterscheidet er sich dabei von *the usual mode of constructing a story,* die von einem aktuellen oder historischen Vorwurf bestimmt wird und im besten Falle *striking events* [32] mit dem Flickwerk der Wahrscheinlichkeit zu verbinden sucht.

Poe sucht anders vorzugehen und hat in seinen › Marginalia ‹ darüber Sätze notiert, an denen sich Baudelaire erst recht begeistert hätte: *The pure Imagination chooses, from either Beauty or Deformity, only the most combinable things hitherto uncombined . . .,* die reine Imagination ist diejenige, die sich von den Bedingungen der gewohnten Realität gelöst hat und aus deren Elementen – *which are themselves still to be considered as atomic* [33] – ein Neues hervorgehen läßt. Von dieser Art ist die Kunstlandschaft des Schlusses, nachdem die Erzählung allmählich aus dem Bereiche vertrauter Phantasie in diejenigen der absoluten übergegangen ist. *The whole ashy material fell now continually around us, and in vast quantities. The range of vapor to the southward had arisen prodigiously in the horizon, and began to assume more distinctness of form. I can liken it to nothing but a limitless cataract, rolling silently into the sea from some immense and far-distant rampart in the heaven.* [34] Das ist, im Ton einer anderen Kunstabsicht und unter den Bedingungen einer anderen Gattung, die imaginierte Welt des › Rêve Parisien ‹, die begreiflich macht, warum der Franzose soviel bei dem Amerikaner vorgebildet sah, *De ce terrible paysage, | Tel que jamais mortel n' en vit . . .* :

> *Et des cataractes pesantes,*
> *Comme des rideaux de cristal,*
> *Se suspendaient, éblouissantes,*
> *À des murailles de métal . . .*
>
> *Insouciants et taciturnes,*
> *Des Ganges, dans le firmament,*

> *Versaient le trésor de leurs urnes*
> *Dans des gouffres de diamant...*
>
> *Et sur ces mouvantes merveilles*
> *Planait (terrible nouveauté!*
> *Tout pour l'œil, rien pour les oreilles!)*
> *Un silence d'éternité.*[35]

The gigantic curtain ranged along the whole extent of the southern horizon. It emitted no sound.[36]

Man muß sich die Unerhörtheit einer derartig absoluten Landschaft in einem Zeitalter erst neu vergegenwärtigen, das sich inzwischen an alle Formen der Abstraktion gewöhnt hat. Heute verfügt jeder artistische Gassenbube nach seinem Belieben über die Weltelemente, um sie ohne Grund zu kopulieren oder zu trennen und das Produkt als Abstraktion auszugeben. Die großen Dichter der Vergangenheit waren sich über die Kühnheit und vielleicht auch über die Konsequenzen solchen Verfahrens eher im klaren. Wenn Jean Paul in die vorgebliche Alltagsenge seiner Romane gewaltige Gesichte einsprengte, so machte er sie als nicht von dieser Welt kenntlich, sei es als Traum, sei es als Vision. Sie unterstanden noch den Gesetzen der Visionen des Glaubens, in denen das fromme Gemüt einst anschauliche Figurationen der alle menschliche Vorstellungskraft übertreffenden Ewigkeit wahrgenommen hatte. Ähnliches kann man von dem Engländer Blake sagen, so grundverschieden beide Dichter sind. Die romantische Erzählkunst erlaubte dem Gemüte des Dichters wie des Lesers, aus der Endlichkeit des Moments in die Unendlichkeit einer Ferne zu schweifen, die aus ineinander übergehenden Weltelementen kunstvoll sich aufbaute und erneuerte. Indem sie vorgab, daß ihr Schauplatz gleich vor den deutschen Toren liege und ihm viel Geheimnisvolles, aber keine aller Vernunft spottenden Realien zumutete, hielt sie das hochstrebende Luftschiff ihrer Phantasie immer mit goldenen Seilen an die Erde gebunden. Wo das nicht mehr geschah, wie in den unheimlich-grotesken Einsprengungen der unvergleichlichen ›Isabella‹ Arnims oder in Hoffmanns Phantasien, ging es gerade um die Vergegenwärtigung der abgewandten Seiten dieser unserer Welt.

Nicht umsonst verwendete man die Materialien der Folklore, die ja von dieser Welt sind. Poe, den man in Amerika der Romantik zurechnet (ein kaum übertragbarer Terminus), wollte mit Gewißheit etwas ganz anderes. Auch er verzichtet nicht auf den „Rahmen", der den Ausflug aus der Realität in die Irrealität festhält, so wie der deutsche Dichter Heine die Kühnheit seiner ›Traumbilder‹ durch den Hinweis auf Träumen und Erwachen „einrahmte". Aber es ist der Rahmen eines Herausgebers – der Erzähler selbst entschwindet uns im Absoluten, das um so unvorstellbarer ist, als wir in „wissenschaftlicher" Gesinnung zu ihm hingeleitet wurden. Daß er von dort noch einmal auf kurze Weile wiedergekehrt sei, kann man nach der unerhörten Schlußszene nur als Fiktion nehmen. Eben das will Poe: denn deutlich wird die Fahrt in den Strudel der weißen Katarakte „real". Eine Umkehrung des Plausiblen hat stattgefunden.

Besser aber ist die Formulierung, die Poe selbst in der Notiz seiner ›Marginalia‹ gefunden hat, welche von der Kombinationskraft der Imagination spricht: ... *as often analogously happens in physical chemistry, so not unfrequently does it occur in this chemistry of the intellect, that the admixture of two elements results in a something that has nothing of the qualities of one of them, or even nothing of the qualities of either.*** Thus, the range of Imagination is unlimited. Its materials extend throughout the universe.*[37] Aus den Materialien des bekannten Universums entsteht ein neues, kunstvolles, das zuvor noch nie war. Es ist bemerkenswert, daß Poe in diesem Zusammenhang das Verbum *fabricate*[38] benutzt, das, auf die Produktionen der Imagination angewandt, den artifiziellen Nebensinn nicht überhören läßt. Die Unterscheidung zwischen „real" und „irreal", mühsam genug in der Erzählkunst, beginnt sinnlos zu werden, wo das in der historischen Welt Unwahrscheinliche, ja Unmögliche in der Welt der Dichtung den *character of obviousness*[39] erhält. Man wende nicht ein, dies sei von jeher so gewesen und gelte nicht zuletzt für die sagenhaften Materialien, die Poe in seinen Mixturen verwendet, oder für die unerschöpfliche Phantasie der Märchen. In beiden Fällen war das Erzählte, mochte es noch so sehr gegen die Erfahrung der Zuhörer gehen, glaubhaft und diente der Explikation dieser Welt. In der ›Narrative of A. Gordon Pym‹ dient umgekehrt die angebliche Welt-Explikation nur noch zum Vorwand für die *chemistry of the intellect*. Der Mensch, ein Spielball seiner Ängste, rächt sich an der Welt, indem er sie zum Spielball seiner Künste macht. Das höchste Lob, das der unglückliche Amerikaner einem Dichter zu erteilen vermag, ist dies: er habe eine *chaste, virgorous, and glorious imagination*[40].

Zweifellos war auch jetzt noch keine poésie pure geboren, aber der entscheidende Schritt zu ihr hin war getan. Auch ist der Wert von Wendungen wie „pure" und „abstrakt" höchst zweifelhaft, nützlich nur, insofern er die relative Entfernung von der gewohnten und gewöhnlichen Realität bezeichnet. Denn eine Abstraktion ist unmöglich: die von dem, der da spricht. Da ist der Unterschied lehrreich zu einem von Poe hochgeschätzten Buch, Defoes ›Life and Strange Surprising Adventures of Robinson Crusoe, of York, Mariner‹; es war bedeutsam für die ›Narrative of A. Gordon Pym of Nantucket . . .‹. Poe hat sich gefragt, worauf die außerordentliche Wirkung des ›Robinson‹, *a household thing in nearly every family in Christendom*[41], beruht haben möge, und fand die Antwort in zwei Eigenschaften, einer inhaltlichen und einer formalen. *The idea of man in a state of perfect isolation, although often entertained, was never before so comprehensively carried out.*[42] Damit ist das Thema inhaltlich umschrieben, das auch die phantastischen Imaginationen des ›Pym‹ in immer wiederholten, immer ungewöhnlicheren Figuren einzukreisen suchten. Die Welt-Explikation mochte dahin sein, weil in der realen Welt nichts mehr unvertraut schien und die Gesinnung des Zeitalters Aufklärung über „Wirkliches" nicht bei den Dichtern suchte (was die Dichter, dem Himmel sei Dank, nicht kümmert); die Selbst-Explikation durch eine künstliche Welt wurde um so dringlicher. So nahm Poe das Thema wieder auf, der Schwierigkeiten wohl bewußt wie seiner geheimnisvollen Anziehungskraft. Er bediente sich auch des formalen Mittels, welches ihm beim ›Robinson‹ so imponiert hatte: *the potent magic of verisimilitude*[43], die sich in dem schon beschriebenen wissenschaftlichen Stil ausdrückt. Aber er geht entschieden weiter im Hinblick auf *the idea of man in a state of perfect isolation*. Diejenige des ›Robinson‹ war

trotz allen Gefahren schließlich nur eine physische Isolation gewesen, wunderbar geeignet, alle die vielfältigen Vermögen des
menschlichen Individuums ins rechte Licht zu rücken. Robinson
darf sein Überleben nicht allein dem Glück, schon gar nicht einem
Wunder, sondern der Nützlichkeit aller Weltdinge und den Gaben einer unerschrockenen Vernunft zuschreiben, die sich ihrer
bedient. Seine Heimkehr ist ein gerechter Lohn; diejenige Pyms
ist ein Zufall, der bald genug korrigiert wird. Sie war nicht imstande, den Zirkel des Schreckens zu durchbrechen, der das Individuum in eine viel schrecklichere als die physische Vereinzelung schlägt. Pyms Einsamkeit erweist sich als innere, weil sie
sich in extremis realisiert, wo der Mensch mit seiner Angst allein
ist. Das eigentliche Abenteuer Pyms findet nicht, wie man meinen könnte, an den Grenzen der bekannten Welt, sondern an
den im 19. Jahrhundert verlorenen Grenzen der menschlichen
Seele statt.

Baudelaire hat auch dies gesehen an jener Stelle, wo er auf ›A.
Gordon Pym‹ anspielt. Er entwirft ganze Zusammenhänge der
Entwicklung des modernen Bewußtseins, in die er Poe einordnet.
*Beethoven a commencé à remuer les mondes de mélancolie et de désespoir
incurable amassés comme des nuages dans le ciel intérieur de l'homme. Maturin dans le roman, Byron dans la poésie, Poe dans la poésie et dans le
roman analytique . . .* [44] Man darf Melancholie und Verzweiflung
hier nicht etwa, verführt durch den Namen des uns fernen Byron,
in die Nähe von Vorstellungen wie „Weltschmerz" rücken. Es
geht um viel Elementareres: *Je veux dire que l'art moderne a une ten-
dance essentiellement démoniaque.* Die dämonische Tendenz, *cette part
infernale de l'homme,* erfährt ihre nähere Bestimmung in der Tatsache, *que l'homme prend plaisir à s'expliquer à lui-même.* Die Selbst-
erforschung und Selbstdarstellung ist des Teufels, so will der
Dichter der ›Fleurs du Mal‹, welchem der *Lucifer latent qui est in-
stallé dans tout cœur humain* [45] kein Fremder war. Damit ist eine wesentliche Veränderung der Absichten der Künste festgestellt, an
der Poes *roman analytique* ausdrücklich teilhat. Man kann ihn nicht
analytisch in dem Sinne nennen, daß er einen fein differenzierten
Blick in die Verflechtungen seelischer Vorgänge darböte; aber
er analysiert die Formen der Angst und die Nährböden der Hoff-

nung, die von den Fluten des Schreckens immer wieder fortge-
schwemmt werden. Indem sich keine Macht zeigt, welche von
den vielfältigen Erscheinungsweisen des Todes befreit, sieht sich
der Mensch auf sich allein zurückgewiesen. Was er zeigt und erklärt, ist immer das gleiche, sein eigenster Teufelskreis zwischen
den *extremes first of delight and then of horror*. Ihn darzustellen nimmt
sich Poe vor, und ihm gewinnt er auch den Kunstcharakter seines Buches ab. Er beruht auf dem krassesten Wechsel der Töne,
schauerlich wiederholt und abgewandelt. Alle erscheinende Wirklichkeit dient dem einen Zweck, die Bewegung zwischen den Extremen in Gang zu halten. Der sachliche Inhalt realisiert den See-
lenzustand, an sich ist er gleichgültig, wenn man von den artifiziellen Reizen absieht, die er bewirkt.

Auch diese sind Teil der menschlichen Einsamkeit. Denn die
Erscheinungen, welche Pym den Extremen des Fühlens aussetzen, haben für den Leser ja keinen Wert als sich erschließende
Welt. Auch hier erweist sich die Maske des Reiseromans als bloßer Vorwand – man erlebt eine Folge von Phantasien, die von
der gewohnten Wirklichkeit fort in immer größerer Intensität
auf die eine Konstante des preisgegebenen Menschen zurückver-
weisen, nicht ohne dabei eine ästhetische Wirkung auszuüben.
Sie lebt von dem schon behandelten Bewußtsein der Fiktion, das
dem Vorgang einen absoluten Wert verleiht. Aber die gewaltige
Unterströmung aus den Quellen der Träume erinnert zugleich
daran, daß das so schön Erfundene und Kombinierte doch einen
letzten Erfahrungszusammenhang habe, der vor allem Begriff ist.
Auf diese Weise liest man das Buch doppelt; die Folge von Phantasien aus Weltelementen endet im Reiche der Imagination. Insofern sie keinen „Sinn" ergeben, lassen sie den Leser mit sich
selbst allein. Das bloße Spiel der Künste führt ihn nirgendhin,
es sei denn zum Genusse seiner selbst. Der Unterstrom hingegen
verschlägt ihn an die Gestade der Lebensangst – „was wird aus
mir?" würde er sich fragen, wenn die Erfahrungen der Traum-
welt den Begriff zuließen. Aber auch ohne die Frage trifft er am
mühsam vergessenen Ufer wieder nur sich selbst. Ein derart
zwiefaches Lesen kann nur von einem bedeutenden Werk hervorgerufen werden, dessen Eigentümlichkeit vernichtet wird, wenn

man – wie es zumeist geschieht – nur eine der beiden Möglichkeiten des Lesens wahrnimmt. Das Ergebnis ist entweder eine
schlechte Reiseerzählung oder eine billige Allegorie. Erst die
Einheit des Ganzen macht das Ganze aus: *It is this thorough har-
mony of an imaginative work which so often causes it to be undervalued by
the thoughtless, through the character of obviousness which is super-
induced.*[46] Oder, wie Poe anderen Ortes in den ›Marginalia‹ no-
tiert: *The naked Senses sometimes see too little – but then always they
see too much.*[47]

GESCHICHTE GEGEN DIE GESCHICHTE

RAABE: ›DAS ODFELD‹

Der Plan des Herzogs Ferdinand von Braunschweig, den gegen Friedrich II. alliierten Armeen am 5. November 1761 rechts der Weser eine empfindliche Schlappe zu bereiten, erwies sich am Abend dieses Tages als mißlungen. Die im Herbstwetter grundlosen Wege hielten den General von Hardenberg auf, welcher die Einschließung der Franzosen vollenden sollte. Als die Nacht kam, galt es, Quartiere zu beziehen, und der getreue Biograph und Sekretär Ferdinands, Westphalen, überliefert sogar den Wortlaut der Meldung des Generaladjutanten, die den Standort der englischen Verbündeten anzeigte: *Monseigneur! C'est à Scharf-Oldendorf, où Mssrs. les Généraux Anglois se trouvent en Quartier. Wickensen ce 5. de Nov. 1761. D. Reden. Gen. Adj.*[1] Westphalen hat der Nachwelt noch eine ganze Reihe anderer Details berichtet, den mühsamen Marsch des Generals von Hardenberg betreffend, und aus des Hauptmann von Archenholz' ›Geschichte des Siebenjährigen Krieges‹ wissen wir, daß das dennoch auf dem Odfeld in der Nähe des Klosters Amelungsborn zustande gekommene Treffen eine Menge Tote gefordert hat, *mit deren Beerdigung 2000 Bauern drei Tage lang zu thun hatten*[2]. Es war eine unruhige Zeit im Weserlande; das verlassene französische Biwak bei Stadtoldendorf brannte so lichterloh, daß man anfänglich *weder das Lager, noch das Defilee, in welchem dasselbe angelegt, passiren konnte*[3] (so erzählt der Herr von dem Knesebeck), und die Bevölkerung hatte alle Unbill zu erdulden, die das Zivil zwischen den kämpfenden Truppen zu treffen pflegt. Sie war es seit Jahren gewohnt. Schon bei der Plünderung Halberstadts, so weiß wieder Herr von Westphalen, blieb *kein Löffel . . . in den Haushaltungen, und keine Dienstmagd ist sicher geblieben, ihre Schuhschnallen auf den Füßen zu behalten*[4]. Das Heer der Verbündeten Friedrichs unter dem General Luck-

ner, dem Erbprinzen von Hildesheim, Lord Granby und dem
verspäteten Hardenberg verfuhr kaum sanfter als seine Gegner
unter dem Herzog von Broglio und dem Herrn von Poyanne.
Der Ausruf traf gewiß die Wahrheit, der sich den Lippen des
Herzogs Ferdinand in Raabes ›Odfeld‹ entrang: „Quelle guerre!
*welch ein Krieg! welch ein Krieg, welch eine Schlächterei ohne
Ende!"* [5]

Dieser Ausruf ist Raabes Erfindung; aber die Einzelheiten,
welche die Historiker des Siebenjährigen Krieges über den 5. November 1761 festhalten, sind in diesem Buch (wie andere Einzelheiten in anderen Büchern Raabes) so getreulich benutzt, daß
die Literaturwissenschaftler eine beliebte These unterstützt finden könnten: „Seine Stärke lag in der Gestaltung der Charaktere, nicht der Handlung"[6]; so schreibt etwa F. Martini in
seiner Literaturgeschichte, und dem flüchtigen Blick könnte es
scheinen, daß er recht hat. „C'est à Scharfoldendorf, où mes-
sieurs les généraux anglais se trouveront en quartier. *Wollen Sie die
Dispositionen treffen, Westphalen . . ."*[7], befiehlt der Herzog im ›Odfeld‹, ganz dem Adjutanten-Text folgend, den der hier in der
Fiktion Angeredete später berichtet hat. Daß die Franzosen ihr
„*Lager bei Stadtoldendorf in Brand gesteckt haben, um uns die hohlen
Wege durch Feuer und Qualm zu sperren*"[8], entspricht so wörtlich der
Überlieferung wie die Erinnerung der wackeren Magd Wieschen
an den Marquis le Voyer d'Argenson, der „*keinen Silberlöffel im
Schrank*" gelassen hat: „*. . . ich habe ihm mit allen andern Mädchen in
unserm Dorfe und in der Stadt Halberstadt meine Halsspange und Schuh-
schnallen hergeben müssen in seinen Raubsack.*"[9] Sogar der Name des
Mannes, der der eigentliche Held im ›Odfeld‹ zu sein scheint, ist
nicht erfunden. Der *überzählige Kollaborator*[10] und ausgediente
Schulmeister Noah Buchius führt sich auf den zweiten protestan-
tischen Abt des ehrwürdigen Klosters Amelungsborn zurück, der
wiederum auf bemerkenswerte Weise mit dem ersten, Andreas
Steinhauerius, verknüpft ist: *Sein Ururgroßvater Veit Buchius folgte
dem alten Andreas nicht nur auf dem Abtstuhl, sondern auch im Ehe-
bett.*[11] Raabes Quelle meldet das so: *Vit Buchius, der im J. 1608
starb, war Steinhauers Nachfolger in der Würde, wie in der Ehe, denn er
heirathete dessen Wittwe.*[12]

Eine historische Erzählung also, wie sie das 19. Jahrhundert gerade zur Entstehungszeit des ›Odfeld‹ (1886/87) in großen Mengen hervorbrachte? Raabe selbst spricht von seinem gründlichen Studium, *von den Folianten, Quartanten, Pergamenten und Aktenbündeln*[13], und es ist deutlich, daß die Geschichte des 5. November 1761, wie sie das ›Odfeld‹ beschreibt, sich auf solide Fakten gründet. Mehr als das: auf überkommene Einzelheiten aus dem großen Gewebe des Tatsächlichen, welche für dessen Zusammenhang an sich gleichgültig sind. Der Wortlaut einer Meldung, der Feuerqualm in einem Hohlweg, die Schuhschnallen einer armen Magd sind für den Gang der großen Historie unerheblich. Der Name Buchius ist es auch; aber Raabe hat es für nötig gehalten, seinen Magister Buchius zum Abkömmling eines Mannes zu machen, der das Kloster Amelungsborn in Wirklichkeit während böser Zeitläufte verwaltet hat. Der Ururenkel ist Fiktion und hat *nicht einmal den Namen mit dem seligen Ahnherrn gemein*[14]; aber was der Enkel in der Erzählung erlebt, hätte den Ahnherrn wenig verwundert *im Elend der Zeit*[15]. Von vornherein verankert Raabe seine Erfindung in der Geschichte, so, als ob er sie durch dessen einzelne Züge bewahrheitet wissen wollte. Aber es ist nicht allein die Geschichte des im November 1761 gegenwärtigen Augenblicks, der sich mit Hilfe der chronikalisch gesicherten Schuhschnallen einer armen Magd verifizieren ließe; der Augenblick selbst wird auf vergangene Geschichte zurückgeführt, der alte, aus dem Schuldienst gestoßene Magister leitet sich ab vom letzten katholischen, dann übergetretenen Abt von Amelungsborn. Seine Genealogie, wiewohl nicht die leibliche, reicht noch weiter zurück. *Methusala zeugete Lamech; und Lamech zeugete einen Sohn und hieß ihn Noah und sprach: „Der wird uns trösten in unserer Mühe und Arbeit auf Erden, die der Herr verflucht hat."* Raabe fährt fort: *Möge der Trost, den wir persönlich aus dem alten Schulmeister, dem Magister Noah Buchius gezogen haben, vielen anderen zuteil werden.*[16]

Es ist dies viel Anciennität für einen armen Teufel, den die Behörde zum Schuldienst untauglich befand, und viel Geschichte für die Schilderung der vierundzwanzig Stunden, die das Buch darstellt. Am Abend des 4. November, so berichtet Raabe selbst

ohne jede Bezüglichkeit auf historische Quellen, sahen der Klo-
steramtmann von Amelungsborn und der emeritierte Lehrer ein
so seltenes wie gewaltiges Zeichen am Himmel, die *Schlacht der
Raben, der Vögel Wodans über Wodans Felde.* Die *Anwendung* des
Zeichens auf *den eben vorhandenen Tag*[17] liegt nahe und bestätigt
sich schnell. Am nächsten Morgen haben die Franzosen das Kloster besetzt und bringen es in böse Gefahr. Heimlich in der Nacht
war des Magisters vormaliger Lieblingsschüler Thedel von
Münchhausen an seinem alten Schulort eingetroffen, nachdem
man ihn von seinem neuen relegiert hatte. Er rettet die von ihm
angebetete Amtmannstochter Selinde, vielleicht gar nicht er-
wünschtermaßen, vor dem Zugriff der Soldaten, die ihr Mütchen
an Magister und Amtmann kühlen wollen. Dieser, jähzornig und
erschreckt, läßt den friedfertigen Lehrer die überstandene Angst
entgelten und weist ihn aus dem Hause. Über das Odfeld, auf
dem der Zusammenstoß der kriegführenden Völker bevorsteht,
zieht ein Zug von Heimatlosen in den trüben Novembertag: der
dimittierte Magister, sein froher, relegierter Schüler Thedel, der
zu den Soldaten strebende Knecht Schelze, welcher sich vom
Amtmann gekränkt fühlt, mit seiner treuen Braut Wieschen, und
nolens volens die Mamsell Selinde, verehrt von dem Primaner
Münchhausen. Der Magister führt den seltsamen Zug aus der
Unsicherheit des Schlachtfeldes in die Geborgenheit einer Berg-
höhle. Aber auch diese Zuflucht erweist sich als unsicher: die den
Franzosen Entronnenen werden von den Schotten als Verdäch-
tige aufgegriffen und gerieten in neue Lebensgefahr, wenn nicht
der gute Herzog Ferdinand von Braunschweig, bei einem zufälligen Zusammentreffen von der Not Wieschens gerührt und vom
alten Magister beeindruckt, für die Rückkehr sorgte. Am Abend
sind sie alle bis auf einen wieder im Kloster. Der junge Münchhausen liegt unter den zahllosen Toten des Schlachtfeldes, weil
er den Truppen des Herzogs durch seine Kenntnis des Ortes hatte
nützen wollen. Im Kloster aber ist alles wie am Abend zuvor; sogar der verwundete Rabe, den der Magister von der wunderba-
ren Rabenschlacht heimgebracht, hockt noch in der Zelle und
wird nun ins Weite gelassen, wie Noah einst die Taube entließ:
„O Kreatur, ach Rab, Rab, wohl ist dein Zeichen Wahrheit geworden!

Sie liegen bei deinen Kameraden in Campo Odini *und weit rundum ver-
streuet, meine Brüder und unter ihnen meiner Seele Sohn im jammerhaften
Säkulo.*"[18]

Wer das Buch kennt, wird bei solcher Zusammenfassung das
Gefühl nicht unterdrücken können, daß sich das Eigentliche zwischen den festen Daten der Handlung verflüchtigt hat. So gleichgültig wie das von Raabe aufgegriffene historische Detail für den
Verlauf der Geschichte, so inkommensurabel scheint der bloße
Stoff im Verhältnis zum Ganzen des Buches. Das viele Reden
auch über Raabes „Realismus" erweist seine ganze Fragwürdigkeit angesichts der Bemerkung, daß das Tatsächliche hier an sich
nichts ist. Der Schauplatz ist dem Autor vertraut als heimatliche
Landschaft und überdies genau bestimmt nach den topographischen Daten des Blatts Nr. 60 im ›Topographischen Atlas des
Königreichs Hannover und des Herzogthums Braunschweig‹[19].
Aber selbst diese überdies an einem ganz bestimmten Tage vor-
geführte Lokalität läßt die bestimmte Anschaulichkeit vermissen,
die etwa Kellers oder Storms Landschaften haben, welche die
Atmosphäre Niederdeutschlands oder das kräftige Leben der
Schweiz wiedergeben. Wenn man vom ›Odfeld‹ sagt, es bringe
mit Raabes übrigen historischen Erzählungen „Menschen, Landschaft und Atmosphäre zu sinnenhafter und hintergründig bedeutsamer Anschaulichkeit"[20], so läßt man sich von den angenommenen Merkmalen literarhistorischer Periodisierung leiten,
nicht aber vom Text des Autors. Er ist den Tendenzen der Zeit
genau entgegengesetzt und will weder „Atmosphäre" noch Realität, und wenn er Geschichte zeigt, so nicht, um vorzuführen,
wie es am 5. November 1761 eigentlich gewesen sei, sondern um
bewußt zu machen, wie es immer war. Eben deshalb nimmt das
›Odfeld‹ in der Geschichte der deutschen Literatur einen bedeutenden Platz ein: es ist gegen das positive geschichtliche Bewußtsein der eigenen Zeit und gegen den herrschenden, auf „Realität"
gerichteten *Kammerjungfer- und Ladenschwengel-Geschmack*[21] geschrieben.

Man begreift das am besten, wenn man sich die Behandlung
des Lokals und der Geschichte genauer vergegenwärtigt. Der
Autor vermag jenes kaum zu nennen, ohne diese zu bedenken.

Wenn die kleine Fluchtgesellschaft durch den *kalten, nassen, ma-*
genleeren, frostigen, bellonaumdonnerten Novembermorgen[22] zieht, so
hat sie wenig Sinn für anschauliches Verweilen, und auch das
Gespräch bleibt nicht bei einem Gegenstande. Die vermutliche
Absicht der Soldaten, der Hunger des müden Gauls, welcher die
Mamsell Selinde trägt, und die Frage nach dem Wege kommen
zur Sprache. Dabei läuft auch der Vers unter

> *Morgen woll'n wir Hafer dreschen,*
> *Den soll unser Schimmel fressen . . .*[23]

und zieht auf dem Wege der Assoziation andre alte Verse nach
sich: „*Seinen Reim, Herr von Münchhausen, haben sie schon zu andrer,*
früherer Zeit gesungen. In meiner Stube steht auf einer Fensterscheibe ein-
gegraben:

> *Fleuch, Tylli, fleuch,*
> *Aus Untersachsen nach Halle zu,*
> *Zum neuen Krieg kauf neue Schuh!*
> *Fleuch, Tylli, fleuch.*[24]

Die gegenwärtige Flucht wird in ein Verhältnis gesetzt – durch
das bloße Zitat – zur vergangenen, der gegenwärtige Krieg zum
Dreißigjährigen. Und das erste Wort über den schützenden Berg
verzichtet auf jede „sinnenhafte Anschaulichkeit"; es stellt die
Landschaft durch die bloßen Flurnamen in den Zusammenhang
der Geschichte, den die Kinderverse vorbereitet haben. „*Und da*
sind wir am Berg! Und da im Ost guckt der Till heraus aus dem Gewöllk.
Hinter ihm ist der Pikkolominigrund. Da soll der Herr Feldmarschall
Tilly ja wohl auch vordem eine große Bataille gewonnen und dem Berg sei-
nen Namen gegeben haben!"[25] Allein der Blick auf den Berg hält
nicht an bei der noch naheliegenden Zeit des dreißigjährigen
Elends, auch nicht bei dem lange toten Vorgänger in des Magisters Zelle, dem Bruder Philemon, der „*vielleicht auch gewandert*
auf der Flucht, grade auf diesem Pfade der Wildnis"[26]. Dem Magister
kommt ein Vers aus dem Evangelium des Markus in den Sinn:
„*Alsdann, wer in Judäa ist, der fliehe auf das Gebirge; und wer mitten*
darinnen ist, der weiche heraus; und wer auf dem Lande ist, der komme
nicht hinein . . . "[27] Thedel von Münchhausen hat eine kecke platt-
deutsche Fassung, die den gleichen Sachverhalt trifft:

„Krup unner, krup unner,
De Welt is di gram!"[28]

Ununterbrochen bezieht Raabe die gegenwärtige Stunde auf vergangene Zeiten; die Einmaligkeit des Augenblicks wird relativiert, indem sie sich als bloße Wiederholung vergangener Augenblicke enthüllt. Vielleicht war schon der Bruder Philemon auf diesem Wege, den die verfolgten Juden hatten gehen müssen; gewiß war der Magister nicht der erste, der die schützende Höhle entdeckte und gebrauchte, *„so des Herrn Hand in der Wildnis zum Unterschlupf für seine gejagte Kreatur wundervoll ausgehöhlet hat"*[29]. An Anschaulichem erfahren wir fast nichts über den *Stein- und Waldwinkel*[30]. Um so mehr erhält die Zuflucht geschichtlichen Ort, die der Magister sich schon vordem zunutze gemacht, wenn ihm das Kloster zu unruhig war: *„Heute – jetzt seid ihr alle – auch Er, lieber von Münchhausen, hier willkommen, wo ich mir bei den Tieren der Wildnis als Einsiedler ein Unterkommen ausgemachet hatte."*[31] Der Magister hat nicht mehr seine *„thebaische Wüste ganz für sich allein"*[32] und hat sie, streng genommen, nie für sich allein gehabt. Denn vorher hat schon der *Troglodyt* den *heimeligen Ort für sich eingerichtet*[33], wie die Funde lehren, welche der geschichtskundige Buchius seinem Museo einverleibt. Der Name des Aeneas und der Dido fällt, und *mitten in dem wilden Wald des achtzehnten Säkulums* erinnert die Weisheit des Konversationslexikons an Zeiten vor aller Historie: *Dolomit-Rautenspat, Braunbitterspat, Bitterkalk, Mineral, farblos oder gefärbt . . . ist als Braunspat eisenhaltig und bildet als Gestein groteske Felsbildungen und ist höhlenreich . . .*[34] Dem Leser wird an keiner Stelle dieses Buches gestattet, ganz bei der Gegenwart zu verweilen. Jeder Moment, jeder Ort ist mit Vergangenheit verbunden, Historie und Augenblick, mythische und gar geschichtslose Zeiten gehen ineinander auf. In der Höhle hatten sich schon die Cherusker, schon der *„arme Sünder und* diluvii testis, *der Sündflut Zeuge"*[35], das Lager bereitet; indem der Magister das gleiche tut, erweist er sich als ein enger Verwandter, die Zeit als eine einzige Zeit. Wie sein Namensvetter Noah in die Arche, so steigt er in den Erdenschoß bei währender Sintflut.

Raabe behandelt also die Realität keineswegs um ihrer selbst willen. Sie erscheint ihm – wie jedem Erzähler von Rang – erwähnenswert nur, insofern sie mit dem Fortgang seiner Erzählung in unmittelbarem Zusammenhang steht. Auch ist dieser Fortgang nicht darauf angelegt, den Leser allein in Anspruch zu nehmen. Die Handlung eröffnet Einsichten, welche über sie hinausweisen, die Erscheinungen der Wirklichkeit haben einen uneigentlichen, den vom Dichter ermöglichten Kunstcharakter. Er ist allerdings nur im Hinblick auf die vereinzelte Erscheinung uneigentlich; insofern diese im Ganzen der Erzählung ihren Platz hat und aufgeht, macht der Kunstcharakter das eigentliche Wesen des Ganzen aus. Raabe ist an keinem anderen als solchem Kunstcharakter interessiert. Die Schilderung der Wirklichkeit erschien ihm *höchstens nur ein interessantes Lesewerk*, und er war überzeugt, *es veraltet nichts leichter als die empirische Prosa*[36]. Mit solchen Überzeugungen stand er gegen seine Zeit, und wenn man den sehr vagen Begriff vom Realismus in herkömmlicher Weise als den einer Kunstrichtung versteht, die in der Wiedergabe empirisch-anschaulicher Wirklichkeit ihren Sinn findet, so war er ein entschiedener Antirealist. Es gibt wenige deutsche Dichter, welche die Wirkungen einer sinnfälligen Imagination weniger nützen; aber es gibt auch nicht viele, die mit größerem Kunstverstand vorgehen als der alte Raabe.

Allein die Behandlung der Höhle im Ith sollte das deutlich machen. Ihre Funktion im Ablauf der Handlung ist einfach: sie ist das Versteck, das dem Magister und seiner Schar schließlich keinen hinlänglichen Schutz zu bieten vermag. Ihr „empirischer Charakter" erfüllt eine Bedingung, auf welche die neuere Erzählkunst ungern verzichtet: er ist wahrscheinlich. Wahrscheinlich ist, daß der Magister die Höhle kennt (wie auch der waldkundige Knecht Schelze), wahrscheinlich ist, daß die Geologie des Ith solche Höhlen zuläßt: *... höhlenreich, sagt heute die Wissenschaft oder das Konversationslexikon* . . .[37] Aber schon am Anfang des Buchs, angesichts des ungeheuren Portentum am Himmel, zeigt sich, daß mit *den exakten, den empirischen Wissenschaften . . . des neunzehnten Jahrhunderts* kein Verstand der Sache zu gewinnen sei. Die *ornithologische Aufklärung* vermöchte den *Kampf des Gevögels* wohl

wahrscheinlich zu machen oder zu erklären, aber sie begreift
nichts von dem Charakter, den der Kampf zumindest im Ganzen
der Erzählung erhalten hat: *wir lassen uns heute noch gern da an den
Zeichen in der Welt genügen, wo besser Unterrichtete ganz genau das –
Genauere wissen.*[38]

Das Genauere erweist sich als weniger genau. Die Funktion
der Höhle, auf die es Raabe vorzüglich ankommt, wird erst ermöglicht, indem der Ort seine einmalige Position verliert. Aus
der Höhle am 5. November 1761 wird eine Fluchtstätte zu aller
Zeit; der Dolomit des Ith unweit der Weser wird zum Gebirge
Judäas, der deutsche Wald zur thebaischen Wüste: überall und immer hat der Mensch sich eine Zuflucht suchen und dem Rat des
Magisters folgen müssen: „ . . . *stehet oder sitzet und gewöhnet eure
Augen an die Finsternis.*"[39] Raabe schafft sich diese Möglichkeit
keineswegs mit den Mitteln eines traditionellen Symbolismus.
Auch hier unterscheidet er sich von seinen Zeitgenossen wie von
seinen Vorgängern, welche in der immer äußerlicheren Nach-
folge Goethes sich darauf beschränkten, den Sinngehalt mit der
Wahrscheinlichkeit der Erscheinung zu addieren. Das Gebirg in
Stifters ›Nachsommer‹ ist sehr genau geschildert und im Zusammenhang von Heinrich Drendorfs Bildungsgang die Stufe der
höchsten Einweihung in die sinnvolle Größe der Natur. Die
Wasserrose in ›Immensee‹ lebt von der traditionellen Funktions-
weise des lyrischen Natursymbols, welches seine Glaubhaftigkeit
noch durch „Stimmung" zu erhöhen sucht: . . . *das Ufer lag, wenn
er sich umblickte, in immer ungewisserem Dufte hinter ihm.*[40] – *Mir saß
er schon lange*, so schrieb Raabe in einem Brief über Storm, „*in
lauter Duft;*" aber bloß in seinem eigenen.[41] Der spätere Raabe ver-
schmähte einen Symbolismus, der von der bloßen Erscheinung
ausgeht, vielleicht, weil er der Erscheinung nicht mehr gewiß genug, vielleicht auch, weil ihm die Abnutzung dieses Mittels bewußt war. An die Stelle des überlieferten Natursymbols tritt bei
ihm – außer der Metapher – das Kunstsymbol, welches seinen
Sinngehalt nicht an sich durch die bloße Erscheinung hat, sondern durch die dem Kunstganzen eigentümlichen inneren
Relationen erhält. Die topographischen Orte im ›Odfeld‹ sind in
dem Maße symbolische Orte, wie sie geschichtliche Orte sind. Das

ewig Gültige wird als in der Geschichte Dauerhaftes sichtbar und relativiert eben dadurch die einmalige Besonderheit, ohne sie aufzuheben. Um das möglich zu machen, zitiert Raabe, und zwar nicht nur überlieferte Texte, sondern auch die Fakten der Historie selbst.

H. Meyer hat in einem schönen Buch Raabes außerordentliche Zitierkunst mit derjenigen von Autoren der Weltliteratur auf eine Stufe gestellt.[42] Dem poeta doctus – der freilich, um begriffen zu werden, auch eines gebildeten Publikums bedarf – ist mit dem Zitat ein wirksames Kunstinstrument gegeben. Der ganze Wirkungskreis der vorgefundenen Formulierung steht ihm zur Verfügung, und mit ihr der Zusammenhang, dem sie entstammt. Fast nach Belieben kann er sich ihrer bedienen und sie als Abbreviatur, als Kommentar, als Zeichen benutzen. Er kann das Zitat wiederkehren lassen oder verwandeln und so im eigenen Werke Hinweise setzen, Vor- und Rückbeziehungen schaffen und Winke geben, wie es die mit Notwendigkeit gebrauchten Realien in den Werken des ersten Ranges besser vermögen als etwa Storms Wasserrose. Das Zitat erschließt, sei es, daß es die Einsicht erweitert, oder sei es, daß es eine Folie abgibt, auf deren Grund das Gegenwärtige wesentlich erkennbarer wird, sei es auch, daß es als bloßer Hinweis dem Leser zu Hilfe kommt. Wie anders ist die Lage der Flüchtlinge in ihrer Höhle als in derjenigen des *frommen Aeneas und der schönen Frau Dido*[43], mag auch der junge Herr von Münchhausen sich in die Rolle des Helden und die schöne Selinde in die der Königin träumen. Wieviel besser begreift man die einmalige, nun nicht mehr einmalige Situation beim Eintritt in das Dunkel der Erde, wenn der Magister seinen wohlvertrauten Propheten Jesaja zitiert: „*Es sollen wohl Berge weichen und Hügel einfallen; aber meine Gnade soll nicht von dir weichen.*"[44] Das ganze Elend der wechselnden Geschichte wird mit dem „*Fleuch, Tylli, fleuch*" in seiner Beharrlichkeit hervorgerufen, und das „*Alsdann, wer in Judäa ist, der fliehe auf das Gebirge*" weist auf noch ältere Not, noch ältere Verheißung.

Aber das literarische Zitat ist nicht Raabes einzige, obwohl sehr beliebte Zitatform, welche die Gegenwart mit vergangener Erfahrung verbindet, ja manchmal schon die Wiederkehr in der Zukunft mit Versen vorwegnimmt, die zu Buchius' Zeiten noch gar nicht geschrieben waren. Raabe zitiert außer der Bibel, Vergil, Horaz, Hofmannswaldau, Lessing, Bürger, Boëthius, Martial, Goethe und Gleim auch die Geschichte selbst. Die gegenwärtige Person und das gegenwärtige Faktum werden multipliziert mit vergangenen Personen und historischen Fakten. Als der Junker von Münchhausen aus der Ithhöhle wieder ans Tageslicht steigt, wird ihm beiläufig der Beiname eines *umgekehrten jungen Curtius*[45] zuteil. Die Wendung, über die man leicht hinwegliest, setzt den noch harmlosen Augenblick in eine schicksalsschwere Verbindung. Die Erdkluft, welche sich nach der Sage auf dem römischen Forum erst schloß, nachdem der edle junge Marcus Curtius zu Roß und im Schmuck der Waffen als Opfer sich hineingestürzt, gibt hier den Junker frei, der sich bald zu Roß und im jugendlich ersehnten Waffenschmuck zu Tode opfern wird auf dem Odfeld. Mit einem einzigen Namen wird so Vor- und Rückdeutung gegeben. Thedels Schicksal, so hart es den Magister trifft, ist nicht mehr nur Thedels Schicksal – die Geschichte hat es vorgebildet, wie fast alles, das sich im Augenblick als Besonderes darstellt. *Wie ein richtiger alter Römer beim Einbruch der Gallier*, so heißt es vom Magister, *wollte er auf alles gerüstet und gefaßt sein. Es war auch nur ein Unterschied in der Zeitenfolge und im Kostüm...*[46]

Durch das Zitat der sagenhaften oder historischen Vorgänge bringt Raabe die consecutio temporum wohlunterschiedener und in ihrem eigenen Werte begründeter Zeiten durcheinander. Im Getümmel des Morgens, als die Franzosen das Kloster besetzen, entwischt Thedel dem Magister: *Der gute Junge hatte schon sein möglichstes getan, daß er sich zuerst und so lange dem Vater Anchises gewidmet hatte; jetzt hörte er Crëusen schreien, und krachend schlug die Tür der Zelle des Bruders Philemon hinter ihm ins Schloß.*[47] Die Anspielung auf Vergil ist nicht nur ironisch, die Parallele nicht vollkommen; aber doch brennt Troja in Amelungsborn, das *vos agitate fugam*[48] ist der gleiche Ratschlag wie das „*Fleuch, Tylli*", wie das „*fliehe auf das Gebirge*". Und wenn die Jungfer Selinde auch nie wie Crëusa entrückt wird, so vermag sie doch *vociferans gemitu tectum omne*[49] zu erfüllen, und der römische Thedel eilt, ein zweiter Aeneas, herzu. Der Übergang aus dem gegenwärtigen in den

sagenhaften Zeitraum geschieht ganz unvermittelt und bedarf
für Raabe keiner Begründung. Sie liegt im Wesen der menschlichen Verhältnisse überhaupt und macht den Unterschied der
Zeitenfolge zu einer bloßen Kostümfrage. Deshalb können im
gleichen Satz drei historische Zeiten durcheinandergehen: der
Aeneas Thedel, den Magister Anchises verlassend, schlägt die
Türe *der Zelle des Bruders Philemon . . . ins Schloß.* Ob Philemon, ob
Buchius – die Stätte stiller Betrachtung bleibt die gleiche und gewährt, wie das ganze Kloster, ehe eine aufgeklärte Behörde in
der Stadt den Weltereignissen näher zu sein glaubte, einen nun
gefährdeten Frieden.

Man würde sich irren, wollte man nur eine stilistische Eigen-
tümlichkeit in der anhaltenden, oft witzigen Konfrontation der
Zeiten erblicken. Sie entspringt keinem metaphorischen Spiel-
trieb und ist als Konfrontation bemerkenswert, insofern sie die
Unterschiede der konfrontierten Erscheinungen aufhebt. Der
Herr von Belsunce zieht zu Felde im Thiliti-Gau; der Abt von
Amelungsborn Theodorus Berkelmann regt sich auf Patmos; der
Magister blickt auf zu Zeus, dem Wolkenversammler; jeden
Weg und Steg des heiligen Bernhard kennt Thedel; die Einsie-
delei des Buchius liegt in der thebaischen Wüste; der Leser mag
sich die zahlreichen Beispiele Raabescher Geschichtsmischung
um weitere vermehren. Er wird finden, daß hier keineswegs nur
ein „Humor" am Werke ist, der „im stillen, wissenden Lächeln die
Zwiespälte versöhnen will"[50]; und schon gar nicht „geht es ihm
in der Geschichte um ein dauerndes deutsches Schicksal und Wesen"[51]. Es geht um die Geschichte selbst, die das Bewußtsein des
ausgehenden neunzehnten Jahrhunderts so mächtig beherrscht
wie die neuentdeckte Natur dasjenige des späten achtzehnten.
Raabe desillusioniert das historische Bewußtsein, so wie Werther das Naturbewußtsein seiner idyllischen Züge radikal entkleidete: . . . *der Schauplatz des unendlichen Lebens verwandelt sich vor
mir in den Abgrund des ewig offnen Grabs. Kannst du sagen: Das ist!
da alles vorüber geht? . . . Ich sehe nichts, als ein ewig verschlingendes,
ewig wiederkäuendes Ungeheuer.*[52] Am Himmel des Odfelds ziehen die
Raben, „ . . . *wohlgeatzet von den westfälischen und landgräflich hessischen*
Champs de bataille . . . *Aber jetzt ist ihre Kost dorten minder*

geworden und nun ziehen sie auf neuen Raub nordwärts, voran den assyri-
schen Feldobersten, den Herren von Soubise und Broglio!"[53] Wenig
später, angesichts des gewaltigen Portentum und Prodigium *wie*
bei Châlons sur Marne – über den Katalaunischen Feldern[54], sagt der
vom Wolfenbütteler Konsistorium für überflüssig erachtete Magister: „. . . *ist es nicht, als ob die, so am Idistaviso schlugen, die, so dem*
Kaiser Karolus Magnus und dem Herzog Wittekindus in die Bataille
folgten, auf dem alten Blutort wieder lebendig worden wären?"[55]

Raabe hat über den *alten Blutort* gesagt, *daß der eigentliche „Held"*
des Buches das Odfeld selber und nicht der Mag. Buchius, der Junker
von Münchhausen oder der Herzog Ferdinand von Braunschweig usw. ist[56].
Es ist ein objektivierter „Held", ein bloßer Schauplatz der Zeit
von *Anbeginn*, ein historischer τόπος. Als solcher macht er den Zusammenhang der geschichtlichen Zeit als einer einzigen darstellbar und konstituiert zugleich die Einheit der Erzählung, deren
strenge Form bewundernswert ist. Von vornherein ist das Odfeld als *Odins Kriegs-, Jagd- und Opferfeld*, als *Götter-, Geister- und*
Blutfeld[57] nicht nur die Stätte, wo soeben die Völker des Herzogs
Ferdinand mit denen der Herren von Broglio, Poyanne und Ro-
han-Chabot zusammenstoßen. Es ist immer auch der Platz, wo
Germanicus mit dem Cherusker Hermann zusammenstieß. Die
von Raabe dem Holzmindischen Wochenblatt entnommene Identifikation wird nicht von der Wissenschaft, wohl aber von der
Schilderung des Ortes ermöglicht, welche Tacitus gibt[58]: *er liegt*
zwischen der Weser und den Anhöhen und wird bald weiter bald enger,
so wie die Ufer sich abkrümmen oder die hochragenden Berge sich ein-
wärts sträuben. Zur Seiten erhebt sich ein Wald von hochstämmigem Holz
und – nacktem Boden zwischen Baumstümpfen.[59] Wie auf diesem *bö-*
sen Gehäge[60] Römer und Germanen aufeinandertreffen, so treffen
Karl und Widukind, Franzosen und Deutsche, Liga und Schwede
aufeinander im Thiliti-Gau. Warum nicht auch die *assyrischen*
Feldobersten, wenn schon jede Schlacht eine *Rabenschlacht* ist? Der
alte Blutort versammelt Zeiten und Völker und wächst in Dimensionen, welche sich dem nationalen Provinzialismus gänzlich entziehen, auf den man bis heute Raabe so gern festzulegen sucht.
Die geschichtliche Welt selbst steht immer wieder auf dem Odfeld auf dem Spiel:. . . *wo gestern die schwarzen Vögel gestritten hat-*

ten, sammelten sich die luftigen, lustigen Geschwader in Gold und Rot und Blau, in Silber und Weiß und Grün und Gelb: Champagne und Limousin, Dragoner von Ferronays und du Roy, Freiwillige von Austrasien, Grenadiers von Beaufremont . . .[61] *. . . Tote, Sterbende und Verwundete aus allen Völkerschaften vom Löwengolf bis zum Cap Wrath, von der Bai von Biscaya bis zum Steinhuder Meer und in die Lüneburger Heide.*[62] Und wenn Raabe in seinem Motto vom Schicksal Deutschlands spricht, daß, *wenn über die Grenzen am Oronoco Zwist entstand, er in Deutschland mußte ausgemacht, Kanada auf unserm Boden erobert werden*[63], so tritt erst recht das Odfeld hervor als ein *Zeichen des großen Krieges aller gegen alle in Europa und Amerika*[64] – ein Zeichen der Weltgeschichte. Mit der sorgfältig-kunstvollen Form der Entsprechung, welche die Erzählung auszeichnet, greift Raabe am Ende auf dem Odfeld nochmals die lebensvoll bunten Farben auf, die er anfangs den lustigen Franzosen zugeschrieben hatte. Jetzt werden sie von allen getragen, *übereinander gestürzt Frankreich und England und – Deutschland dazwischen; Rot und Blau, Grün, Gelb und Weiß, silberne Litzen und goldene, Bajonett und Reitersäbel durcheinander geworfen: vieles dermaleinst des Ausgrabens und Aufbewahrens in Provinzialmuseen wert*[65]. Aus dem bunten Leben ist vergangene Geschichte geworden, über die das Gras des Odfelds wächst. Ein künftiger Buchius wird auch Thedels Waffen unter die historische Sammlung in seiner Zelle einreihen und mit einem Zettel von den anderen *risiblen Allotriis*[66] unterscheiden: „. . . *auf der Mäusebreite, Stadtoldendorfer Feldmark aufgegraben. Wie mir däucht, eines teutschen Offiziers Kaiser Karoli Magni Gewaffen. Doch lasse ich dieses besseren Gelehrten anheimgestellt sein.*"[67]

Die so vom Schauplatz begründete innere Einheit der Erzählung stellt sich als Einheit der Form dar. Die Unendlichkeit zeitlichen und geschichtlichen Wesens wird für Raabe in der Beschränkung aussprechlich, welche Ort und Zeit der Handlung bedingen. In einem einzigen Tageslauf ist der Lauf der Welt sichtbar, ein einziger Schauplatz zeigt den Lauf der Zeit auf dem Odfeld, auf *dem alten Geschichts-, Geister- und Zauberboden*[68]. Er ist die Mitte der Geschichte, im übertragenen wie im wörtlichen Sinne. Das Buch hat mit fünfundzwanzig Kapiteln einen sehr symmetrischen Aufbau, der nicht ausgeklügelt sein, vielmehr die

Imagination in ein einleuchtendes Verhältnis zum Gegenstande setzen will. Zwei einleitende Kapitel geben in einer ersten Verschlingung der Zeiten die Vorgeschichte des Klosters; das dritte schildert mit unabweislicher Eindringlichkeit das große Portentum über dem Odfeld, vom Magister und dem Amtmann erlebt. Das drittletzte Kapitel zeigt die – diesmalige – Erfüllung des Vorzeichens: wieder auf dem Odfeld findet der Magister das frische Leben Thedels ausgelöscht, sinnlos für alle, nur nicht für das Opfer selbst. Die zwei Schlußkapitel leiten zum Ausgang zurück. Ein versöhnter Amtmann empfängt den ins Kloster heimkehrenden Magister, der seine Zelle geschunden, aber nicht zerstört antrifft. Der Kreis hat sich geschlossen, das Ganze scheint zurückgekehrt in seinen eigenen Anfang, und die mit der Entsprechung von Beginn und Ende von jeher verbundene ästhetische Befriedigung wäre ungetrübt, wenn ein solcher Zirkel nicht auch auf die Möglichkeit der Wiederholung deutete, die sich so mächtig auf diesem Schauplatz erwiesen hat. Der Rabe fliegt aus Noah Buchius' Zelle, keine Friedenstaube, sondern ein dunkler Gast, welcher ferner ausrichten wird, wozu er *„mit uns andern in die Angst der Welt hineingerufen worden"*[69]. In der Mitte des Zirkels liegt wieder das Odfeld: auch das dreizehnte, das zentrale Kapitel hat es zum allerdings undurchdringlichen Schauplatz. In tiefstem Nebel treffen die Exilierten auf dem Odfeld zusammen; der Magister, der arme Knecht, die treue Magd, und der muntere Junker mit seiner Selinde wird sogleich noch dazustoßen: ... *und wir kennen unter unseren lebenden Bekannten nicht viele, mit denen wir lieber betäubt, verwirrt, unfähig zu begreifen, uns zu fassen im Kreise taumelten und – wieder fest auf die Füße gelangten.*[70]

Eine so greifbare Proportionierung ist alles andre als Spielerei. Sie hat innerhalb des Buches zahlreiche Entsprechungen, wie sie dem bedeutenden Kunstwerk stets eigen sind. Abwandelnde Wiederkehr, die Grundlage eines jeden Stils, ist auch hier am Werke und mit großem Kunstverstand verwirklicht. Diese Verhältnisse sind nicht mit Zahlen zu fassen, alle entspringen einem ordnenden Bewußtsein und vermögen, erkennt man sie, dem Bewußtsein des Lesers angesichts eines so bedrängenden Ganzen zur Ordnung zu helfen. Das Netz der Entsprechungen, die

Spiegelungen und Widerspiegelungen rechtfertigen Raabes stolzes Wort an seinen Verleger: *Es ist vom Titel bis zum Schlußwort keine Zeile in dem Werk, die nicht dreimal im Feuer und auf dem Ambos gewesen ist und – dies wird auch herausgefunden werden.*[71] Fast unerschöpflich ist das Werk, wenn man erst einmal zu finden beginnt: da sind die Gegenbilder, das Odfeld selbst an der alten Köln-Berliner Landstraße, der *nächste Weg in das blutige Elend*[72]; das Kloster an seinem Rande, mit seiner durch den Nebel klingenden Uhr, *die allein richtig ging am hiesigen Ort in diesen Zeiten der Unrichtigkeit*[73]; die stille Zelle und die stille Höhle, Arche und Berg, Taube und Rabe; der kleine Magister und der große Heerführer, die *im Strudel dessen, was man die Menschheit nennt*[74], im Vorüberreiten einander erkennen: „*Durchlauchtiger Herr und Herzog von Braunschweig, Lüneburg und Bevern, ich bin auch aus Bevern.*"[75]

Neben solchen offenbaren Entsprechungen der Erscheinung ist das Buch durchzogen von Motiven, die, zunächst beiläufig gebraucht, durch ihre Wiederkehr Sinn erhalten und am Zusammenhang des Kunstganzen mitwirken. Sie erscheinen als Metaphern, die erst im Fortgang der Handlung sich mit ihrer eigentlichen Absicht erklären. *Dreißig Jahre Schuldienst als der Sündenbock und Komikus der Schule*[76] ist nur eine Anfangsbetrachtung über des Magisters mühsames Leben. „*Du bist freilich jetzt zu Hause, mein wilder, guter Sohn, und brauchst nicht mehr auf der Welt Schulbänken auf und ab zu rücken*"[77] – die traurigen Worte bei Thedels Tod bringen mit der Metapher vita schola die ganze Klosterschule zu Amelungsborn in ein bedeutenderes Licht. „*Nun denn*, signa canunt! *Wir können leider keine* speculatores *voraufschicken. Gradaus!*"[78] Die schulmeisterlichen Zitate aus dem kriegerischen Vokabular der lateinischen Grammatik – „*Wer sein Testamente noch* in procinctu *machen will, der tue es*"[79] – rücken die vita bellum vor Augen, nur zu angemessen auf dem Blutfeld: „*. . . wir treiben uns alle – einer den andern in den Krieg.*"[80] Musjeh Thedels heimliche Wilderei in den Weserwäldern, sein kecker Ausruf „*Die ganze Welt ein einzig lustig Jagdrevier*"[81] und das erstarrte lustige Lachen auf dem Knabengesicht bei der letzten *Franzosenjagd*[82] machen die vita venatio deutlich. Das Netz solcher Hinweise ist sehr dicht über das ganze Buch gespannt, dem überhaupt mehr ein metaphorischer Charakter als ein symbolischer eigentümlich ist. Die Raabesche Technik der Übertragung eines Zeitraums in den andern (der Magister Anchises) und die Verwendung sich zeichenhaft erklärender Motive haben mit der Notwendigkeit des ursprünglichen Symbols nichts zu tun. Raabes Technik entspringt der freien Verfügungskraft des Dichters und wird nicht so sehr der allem Symbolischen zugrunde liegenden Anschauung, sondern weitgehend der Tradition und der Bildung verdankt. Zeichen und Metapher herrschen vor und stellen wiederum die Phrase vom Realisten Raabe in Frage. Man kann sich kaum eine unangemessenere Wendung denken als die, mit welcher Pongs ein mit so viel verantwortlichem Kunstbewußtsein entstandenes Werk einführt: „Erst jetzt drängt zur Gestalt, was der nach innen gewendete Symboliker seit langem mit dem inneren Traumsinn über dem Geschichtsgrund halb schlafend und doch ganz beteiligt herausgehört hat."[83]

Aber das ist Raabes Geschick von jeher, daß er der deutschen Literaturmisere zum Opfer fällt. *Das Volk ist ja völlig befriedigt mit dem mir abgestandenen Jugendquark: Chronik u Hungerpastor und läßt mich mit allem Übrigen sitzen.*[84] Das bittere Wort aus dem Jahr 1902 hat lange Geltung behalten und mußte es wohl; je mehr Raabe seinen eigenen späteren Stil entwickelte, um so mehr setzte er sich der Tendenz nicht nur der eigenen Zeit entgegen. Das gemütvolle Gefühlswesen war ihm zuwider, welches jenen Jugendwerken anhaftet und sie einem breiteren Publikum genießbar machte. Nicht minder zuwider war ihm die Absicht des Realismus, die getreue Abbildung zum vorzüglichen Zweck der Erzählung zu machen: *... was die Welt heute will: Panoramen und Photographien. Das Genie widmet sich im letzten Viertel des neunzehnten Jahrhunderts den ersteren, das bescheidene Talent legt sich auf die letzteren.*[85] Solche Diagnose entstammt der Einsicht des Leichenphotographen Bogislaus Blech, welcher in der sogleich nach dem ›Odfeld‹ begonnenen Erzählung ›Der Lar‹ an die Stelle einst gehegter künstlerischer Illusionen die Realitäten gesetzt hat. Nach seinem eigenen Zeugnis brachte er dazu nicht bloß *Hand- und Handwerksfertigkeit, sondern auch Geist, Gemüt – Herz* mit. *... ich kam nur einem längst gefühlten Bedürfnis nach, und was das ethi-*

sche Moment anbetraf, nun, so legte ich in meinem Schaukasten nur einen nackten Schädel neben das nackte Fleisch.[86]

Die derart boshaft bezeichnete Richtung (die allerdings nicht boshafter als diejenige Storms beurteilt wird) lenkte ihr Augenmerk ja nicht allein auf die Gegenwart, sondern auch auf die Historie. In beiden Fällen ging es ihr um die „Treue und Wahrheit", die etwa W. Scherer an Gustav Freytags historischen Romanen lobte: „Aber allerdings, der Culturhistoriker liefert ihm ein Material, so exact, so zuverlässig und fein präpariert, wie es bisher vom historischen Romane noch kaum verwerthet worden ist. Hierin waltet dasselbe Streben nach Treue und Wahrheit, wie es von den Costümen unserer Theater und von den historischen Genrebildern unserer Galerien verlangt wird."[87] Raabe hat einen vollkommen anderen Begriff von Treue und Wahrheit und hätte wohl Scherers Lob für Freytag, daß sein Roman die Historiker beschäme, nicht für sich in Anspruch genommen. Er will kein Panorama, und er stellt die Geschichte nicht dar, um zu zeigen, wie es eigentlich, sondern wie es immer gewesen ist. Seine Erzählung ist ein Kunstwerk, kein Geschichtswerk. Sein Zweck ist nicht die Vergegenwärtigung der Zeiten des Siebenjährigen Krieges in Niedersachsen; vielmehr dient ihm das wenige, was daraus mit Gewißheit überliefert ist, zur Vergegenwärtigung eines an sich unaussprechlichen, alle jeweilige Geschichte übersteigenden Zusammenhangs. Von den silbernen Schuhschnallen der armen Magd und vom brennenden Lager kann er mit Gewißheit sprechen – aber welche Art von Gewißheit ist das: ein kleines Detail aus unergründlichen Kombinationen, ein bißchen erreichbare Wirklichkeit in einem unerreichbaren Zeitraum. Die Wahrheit der Geschichte offenbart sich in den Träumen des Magisters und der dummen Selinde; am Ende des Traumes stürzt der Träumende *aus dem Sonnenschein, dem lichten Tage, hinab ins Dunkel und in die Wirklichkeit hinunter und zurück*[88].

Die Wirklichkeit ist das Dunkle („. . . *stehet oder sitzet und gewöhnet eure Augen an die Finsternis*"), erfüllt vom *Getöse des Tages, der immer morgen auch schon hinter uns liegt, als ob er vor hunderttausend Jahren gewesen wäre*[89]. Es gibt kein „Material, so exact, so zuverlässig und fein präpariert", daß es diese Kluft zu überbrücken vermöchte. Der Optimismus historischen Erkennens, welcher den üblichen historischen Roman begründet, ist Raabes Betrachtungsweise vollkommen entgegengesetzt. Die Vergangenheit des Odfelds ist nicht abgeschlossen und präpariert, sondern enthält alle Rätsel der Vergangenheit und alle Ungewißheit der Zukunft. Auch diese kommt zur Sprache, wiederum mit Hilfe des Zitats; die betrübliche Gegenwart, die man mit Augen sehen kann, hat der Magister *so deutlich vor sich, als – ob er's beim Iburgischen Schloßprediger Kampf gedruckt gelesen habe*[90]. In der Vergangenheit schon hat der wackere Theologe die Gegenwart als eine Zukunft gesehen, indem er den Wegen nachging, *durch welche Menschen zu einer Wissenschaft der Stunde ihres Todes zu gelangen pflegen*.[91] Die barocke Lektüre des Magisters, ›Der wunderbare / Todes-Bote / Oder / Schrift- und Vernunftmässige / Untersuchung / Was von den / Leichen-Erscheinungen / Sarg-Zuklopfen, Hunde-Heulen / Eulen- und Leichhüner-Schreyen, Lichter- / Sehen, und andern Anzeigungen des / Todes zu halten / Aus Anlaß / Einer sonderbaren Begebenheit / angestellet / und ans Licht gegeben / Von / Theodoro Kampf / Schloß-Predigern zu Iburg / Lemgo, in der Meyerischen Buchhandlung / 1756‹[92] – solche barocke Lektüre ist kein antiquarisches Kuriosum. Vielmehr rückt die gläubig-abergläubische Betrachtung die Vergangenheit so vor Augen, als ob sie noch Zukunft wäre, eine Zukunft zum Tode. Indem Raabe das alte Buch zitiert, zitiert er die Geschichte als noch nicht geschehen und doch schon gewiß; des Magisters Wort bei der Lektüre erhält merkwürdigen Tiefsinn: „*Wie doch das Studium dem Menschen über die Zeit hinweghilft – von Ewigkeit zu Ewigkeit, Amen.*"[93] Die Zeichen, welche der Hofprediger berichtet, sind dem großen Praesagium über dem Odfeld verwandt. Zitat und Bericht, Gegenwart, Vergangenheit und Zukunft sind ineinandergefügt und lassen schließlich ein Faktum vor allen andern stehen: „*Herr, lehre uns bedenken, daß wir sterben müssen, auf daß wir klug werden.*"[94] Am Ende zerreißt der hungrige Rabe, dem in der versperrten Zelle der Fraß fehlt, das Büchlein des Hofpredigers Kampf. Die Omina des verflossenen Tages sind erfüllt, der *wilde schwarze Bote* fliegt aufs neue auf das Odfeld. „*O Kreatur, ach Rab, Rab, wohl ist dein Zeichen Wahrheit geworden!*"

Nicht die Wahrheit der Realien wird von Raabe vorgeführt, sondern die Wahrheit der Zeichen, als welche die Realien sich erweisen. Deshalb ist das ›Odfeld‹ ganz anderer Natur als die historische Fiktion des späteren 19. Jahrhunderts. Das Studium der Geschichte legt die Zeichen bloß. Nur insofern das Gegenwärtige und das Vergangene den Charakter des Zeichens zu haben vermögen, werden sie von Raabe aufgenommen. Die Verspätung Hardenbergs und der silberne Knopf der Magd sind „Tatsachen", welche sich im Zusammenhang des Kunstganzen der Erzählung zu solchen Zeichen verwandeln. Eben das ist die Leistung der Kunst, eben dies unterscheidet die in der Erfindung des Dichters aufgegangenen Fakten von den bloßen Fakten der besser Unterrichteten, die ganz genau das Genauere wissen. *Wir aber halten uns mit dem letzten gelehrten Erben der Cistercienser von Amelungsborn einzig an das Prodigium, das Wunderzeichen, und danken für alle fachwissenschaftliche Belehrung. . .*[95] Die Kargheit der späten Raabeschen Prosa mag mit ihrem zeichenhaften Charakter verbunden sein, der eine Art von Abstraktion erfordert. Erst wenn man vom Interesse am Gegenstand selbst abzusehen und ihn im Kunstzusammenhang wahrzunehmen vermag, erst wenn dieser Zusammenhang selbst bedeutend hervortritt, hat man die Eigentümlichkeit des ›Odfeld‹ verstanden. Es enthält nur soviel „Wirklichkeit", als nötig ist, das Netz von Beziehungen auszuwerfen, in welchem eine Ahnung unbegreiflicher Zusammenhänge eingeholt werden kann. Die scheinbare Einfachheit der Mittel, mit welchen Raabe seinen Kunstzweck erreicht, ist den letzten Werken des Dichters vor allem eigen. Nicht im ›Hungerpastor‹, nicht in ›Schüdderump‹ und ›Abu Telfan‹ ist der Gipfel seines Werkes zu sehen, sondern in den herben, späten Erzählungen: im ›Odfeld‹, der *herzoglich braunschweigischen Ilias,* in ›Hastenbeck‹, der *herzoglich braunschweigischen Odyssee*[96], und im ›Stopfkuchen‹, den Raabe am höchsten schätzte. Freilich wußte er, daß das Publikum noch für geraume Zeit anders denken werde: *Dem Publikum im Großen und Ganzen gegenüber bleibt natürlich das Wort bestehen:*

> *Sie sagen: das muthet mich nicht an!*
> *Und meinen, sie hätten's abgethan.*[97]

VIII

REALITÄT UND IMAGINATION

JAMES: ›THE PORTRAIT OF A LADY‹

Es erschiene heute nicht weniger merkwürdig als im Jahre
1878, wenn ein schönes, armes und gescheites Mädchen aus dem
amerikanischen Osten die Hand eines englischen Edelmannes
ausschlüge, der keine sichtbaren Nachteile und alle nur denkba-
ren Vorzüge besitzt. Indem Henry James von einer derart un-
vernünftigen Handlung seiner Heldin (sie verdient diesen Beinamen) Isabel Archer erzählt, sieht er sich genötigt, die Reserve
des Autors zu verlassen und den Leser anzureden: *Smile not . . .
at this simple young woman from Albany. . . She was a person of great
good faith, and if there was a great deal of folly in her wisdom those who
judge her severely may have the satisfaction of finding that, later, she
became consistently wise only at the cost of an amount of folly which will
constitute almost a direct appeal to charity.*[1] Die Sätze bringen auf den
Begriff, was das ›Portrait of a Lady‹ zur lebendigsten Anschauung bringt – das Schicksal einer Frau, das Bildnis einer Dame.

Es ist ein so ergreifendes wie gewöhnliches Schicksal, an äußeren Ereignissen arm, reich an innerem Leben und auf eine ungewöhnliche Weise bestanden, auf welche die Apologie hindeutet.
Gutgläubig, nicht berechenbar, aber mit einem tiefen Sinn für das
Richtige ausgestattet, voller Phantasie und Gerechtigkeitssinn,
warmherzig, leidensfähig und lebensvoll: so gehört Isabel zu
den wenigen unvergeßlichen Figuren, die aus der Literatur in
das Leben eintreten, wenn man ihnen einmal begegnet ist; denn
sie hat ein Antlitz, einprägsamer als das der meisten „wirklichen"
Menschen, und ihre Wahrheit ist größer. Man kann von ihr mit
noch mehr Recht wiederholen, was James zum Lobe der Doro-
thea aus ›Middlemarch‹ gesagt hat: *. . . we believe in her as in a
woman we might providentially meet some fine day when we should find
ourselves doubting of the immortality of the soul.*[2] Und er fügt die Frage

hinzu, die uns angesichts der Wirkung von Isabel Archers Bildnis beschäftigen wird: *By what unerring mechanism this effect is produced – whether by fine strokes or broad ones, by description or by narra-
tion, we can hardly say. . .*[3]

Auf welche Weise gewinnt ein Mensch Leben, der nur Fiktion ist? James hat darüber in der späten Vorrede zu seinem Roman einiges, zumeist Negatives gesagt – nicht, indem eine Handlung entworfen wird, nicht, indem der Dichter eine „Situation"
konzipiert, die von selbst Konsequenzen zeitigt. Vielmehr so,
daß er seinem Sinn für einen bestimmten Charakter vertraut, *the
character and aspect of a particular engaging young woman*[4]. Die Person,
welche es zu porträtieren gilt, ist selbst allen Umständen der Darstellung voraus – *I was myself so much more antecedently conscious of my
figures than of their setting. . .*[5] Isabel ist da wie Effi, und die neu-
gierigen Fragen einiger Gelehrten, aus welchen möglichen Vor-
bildern James die von ihm geliebte Gestalt synthetisch zuwege
gebracht haben möge, zeigen nur, daß er die Mühe seiner Ein-
leitung sich hätte ersparen können. Sie macht hinlänglich klar,
daß der Autor eine besondere Absicht hatte; es ging ihm nicht
um die Vorstellung objektiver Schicksalsmächte oder die Vergegenwärtigung einer Zeit; er zielte auch nicht auf eine *âpre
vérité*[6] oder ihre Entgegensetzung, das freie Spiel losgelöster Erfindung. Er hatte vielmehr eine scheinbar einfache Frage, welche
in der Vorrede mehrfach wiederkehrt und zunächst den Anschein
erwecken könnte, es gehe um etwas wie den „handelnden Menschen": „*What will she ‚do'?*"[7] heißt James' *primary question*[8], und
das *do* ist durch den Druck hervorgehoben. Diese Frage ist sinnvoll nur unter der Voraussetzung, daß die solche psychologische Neugier erregende Person dem Sinn des Autors gleichsam
greifbar bekannt ist, greifbar, wiewohl nicht unbedingt begreiflich. Alle Kraft der Imagination hat sich zuerst auf das Bildnis
des Menschen gerichtet, dessen erkennbare Züge bestimmter
werden, indem er genötigt wird, auf die Vorfälle des Lebens
nach seinem eigentümlichen Wesen zu antworten. „*Well, what
will she do?*"[9] so kann der Dichter nur fragen, weil er vor aller
Handlung *in complete possession*[10] der wesentlichen Eigentümlichkeiten seiner Heldin ist, ohne daß diese ihren unschuldigen Zauber

dadurch verlöre. In außerordentlichem Maße scheint Individualität Voraussetzung dieser Erzählung: ... *I saw it as bent upon its fate – some fate or other; which, among the possibilities, being precisely the question.*[11]

Die Erzählung verspricht, zum Experimentierfeld der Einsicht in die Menschenseele zu werden. So, wie James fragt, scheint er seiner Heldin die Freiheit zuzutrauen oder vorzuschießen, sich dies oder jenes Schicksal zu erwerben. Eine gewisse Variationsbreite der Möglichkeiten wird durch die Voraussetzungen gewährt, welche der liebenswürdige, vielleicht sogar glänzende Charakter der Isabel Archer setzt. Er gibt die Vorbedingungen ab der *primary question „What will she ‚do‘?"*, und der Roman entfaltet die Antwort, welche nicht mit Isabels Antworten identisch sein wird. Ein gut Teil Einsicht und ein gut Teil konsequenter Unberechenbarkeit bringen die junge Frau auf ihren Lebensweg, den sie für frei gewählt hält, während der Leser mit angstvoll wachsendem Staunen wahrnimmt, daß noch ganz andere Wirkungen am Werke sind, als jene Frage faßt. Sie sieht zunächst verführerisch ähnlich den Fragen, die das letzte Drittel des 19. Jahrhunderts liebte: Was wird sie jetzt tun? pflegte auch Zola zu fragen und die dogmatische, freilich von seinen Erfindungen überspielte Zuversicht auszudrücken, bei gegebenem Charakter und gegebenen Umständen folge mit wissenschaftlicher Bestimmtheit, was man vordem Schicksal genannt hat. Als der ältere James seinen großen Zola-Essay schrieb, zitierte er als Beispiel für des Autors *pretension*[12] den Satz: *Observation and imagination, for any picture of life ... know no light but science... To pretend to any other guide or law is mere base humbug.*[13] Mit großer Bestimmtheit hält der englische dem bewunderten französischen Dichter entgegen: *This confidence we can on too many grounds never have*[14], und es besteht kein Zweifel, daß er zum Zeitpunkt der Niederschrift des ›Portrait‹ die gleichen Überzeugungen gehabt hat. Das experimentum fati der Isabel steht unter anderen Gesetzen als das der Rougon-Macquart, und das eigentlich Erregende von James' Frage wird eben darin liegen, daß niemand, auch Isabel nicht, weiß, was sie tun wird. Wohl reagiert sie auf die Begegnungen und Wendungen, die ihr Weg ihr bringt, aber nicht so, daß irgendeiner der Zeugen ihr Handeln und Leiden vorauszubestimmen vermöchte. Ihre Freunde und Feinde versuchen eben dies, und nirgendwo in der Literatur ist außer dem Faust je ein Mensch so sehr unbewußtes Opfer einer äußersten Experimentierkunst gewesen; freilich nicht derjenigen konkurrierender höherer Mächte, sondern derjenigen irdischer Weggenossen. Madame Merle plant Isabels Weg nach ihren selbstsüchtigen Zielen, und der liebend-wohlwollende Ralph macht sich als eine Figur im Roman die Frage des Autors zu eigen: „*What will she ‚do'?*" Sie ist in gleichem Maße die Zolasche Frage, wie etwa Raabes Blick auf die Geschichte dem Selbstvertrauen des Historismus entspricht. „*Do you think I could explain if I would?*"[15] sagt Isabel, als sie an einer entscheidenden Lebensstation im Hinblick auf ihre Gründe zur Rede gestellt wird; auch James erklärt nichts, wie ein Bildnis nichts erklärt, aber viel sichtbar macht. In diesem Fall ist es *a certain young woman affronting her destiny*[16].

Allerdings ist dies Schicksal für sich genommen konventionell genug, die bloße Handlung reizlos. Die „story", daß ein elternloses junges Mädchen von Albany im Staate New York durch ihre Tante nach Europa gebracht, durch ihren reichen Onkel mit einem Vermögen beerbt wird, um ihre Hand schließlich nicht zwei möglicherweise „richtigen" Bewerbern, sondern dem blendenden falschen zu geben, der sie unglücklich macht – diese story liegt zwar dem Roman zugrunde, hat aber mit ihm nahezu nichts gemein. Er verwirklicht sich und die Lebensfülle seiner Gestalten nicht in Aktionen, trotz der *primary question* auch nicht in Reaktionen, viel eher in der Entwicklung der Verhältnisse der Menschen zueinander, die sich allem Optimismus zum Trotz als unergründlich oder unendlich variabel erweisen werden. Sie sind im eigentlichen Wortsinn relativ. Die schließliche Einsicht Isabels faßt ihr eigenes Geschick zusammen wie ein Programm des Romans selbst; das Leben wird ihr erscheinen als *an attempt to play whist with an imperfect pack of cards, the truth of things, their mutual relations, their meaning, and for the most part their horror, rose before her with a kind of architectural vastness*[17]. Im Gebäude dieser Erzählung verwandelt der Kunstcharakter die Schrecken so, daß nicht mehr gelebtes Leben auf dem Spiele steht, sondern ein erfundenes, das die Notwendigkeit des Wahren hat. Sie findet sich in den *mutual relations*, sie verwirklicht sich *in fitful images, which rose and fell by a logic of their own*[18].

Ein Gleichnis für das Ganze, ein kleines Bild für die großen Lebens-Bilder ist die Wendung vom unvollständigen Spiel Karten, mit dem das Lebensspiel gespielt wurde, von vornherein die Prognosen derjenigen verderbend, welche die Partie miteinander wagen. Die Karten werden im Beisein des Lesers gemischt, und der Autor legt Wert darauf, daß man nicht nur einem Mitspieler über die Schulter sehe, sondern möglichst allen; so weiß der Leser stets mehr als die Heldin und wird ebenfalls einbezogen in die bei aller äußeren Ruhe des Ablaufs oft schier zerreißende Frage: Was wird sie tun? Es ist die Lebensfrage, sie vereint den Autor mit dem Leser, sie stellt sich der Heldin und leitet die, welche mit ihr in Beziehung sind. Sie ist auf die vielfältigste Weise Schicksalsfrage, nicht zuletzt dadurch, daß sie allein den kranken Ralph am Leben erhält. So wie – man verzeihe den Vergleich! – der alte Fontane noch wissen wollte, wie es mit Bismarck ausgeht, so möchte Ralph nicht sterben, ohne zu wissen, was mit Isabel wird. Er hat mit ihrem – der aufrichtig und hoffnungslos geliebten Cousine – Schicksal gespielt wie keiner, er hat die wichtigsten Karten gemischt. Das Grauen wandelt den Leser des Romans an, wenn ihm deutlich wird, auf welche Weise sich die Weichen eines Lebensweges stellen und welche Motive zum Unglück führen; es sind nicht allein die bösen, und sie werden sämtlich durch die Relationen der – im Grunde wenigen und mit größter Ökonomie eingesetzten – Personen des Romans möglich. Die robuste Tante Isabels, Mrs. Touchett, berichtet ihrem Sohn Ralph vom ersten Schritt: „*I found her in an old house at Albany, sitting in a dreary room on a rainy day, reading a heavy book and boring herself to death.*"[19] Was Wunder, daß das phantasievolle junge Mädchen nahezu alles zu tun bereit ist, um das gelobte Land Europa und die verheißene Stadt Florenz zu sehen, wo sie die verhängnisvollste Wegegabel finden soll. Ihre Träume ahnen noch nichts davon, und auch nichts von den Motiven der Tante: „*I thought she was meant for something better... I thought she would do me credit.*"[20]

Mrs. Touchetts naiver Egoismus, der sich mit einer jeune fille en fleurs schmücken will, ist anderer Art als der sublime und keineswegs lieblose ihres Sohnes Ralph; beide sind verhältnismäßig harmlos im Beweggrund und dennoch schicksalsschwanger. Der Leser des Romans (und man kann als Leser eines so bedeutenden Buches nur den bezeichnen, der sich vom bloßen Stoff gelöst und im Wiederlesen die Übersicht erlangt hat, welche der Autor ihm zudachte) – der Leser also nimmt früh wahr, daß es mit den Kalkulationen nichts ist. Wie sehr ergreift ihn, wenn Isabel früh und unschuldig ihre Hoffnungen und Motive formuliert: „. . . *that's what I came to Europe for, to be as happy as possible.*"21 Die harmlosesten Bemerkungen gewinnen das Gewicht fürchterlicher Vorzeichen für den, der die Folgen kennt. Sie sind ganz andrer Natur, als der Augenblick sie dem Einzelnen verspricht. Je mehr man liest, um so mehr erweist sich jedes Urteil als bedingt, fast jede Einsicht als relativ, der Anschein als trügerisch. Menschen, die wir als gut und richtig empfinden, verursachen Falsches und Leid; andere, deren Beschränktheit so unzweifelhaft erscheint wie etwa anfangs die der trefflichen Henrietta Stackpole, werden „recht" haben – aber was heißt Recht?

Mißt man Isabels Geschick am Maße des Schmerzes, den eine einzelne Handlung in der Folge hatte – man sollte es nicht so messen –, dann tragen die beiden liebenswürdigsten Männer am meisten Schuld – aber was heißt Schuld? Hätte Ralph Touchett nicht seinen Vater Daniel Touchett überredet, Isabel durch eine Testamentsänderung zur reichen Frau zu machen, so hätte sich der glanzvoll nichtige Gilbert Osmond niemals für sie interessiert. Am Totenbett des alten Touchett wird die eigentliche Teufelswette abgeschlossen, ohne eine bösere Absicht als die der Lebensneugier und nicht ohne Zögern des alten Mannes, der vom jüngeren überredet wird. So gibt einer, der nur noch wenige Tage zu leben hat, einem, der nur noch wenige Jahre vor sich sieht, die Mittel, ein jugendlich blühendes Leben für immer zu bestimmen. Man mag Ralph Touchett noch so sehr lieben, der Makel eines gutartigen Zynismus bleibt an ihm haften. Die Distanz, die er sich ironisch zum Leben verschafft, das ihm versagt ist, mag für ihn selber heilsam sein. Im Hinblick auf Isabel verrückt sie die

Perspektiven und verursacht Irrtümer des Blicks, welche tragische Folgen haben. Hybris klingt auf in der Frage „*What will she ‚do'?*", und der alte Neuengländer Daniel Touchett sagt mit Recht seinem Sohn: „*It seems to me immoral*"[22] – denn wie kann ein Mensch wissen, was ein andrer tun wird, mehr noch, wie darf er den anderen zum Objekt eines experimentum fati machen? Einmal nur, an dieser Stelle, zeigt Ralph den Optimismus, der ihm aus Einsicht, Wesen und Geschick sonst versagt ist; er glaubt in seinem Experiment mit eines anderen Leben auch die Risiken einbezogen zu haben: „*That's a risk, and it has entered into my calculation*"[23], lautet die Antwort auf die väterliche Sorge, daß eine vom Aschenbrödel zur reichen Prinzessin gewandelte Isabel einem falschen Prinzen zum Opfer fallen könnte. Auch die Möglichkeit einer allzu entfesselnden Wirkung ist bedacht – „*But after that she'd come to her senses, remember she has still a lifetime before her, and live within her means.*"[24]

Aber der so kluge Ralph hat nichts vorausgesehen, und die Beweggründe, welche er gegenüber seinem Vater zu formulieren vermag, bringen ganz andere als die erwarteten Ergebnisse. Statt des erhofften Vergnügens – „*I should like to see her going before the breeze!*"[25] – wird er sich Verzweiflung und Scham einhandeln. Die Prognose „*She's as good as her best opportunities*"[26] verkehrt sich in ihr Gegenteil, denn Isabel ist besser, sie ist so gut wie ihre Umstände schlecht sind. Und das edle Werkzeug, das Ralph mit der Vergabe des Reichtums erst eigentlich in Freiheit setzen möchte, erweist sich als zweischneidig: „*I should like to make her rich . . . I call people rich when they're able to meet the requirements of their imagination. Isabel has a great deal of imagination.*"[27] Es ist die Phantasie, immer wieder an der Heldin gerühmt, die ihr den Schein als Wirklichkeit vorspiegelt und für Gold halten läßt, was Talmigold ist. Die Träume vom großen Leben erfüllen sich, aber anders, als sie je träumen konnte, so daß aus den Illusionen Desillusionen werden. Ihr ganzes Schicksal reduziert sich auf das uralte Problem der Unterscheidung zwischen Realität und Illusion. Faßt man den Begriff weit genug (und der Roman faßt ihn, wie sich zeigen wird, sehr weit), so handelt es sich um ein vorzüglich ästhetisches Problem, wieweit man nämlich den Wahrnehmungen, besonders den einschmeichelnden, trauen könne. Auch die nobelsten Irrtümer bleiben Irrtümer, und die schöne Gabe, den Bedürfnissen der Imagination genügen zu können, verleiht die Befriedigung nicht, die auch Ralph sich ironisch versprach. Als ihn sein Vater fragt, was er sich von dem Experiment erhoffe, erwidert er: *I shall get just the good I said a few moments ago I wished to put into Isabel's reach – that of having met the requirements of my imagination.*"[28] Allein so wie die Dichter lügen, verführt auch die Imagination, *which seemed to assure her a future at a high level of consciousness of the beautiful*[29]. Die Zukunft heißt Gilbert Osmond, sie wird vermittelt durch die meisterhafte Madame Merle. Beide sind die Früchte des Vertrauens, das der Experimentator in sein Objekt setzte.

Kalkulierte Ralph mit liebevoller Neugier, vielleicht in der Hoffnung, Ersatz zu finden für sein ungelebtes Leben, so kalkulieren jene beiden eiskalt: „*What do you want to do with her?*" . . . „*What you see. Put her in your way.*"[30] In unmenschlicherer Weise wird das Geschäft mit dem Schicksal wiederholt, von dem Isabel nichts weiß und in dem sie diesmal Ware ist, genau beschrieben: schön, klug, reich, glänzend, gut und tugendhaft. „*What good will it do me?*"[31] fragt Osmond mit aller Direktheit, als ihm seine vormalige Freundin die Begegnung mit unserer Heldin anbietet. „. . . *I don't see what good you're to get of it*"[32], hatte der alte Touchett von seinem Sohn wissen wollen und zuvor bemerkt : „*You speak as if it were for your mere amusement.*" – „*So it is, a good deal*"[33], hatte Ralph geantwortet; und Madame Merle, so verschieden in ihrer splendiden Erscheinung von der des armen Schwindsüchtigen, erwidert auf die gleiche Frage des von ihr erwählten Komplizen mit den gleichen Worten: „*It will amuse you.*"[34] Der Autor des großen Romans, der mit Korrespondenzen Winke gibt, deutet unmißverständlich an, wie in beiden Fällen Schicksal bestimmt wird. Allein die gleichen Worte und die scheinbar gleichen Motive sind so verschieden wie die Menschen, welche sie in Bewegung setzen, und die Aktionen parallel nur insofern, als sie Isabel, die freie und stolze, zum Gegenstand haben. In Wirklichkeit gleicht sich nichts, „ . . . *things are always different from what they might be*"[35], nach des alten Touchett sehr Jamesschem Wort.

Niemand könnte verschiedener sein als *poor* Ralph und Gilbert Osmond. Das unvorhergesehene Unheil, das jener heraufbeschwört, entspringt nicht nur einem Übermaß von Ironie, sondern auch einem Übermaß von Vertrauen in den Gegenstand des Interesses; das Unheil, das von diesem kommt, gehört zur Person des Urhebers selbst. Es kann von jedem ungehemmten Egoismus ausgehen; es wird unausweichlich, indem es von dieser Form des Egoismus ausgeht, die dem Leben nicht nur in die Zusammenhänge, sondern in die Erscheinungsweisen pfuscht. Osmond ist das, was man einen „ästhetischen Menschen" nennen würde. Er kalkuliert alles, und vor allem die Wirkungen und Effekte. Das beginnt bei der eigenen äußeren Erscheinung, welche Ralph so gleichgültig ist; James spricht von seinem Gesicht als *ugly, sickly, witty, charming . . . furnished, but by no means decorated, with a struggling moustache and whisker . . . clever and ill*[36]. Dagegen der andere, *a fine, narrow, extremely modelled and composed face*, mit einem Bart, wie ihn die Porträts des 16. Jahrhunderts zeigen, welches andeutet, *that he was a gentleman who studied style*[37]. Von Ralph sagt Lord Warburton, ein gesunder Beobachter: „*Poor fellow, he does n't succeed with the artificial!*"[38] Osmond dagegen trachtet, „*to make one's life a work of art*"[39], ein im 19. Jahrhundert verbreiteter Gemeinplatz, der noch lange fortwirken sollte. Er setzt als letzten Wert in einer Welt, die ihrer Maßstäbe nicht mehr gewiß ist, den der Kunst und des Augenscheins, wobei die Kunst oft genug nur Kunstgewerbe ist. Er glaubt, über das Leben verfügen zu können wie über eine Komposition – *being artistic through and through*[40]. Der Osmond, der in Erscheinung tritt, ist nicht der wirkliche Osmond, jedenfalls nicht der ganze: *He always had an eye to effect, and his effects were deeply calculated. They were produced by no vulgar means, but the motive was as vulgar as the art was great.*[41] Ralph, ein Gentleman, zieht aus seiner Krankheit wenigstens einen Vorteil, *the luxury of being exclusively personal.*[42] Seine linkische Gestalt und die Bedürftigkeit seines Körpers lassen keine Spiegelfechtereien zu. Daß er nichts ernst nimmt und vor allem das understatement liebt, zeigt seinen ernsten Sinn für das Wirkliche, dessen Eigentliches sich der Benennung entzieht wie der Beschönigung. Osmond nimmt alles ernst, vor allem sich selbst, und entbehrt jeglicher Ironie. Nicht daß Ralph der Kunstsinn fehlte; aber er wird ihm gleichgültig. Noch in seinem Testament verteilt er die schöne Bildersammlung seines Hauses, durch die er einst Isabel geführt, so wie man Andenken verteilt. Die kostbare Bibliothek schenkt er fort an die praktischste aller Personen, an Henrietta Stackpole. Freilich nennt diese den unschätzbaren Vorteil aller derer ihr eigen, die keine Imagination haben: den der Identität mit sich selbst, der auch Mrs. Touchett nachgerühmt wird.

Das Ästhetische spielt also eine außerordentliche Rolle in diesem Buch, in dem das Schönheitsverlangen der Heldin tragische Folgen hat. Es gibt eine Art ästhetischer Indikation, einen Hinweischarakter des Schönen, das lockend die Anzeige in die Welt sendet, in seiner Erscheinung seien die wahren Werte enthalten. Für die nach Leben verlangende junge Isabel ist all dies zusammengefaßt als *offer of „Europe"*[43], dem Ziel der Pilgerfahrt und Enttäuschung so vieler James-Gestalten: *„... to go to Florence"*, so ruft Isabel aus, *„I'd promise almost everything!"*[44] und sie wird allerdings in Florenz alles zu geben haben. Das Haus ihres Onkels in England *seemed a picture made real; no refinement of the agreeable was lost upon Isabel*[45]. Die sanfte Fülle des Anfangs, die das Buch so vor andern auszeichnet, wird durch Isabel möglich. Mit ihrer Unschuld, Lust und Dankbarkeit wird das Licht der Nachmittage auf dichtem Rasen unter alten Bäumen empfangen, *England was a revelation to her, and she found herself as diverted as a child at a pantomime*[46]. Die Realität als Bild und Aufführung scheint für einen jugendlichen Augenblick die Vorzüge beider zu haben – die Anmut und Beständigkeit der Kunst und die Wirkungsweise des Geschichtlichen, das unmittelbar zum Leben gehört. Solche Übereinstimmung kann nicht andauern – daß sie es vermöchte, ist eine der schönsten und gänzlich unkünstlerischen Jugend-Illusionen. Solange Isabel die süßen Tränen kennt, *the sweetness of rising tears in eyes to which faded fresco and darkened marble grew dim*[47], so lange kennt sie die bitteren nicht, welche von Unrecht und Abschied verursacht werden. Im Grunde hat sie das alte Lehrstück von der Vergänglichkeit des Schönen zu lernen, zusammen mit dem viel schwereren von den Illusionen, die nur glänzen, um zu verlöschen. Als sie dem Glanze Osmonds anheimfällt, scheint dieser sich ununterscheidbar zu verbinden mit dem Glanze Italiens, welches Verdichtung und Höhe des *offer of „Europe"* darstellt. Italien hat sie zusammengebracht, Italien soll ihr Glück verbürgen und *a future at a high level of consciousness of the beautiful.*

James hat das ästhetische Thema mit großer Kunst in die Textur des Romans gearbeitet, mit so viel Beziehungsreichtum und Meisterschaft, daß ein jedes neue Lesen neue Perspektiven auftut. Es spielt eine Rolle in der Verteilung des Stoffes, in der Charakterisierung der Personen, im Vorgang der Handlung und im Detail der Sprache. Der Roman selbst hat ästhetische Höhepunkte, Passagen von außerordentlicher und einprägsamer Schönheit, Bilder im großen Bilde, wenn man so will. Es ist des Nachdenkens wert, daß ein Werk so schön ist, welches das Schöne so sehr in seine Grenzen verweist, und daß gerade dies letztere nur mit den Mitteln epischer Kunst erzielt werden kann. Die bedeutenden Stationen haben zumeist eine unvergeßliche Sinnfälligkeit, sie sind mit Kunstverstand angeordnet und erlauben sich im Zusammenhang einer Erzählung, deren Hauptinteresse auf die Geschichte einer Seele gerichtet ist, gleichsam den Luxus der Weltfülle. Die schon erwähnte Eingangsszene des ersten Bandes gehört dazu, *the lawn, the great trees, the reedy, silvery Thames, the beautiful old house*[48]. Der Leser, der die vollkommene Anordnung und die Sanftheit der Töne mitgenießt, macht sich Isabels Ausruf zu eigen: „*I've never seen anything so beautiful as this.*"[49] Er würde vermutlich nicht zögern zu unterschreiben, was der alte Touchett zu der ergriffenen jungen Besucherin sagt – „*. . . you're very beautiful yourself*".[50] Aber erst nach einiger Bemühung, wenn er sich über die Mittel des Autors Rechenschaft abgelegt hat, könnte er die vorausgehende Bemerkung sich aneignen, die der Alte zu der Jungen macht: „*I know the way it strikes you. I've been through all that.*"[51]

Von nicht geringerer Wirkung ist der Beginn des zweiundzwanzigsten Kapitels, mit welchem ein neuer Zeit- und Schicksalsabschnitt einsetzt. Wieder sind Haus und Garten Schauplatz, in dem James die Eigentümlichkeit einer Sphäre konzentriert: viel wäre von den Häusern, ja den Hausmetaphern in diesem besonderen *house of fiction*[52] zu sagen. Sie sind anschauliche Hüllen eines leben-

digen Innern: gehegt und gewachsen Gardencourt, das so geliebte und so bald verlorene; großartig und kalt, wiewohl impo-
nierend der Palazzo Roccanera, der Isabel aufnimmt wie ein Gefängnis; intim und wohlberechnet die Wohnung der Madame
Merle; ausgesucht und wirkungsvoll die Villa Osmonds, deren
mask die Gruppe von Menschen verbirgt, *that might have been de-
scribed by a painter* (!) *as composing well*[53]. Osmonds Sphäre zeigt sich
so von vornherein als arrangiert und in der reizvollsten Weise
vom Bewohner wie vom Autor komponiert. Jener hat kostbare
und schöne Dinge um sich versammelt, dieser hat ihn der Imagination des Lesers auf dem dekorativsten Grunde gezeigt. Seine
romantische Erscheinung – *fine gold coin as he was, no stamp nor
emblem of the common mintage*[54] – wird wirkungsvoll kombiniert
mit der zweier redlichen Ordensschwestern, die ihm seine halb-
wüchsige Tochter, liebliches Produkt kunstvoller Erziehung,
zurückgebracht haben. Die Redlichkeit der Nonnen, die jugendliche Anmut des Kindes, der Glanz des Vaters, das Licht des
milden, weitausblickenden Gartens, zwei Sträuße Rosen weiß
und rot vereinigen sich zu einem Ganzen, dem Isabels Schönheits-
sinn wenig später ebenso erliegen wird wie der des Lesers. Erst zu
spät erkennt sie, daß eine derart schöne Realität nicht die wahre
sein muß: ... *Isabel had no faculty for producing studied impressions*[55],
sie nennt *a perverse unwillingness to glitter by arrangement*[56] ihr eigen.
Der Preis solcher Wahrheitsliebe ist der Verlust unschuldigen
Vertrauens, das für dauerhaft halten wollte, was nur gestellt, für
echt, was nur arrangiert war. Der Feind der Wahrheit verbarg
sich nicht allein hinter dem falschen Glanz; am wirksamsten war
er mit der Kraft der Phantasie in Isabels eigener Brust, wenn sie
sich aus der erhofften Zukunft ein Bild machte, *by the light of her
hopes, her fears, her fancies, her ambitions, her predilections*[57].

Auf diese Weise wird ihr Leben bestimmt vom unzeitigen Verkennen und vom zu späten Erkennen. Es ist kein unedles Vermögen, das sie verführbar machte, und es mag ein neuenglisches
Erbe James' sein, welches ihn dazu brachte, das Böse so ganz im
Gewande des Kunstvollen erscheinen zu lassen. Da er aber Gerechtigkeit liebte (wie jeder große Erzähler), nimmt er den „redlichen" Menschen in Isabels Lebenskreis gern die Kraft der Phan-

tasie, so wie man eine Auszeichnung abnimmt. Caspar Goodwood etwa, Mrs. Touchett und Henrietta Stackpole haben viel „Recht", wovon noch die Rede sein muß. Aber des ersten Imagination ist reduziert auf die barbarische, neue, anwendbare eines technischen Zeitalters, das die Künste haßt und Maschinen erfindet. Die Vorstellungskraft der prächtigen Journalistin vermag vor allem Vorurteile zu produzieren. Mrs. Touchetts ausgeprägter Realitätssinn, der Illusionen meidet, bewahrt sie dennoch nicht vor Irrtümern, die auch Isabel begeht; deren schlimmster ist die Verkennung der Madame Merle, der Meisterin des schönen Scheines und weiblicher Verstellung. Das Fehlen der Imagination verweist all diese Personen in eine andre, geringere Klasse als die, welcher die Heldin angehört. Ihnen geht eine ganze Dimension ab, eine menschliche, eine zuzeiten dämonische. Und das Recht, das sie gegen die Irrtümer der Imagination behalten, schrumpft merkwürdig zusammen, wird kleinlich und fragwürdig, wenn man es mit der Noblesse von Isabels beinahe tödlichen Fehlern vergleicht. Es sind dies Anzeichen für ein anderes Thema des Romans. Hinter der Fragwürdigkeit des ästhetischen Urteils tut sich der Abgrund auf der Relativität aller Urteile und Verhältnisse überhaupt. Isabel, entschlossen, ein gegebenes Wort zu halten, und zu stolz, den Adel ihres Irrtums durch ein Eingeständnis zu kränken, wird sich genötigt sehen, *studied impressions* an den Tag zu legen. Als sie die trügerische Maske vor der Nichtigkeit ihres Mannes erkannt hat, legt sie selbst eine Maske an, welche der Welt das Leidensantlitz verbirgt. Sie spielt eine Rolle, um die Wahrheit zu verbergen, daß sie der Lüge zum Opfer fiel.

Allerdings vermag sie nie so zu spielen wie ihre beiden Feinde, an die sie das Schicksal gefesselt hat. Osmond und die Merle sind unmenschlich nicht allein durch Handlungen, vielmehr, weil sie reine Produkte der Kunst sind. Wenn irgendwo, so zeigt sich bei Madame Merle die ganze Unzuverlässigkeit der ästhetischen Indikation, die wiederum Isabel wie den Leser beim ersten Auftritt der Dame in die falsche Richtung weist. Mit Kunst tritt Serena Merle auf, in jeglichem Sinne. Ihr Erscheinen hat stets etwas vom coup de théâtre, wenn sie auftaucht, wo sie nicht erwartet wurde, sie, die an so vielen Orten erwartet wird. Isabel nimmt als erstes sanfte Töne von ihr wahr (übrigens während Daniel Touchett stirbt), *the sound of low music proceeding apparently from the saloon*.[58] *It showed skill, it showed feeling*[59], Fertigkeiten, die der Spielenden fast nach Belieben zur Verfügung stehen. Sie sind sehr verschieden von der unschuldigen Hingerissenheit der Hörerin, welche weder weiß, daß sie sich einem Menschen gegenübersieht, bestimmt, *a powerful agent in her destiny*[60] zu sein, noch, daß die diesen charakterisierende Wendung *great artist as she was*[61] sich nicht nur auf die schönen Künste beziehen lassen wird. Mit Kunst zieht Madame Merle sich an, bewegt sie ihre weißen Hände und ihre so schöne wie reife Figur; mit Kunstsinn erinnert sie sich der Einzelheiten berühmter Bilder, allerdings ohne die Tränen der Ergriffenheit, die ihr abhanden gekommen sind; kunstreich stickt sie Kissen, Vorhänge und Dekorationen, malt sie englische Aquarelle, sammelt sie Tassen: *She was in short the most comfortable, profitable, amenable person to live with*[62], nur daß sich offenbar nach dem abgeschiedenen M. Merle niemand mehr gefunden hatte, der solches Kunststück für das ganze Leben zu unternehmen gewillt war. Sie beherrscht die Kunst der Konversation und der Diskretion, die, für sich einzunehmen, und die, im rechten Augenblick zu sprechen, so daß eine derart weltläufig-kritische Frau wie Mrs. Touchett sich bis zu der Äußerung gebracht sieht: „*She is incapable of a mistake . . . Serena Merle has n't a fault.*"[63] Aber die wiederholenden Hinweise, mit denen der Autor den Leser bedenkt, um die inneren Verhältnisse des Buches hervorzubringen, stellen jene Äußerung in verzweifelte Beziehung zu einer gegen den Vetter Ralph gemachten: „*Mr. Osmond makes no mistakes!*"[64]

Das Wort fällt, als Ralph die schöne Cousine vor der Heirat warnen will, die sie im Bewußtsein ihres *ardent good faith*[65] unternimmt, als einen Akt freien Willens und guten Glaubens. Mit aller Überzeugung, die reine Beweggründe verleihen, hält sie den Vetter für den Irrenden: „*I'm only sorry that you should make a mistake.*"[66] Zwei sich geneigte Freunde, die einander auch wortlos sehr genau zu verstehen pflegten, verstehen sich nicht mehr. Ralph, der recht hat, vermag sich nicht begreiflich zu machen, Isabel, die im Unrecht ist, trägt dieses mit allem Feuer einer reinen Leidenschaft vor. Es ist, als ob es eine Karikatur des Bösen auch zum Guten hin gebe, eine Verzeichnung ins Edle, welche den Irrenden ehrt und den zur Verzweiflung bringt, der sie durchschaut. Genauso gibt es die Verstellung des Bösen unter der Maske des Schönen – man hat sie von jeher dem Teufel zugetraut.

Beide werden durch die Imagination bewirkt, aber auf eine verschiedene Weise! Der eine Irrtum ist selbstlos, wie Isabels Vorstellung von Osmond: *That he was poor and lonely and yet that somehow he was noble . . . an indefinable beauty about him*[67]. Es ist ein geglaubter Schein, das Verkennen, das Ralph an Isabel wahrnimmt – *She was wrong, but she believed . . .*[68] *. . . she had imagined a world of things that had no substance.*[69] Das Licht einer liebebedürftigen, Liebe schenkenden Seele läßt für kurze Weile die Finsternis gleichsam in Glanz aufleuchten. Wie anders ist die zweite Form der Irreführung, so schäbig, wie die erste nobel ist. Sie ordnet die Imagination einem Zweck unter, sie will den Effekt und ist mit der Lüge verwandt. Sie sieht die Dinge, wie sie will, und gebraucht sie zu ihren engen und eigensüchtigen Zielen. Die eine, Isabels Imagination, sucht das Wahre und irrt; die andere, Osmonds, sucht das Wahre nicht, sondern sinnt auf die Mittel des Scheins. Insofern es auf ihre Zwecke ankommt, verfährt sie zweckmäßig. Aber sie kennt keinen anderen Maßstab als den der Wirkung, und gewiß nicht den der Liebe, der noch ein Höheres über sich weiß. James' Vokabel für solche Imagination heißt *taste*, ein Wort, das Urteilsvermögen und ästhetischen Sinn umfaßt, vor allem aber ein Bewußtsein der Wirkungen. Als der kluge Ralph in jenem mißverständlichen Gespräch so sachlich wie möglich *Osmond's sinister attributes* beschreiben möchte, kommt er zu der überraschenden Formulierung: „*He's the incarnation of taste*", und erläutert sie mit den Worten :„*He judges and measures, approves and condemns, altogether by that.*"[70]

Seine Art zu urteilen, sein *great good taste*[71], ist vollkommen anderer Art als die Isabels. Diese beiden Menschen sind durch das menschliche Vermögen zu irren zusammengeführt worden, ihre Ehe repräsentiert gleichsam dessen extreme Möglichkeiten in einer Zeit, deren Urteilskraft schwindet. Im Grunde ist Osmond in seiner ganzen Nichtigkeit entblößt in dem Augenblick, da er einsieht, daß mit dem guten Geschmack allein der Anschein

eines geglückten Lebens- und Ehekunstwerkes nicht mehr auf-
rechtzuerhalten ist. Was zurückbleibt, ist Bosheit, so wie die elegante Madame Merle als die nackte und verzweifelte Bosheit erscheint, wenn der Schein ihrer Lügen zerreißt. James läßt Isabel
allerlei Überlegungen anstellen, um dieser falschen Freundin auf
den Grund zu sehen. *She asked herself . . ., whether to this intimate
friend of several years the great historical epithet wicked were to be
applied.*[72] Das Wort *wicked* wird – überaus selten im gleichmäßi-
gen Fluß der Sprache! – vom Autor durch den Druck so heraus-
gehoben wie zuvor das Wort *charm* im Hinblick auf Osmond;
beide Worte gehören Bereichen an, die allem Ästhetischen vor-
ausgehen, das den Zauber in anmutige Formen gebracht hat.
Werden diese vernichtet, so schwindet der Schein, und das Böse
bleibt übrig, die Falschheit zumindest. So sinnt Isabel auch weiter, ob Serena (welch höhnischer Name!) Merle Format genug
habe, um mit der geschichtlichen Macht des Bösen identifiziert
zu werden, ob nicht vielmehr für sie – *great artist as she was* – die
gerechtere Formel die sei, sie sei *deeply false; for that was what Madame Merle had been – deeply, deeply, deeply*[73]. Spätestens an dieser
Stelle ist dem Leser die unheimliche Verknüpfung von drei Begriffen deutlich geworden: das Böse hat mit der Lüge zu tun, die
Lüge mit dem Schein, der Schein mit der Kunst. Isabel lernt die
bittere Lektion solcher Zusammenhänge in diesem ,,Bildungs-
roman", der nach seiner Gesinnung gleichsam ein Anti-›Nachsommer‹ ist. Aber sie lernt mehr als nur dies; denn daß der Schein
trüge, ist eine alte Wahrheit. Neu ist, daß die Maßstäbe ins Wan-
ken geraten, mit deren Hilfe Schein und Wahrheit, Recht und
Bosheit zu unterscheiden wären. Unsere Heldin *had a sense in her of
values gone wrong or, as they said at the shops, marked down*[74]. Sie
nimmt wahr, daß sich die Welt nicht nach absoluten Werten
richtet, sondern nach relativen.

Diese Tatsache wird von James auf die verschiedensten Weisen vorgestellt; es gibt eine alltägliche und harmlose Relativie-
rung des Urteils über wirkliche Verhältnisse und Personen, wie
sie sich etwa in den verschiedenen Meinungen verschiedener Ge-
sprächspartner über den gleichen Gegenstand äußert; es gibt die
Unvereinbarkeit der Gesichtspunkte, welche von psychologischen

und historischen Konditionen bestimmt sind – eine Henrietta
Stackpole wird notwendig anders denken als ein Lord Warburton oder gar seine anmutigen Schwestern, die Misses Molyneux. Es gibt schließlich den schrecklichen Tatbestand einer
gänzlichen Umkehrung des Wirklichen, nur dadurch, daß der
Falsche es benennt und auf sich bezieht, eine moderne Form uralten Verhängnisses. All dies wird mit Hilfe des durchaus epischen Mittels der Konversation vergegenwärtigt, zu der Nuancen, Facettierungen, Wechsel des Blickes und der Töne gehören, wie sie zur Verfügung standen, solange die Gesellschaft ihre
Beziehungen noch mit Hilfe der Sprache regulierte. Allein es ist
keine festgefügte Gesellschaft mehr, die hier spricht, auch wenn
ihre Formen noch funktionieren. Die wichtigsten Figuren des
Romans gehören zu dem von James so oft und bedeutend gebrauchten Typus des exilierten Amerikaners, der die Neue Welt
nicht ertragen und der Alten nicht mehr angehören kann. Osmond und Ralph sind dazuzurechnen, Isabel und Madame Merle;
neben ihnen stehen andre, weniger wichtige und fester umschrie-
bene, von denen gilt, was Osmond von Mrs. Touchett sagte:
„. . . *a sort of old-fashioned character that's passing away – a vivid iden-
tity.*"[75] Ihnen ist Daniel Touchett zuzuzählen als ein Stück ge-
diegenen und liberalen alten Amerikas, Lord Warburton als *high-
ly-developed Englishman . . . fine specimen of that great class*[76] und Caspar Goodwood, *of supremely strong, clean make*[77]. Doch lassen dessen vorzügliche, obwohl nicht ästhetische Möglichkeiten Isabels
imagination absolutely cold[78].

Um sie sind all diese Gestalten nach dem ökonomischen Kunstsinn James' geordnet, so wenige wie für einen Roman dieses
Umfangs möglich, so viele, daß aus ihren Worten das Schicksal
der Heldin, das Bestimmbare wie das Unergründliche ihres Charakters, das ganze Geflecht von Meinungen, Wirkungen, Irrtümern und Bindungen hervorgeht. Erkennen und Verkennen, Lügen und Durchschauen, Rechthaben und Unrechthaben, Fragen
und Einsehen – auch Fragen und Einsehen, daß recht zu haben
Unrecht sein kann: all dies findet oft in dem Gesprächstone statt,
den man mit Konversation zu benennen pflegt. Wenige Autoren
beherrschen ihn so wie James, noch wenigere können den Wort-

wechsel so sehr zur Fortführung des eigentlichen Geschehens
nützen. Da dies ein Inneres ist und auf Aktion zumeist verzichtet, kommt dem Sich-Aussprechen mehr Bedeutung zu als dem
Berichten. Da der Autor so wenig recht haben will, wie er es seinen einzelnen Figuren zugesteht, gibt er dem Leser Gelegenheit
zu hören. Nur die gröbsten Beziehungen der Menschen können
der Sprache entbehren. Die feineren realisieren sich im Gespräch,
so wie sie durch Worte vernichtet werden; davon gibt das ›Portrait of a Lady‹ Zeugnis, und dadurch ist es – wie viele französische und englische Romane des 19. Jahrhunderts, wie die Fontanes und Keyserlings – Denkmal einer vergangenen Zeit. Man
kann miteinander reden, wenn man die gleiche Sprache spricht,
eine Binsenwahrheit, die dennoch allerlei Voraussetzungen fordert: sie setzt eine Gesellschaft voraus, die im Gebrauch der Rede
geübt ist und sich verständigt hat über das Sagbare und das Unsägliche; sie nimmt an, daß zum Miteinander-Reden auch das Zu-
hören gehört; daß die Nuance mehr mitteilen kann als das grobe
Wort; daß ein jeder das Recht zu sprechen habe, weil ein jeder
etwas zu sagen hat; daß aber fast nichts wichtig genug sei, um
ein rücksichtsloses Aussprechen zu rechtfertigen. Denn zum Reden gehört das Schweigen und zum Verstehen das Dulden, das
auch Unausgesprochenes hinnimmt. Vielleicht ist dies das Schwer-
ste, an ihm versagen ein so geübter Mann wie Warburton und
ein so klarer wie Goodwood, während Ralph ein Freund des
Unaussprechlichen ist. Im Gespräch mit ihm gibt es Blicke, *ut-
terances too vague for words*[79], Wortwechsel wie:

„You've told me what I wanted. . .“

„. . . I've told you very little.“[80]

„I never said that.“

„I think you meant it. Don't repudiate it. It's so fine!“[81]

Die Unterhaltung dient nicht der Mitteilung allein, sondern
der Erleichterung des Daseins unter den Menschen. Das Feuer
leidenschaftlicher Sprache verzehrt das feine Öl, mit dem das
geregelte Wort die mannigfaltigen sozialen Beziehungen zu
glätten vermocht hat; die Lüge zerstört sie.

Konversation und Gespräch sind daher mit einer gewissen
Höhe der Kultur und mit dem respektvollen Bewußtsein der

menschlichen Individualität verknüpft. Diese äußert sich bei James keineswegs in einer „charakteristischen" Redeweise mit eigentümlichen Wendungen und Färbungen. Vielmehr stellt sie sich in der Geltung des individuellen Gesichtspunktes dar, in der Verschiedenheit zu sehen und zu urteilen, in der Kundgebung persönlichen Willens, die persönliche Folgen hat. Im Gespräch solcher Art sprechen die Kontrahenten nicht nach zugeteilten Rollen, deren Funktion gleichbleibt, sondern setzen sich nach der Maßgabe ihres individuellen Wesens in ein wandelbares Verhältnis zu anderen Menschen und zu anderen Lagen. Eine derart verfeinernde Unterscheidung gibt es erst seit der Zeit, welche die besonderen Bedingungen der Individualität und des Augenblicks der Aufmerksamkeit wert hielt; ihre Anfänge findet man im Briefroman, mit ihrem meisterlichen Ausklang sind wir hier befaßt. Der Zeitpunkt ist nicht mehr ferne, da das absolut gewordene Individualbewußtsein das Individuum aufhebt – der stream of consciousness setzt e i n e n Empfindenden an die Stelle von allen.

Davon ist James weit entfernt, auch wenn sich in den langen Monologen seiner Heldin die ersten Anzeichen eines assoziativen Innenblicks andeuten. Noch stellt sich die Person in der Kommunikation eher dar als in der Analyse, nicht zuletzt, weil Rede und Gegenrede offenlassen und andeuten können, zurücknehmen und widersprechen. Z w i s c h e n den Positionen zeigt sich das wahre Leben an, weshalb die Gespräche mit Osmond so tödlich sind. Isabels Mann wünscht keine andre Meinung als die seine – *It was simply that Ralph was generous and that her husband was not.*[82] Osmond fordert Unterwerfung, *he would have liked her to have nothing of her own but her pretty appearance*[83], er kennt keine anderen Formen der Mitteilung als die auf ihn selbst bezogene. Was er sagt, ist ausschließlich; es schließt andre als seine Interessen aus. Auf diese Weise geschieht etwas mit den Dingen und den Personen, von welchen er redet – *It was as if he had had the evil eye*[84], was er anrührt verwelkt, was er ansieht verdirbt. So jedenfalls empfindet Isabel seine Äußerungen, seitdem sie nicht mehr geblendet ist. Und auch der Leser erfährt, daß die Wahrheit sich in Lüge verkehrt, wenn sie nicht um ihrer selbst willen oder mit Liebe ausgesprochen wird. „*One must accept one's deeds*"[85], sagt Isabel mit der Kraft der Wahrheit, als Henrietta Stackpole sie zur Trennung von Osmond veranlassen will. „*. . . I think we should accept the consequences of our actions, and what I value most in life is the honour of a thing!*"[86] sagt dieser, und der Satz, der eben noch wahr war, ist falsch geworden; dem „*master of the art of mockery*"[87] steht die Wahrheit unter dem Schein, die Ehre unter dem Zweck. Die gleichen Worte sind nicht gleich: Osmond wollte – der Leser erinnert sich – aus dem Leben „*a work of art*" machen; Isabel erhoffte *a future . . . of consciousness of the beautiful*. Aber jener Gedanke wird vernichtet, dieser in Sinn und Würde erst bewahrheitet, als sie auf Mrs. Touchetts resignierte Bemerkung über den sterbenden Ralph „*It has not been a successful life*" – als Isabel darauf die Antwort findet: „*No – it has only been a beautiful one.*"[88] In bezug auf den schwindsüchtigen und nutzlosen Ralph ist wahr, was in bezug auf den Ästheten so falsch war wie die Hoffnungen eines lebensfremden Mädchens.

Die Relativität der Urteile und Aussagen kommt aber nicht allein in derartigen Extremen zur Sprache. Sie ist ebenso gegenwärtig in Gesprächen, welche nicht auf das Äußerste zielen, sie zeigt sich im Widerstreit der Anschauungen und in der Möglichkeit, von dem einen zu sprechen und das andre zu meinen. Die ganze Skala der Relationen und Zwischentöne dient zur Unterscheidung, und zuweilen wird der Autor das so Unterschiedene nochmals in Frage stellen, indem er selbst mit ironischem Hinweis zurückhaltend auf den Plan tritt. Er gibt, nicht häufig, aber mit Regelmäßigkeit, einschränkende und zurechtrückende Winke, sämtlich geeignet, zur Vorsicht gegenüber dem eben Gesagten anzuhalten. So tönt ein leises *It at least may be affirmed*[89] in unser Ohr oder ein *it must be admitted*[90], ein *it is not on record*[91], *it might be feared*[92] oder ein *It may appear to some readers*[93]. Nur selten geht James bis zu so ausdrücklichen Phrasen wie: *I say fortunately, but this is perhaps a superficial view of the matter. . .*[94] Im ganzen überläßt er dem Leser das Urteil, dem es nicht leichter fällt als den Personen der Erzählung. Beide müssen lernen, daß Worte Untiefen haben oder unerwartete Tiefe. Wie flach und hohl die ersten Reden Osmonds gegen Isabel sind, vermag diese nicht wahrzunehmen, denn sie hat noch die ganze Unschuld guten Glaubens. Es gehört zu den tragischen und tiefsinnigen Zügen dieses Romans, daß die Wahrheit – oder wenigstens die wahre Meinung – hörbar wird erst, wenn die Unschuld des Vertrauens dahin ist. Es entbehrt nicht der Ironie, daß die auf Schein zielende gesellschaftliche Einübung solche Hellhörigkeit zu schärfen vermag. Hätte Isabel sie schon ihr eigen genannt, als sie zum ersten Male Osmonds Haus betrat, so wäre ihr nicht entgangen, daß ein Gentleman sich nicht selbst einen Gentleman nennt; sie hätte den falschen Ton vernommen, mit dem er von seiner Tochter spricht. Der Leser, der Heldin stets ein wenig voraus, ist bereits aufmerksam gemacht, wenn James das Adverb *beautifully* gebraucht: *"Ah," cried Gilbert Osmond beautifully, "she's a little saint of heaven! She is my great happiness!"*[95]

Die Flachheit der wohlgesetzten Rede ist durchsichtiger als der Schimmer der vieldeutigen. Sie kann ungewollt vorkommen und treffen, so wenn der mangels Vermögen von Osmond abgelehnte Bewerber um Pansys Hand mit Isabel den folgenden Wortwechsel hat:

"You're not rich enough for Pansy."
"She does n't care a straw for one's money."
"No, but her father does."
"Ah yes, he has proved that!"[96]

Der letzte Satz trifft die wundeste Stelle einer verwundeten Seele, und Isabel läßt den Jüngling stehen, der sie nicht gemeint hat. Das vierzehnte Kapitel ist voll von Worten, die ihre Relation nicht finden können, sowenig wie die Menschen: Lord Warburton sucht nochmals, Isabel für sich zu gewinnen, ohne die Tiefe ihrer ablehnenden Gründe zu verstehen; Miss Stackpole, welche ahnungslos hineinplatzt, sagt Dinge, die trotz (oder wegen?) ihrer Beziehungslosigkeit gewichtigen Sinn zu haben scheinen; Ralph und Miss Molyneux, gesellschaftlich geübt und nicht in den Augenblick verstrickt, nutzen die Möglichkeit doppelsinnigen Sprechens. Isabel, welche dem Lord soeben den endgültigen Korb gegeben, zu dessen Schwester:

"I'm afraid I can never come again."
"Never again?"

„*I'm afraid I'm going away.*"

„*Oh, I'm so very sorry. . . I think that's so very wrong of you.*"[97]

Ein derartiger Austausch von Mitteilungen läßt das Zittern des Herzens spüren, das unter einer teilnehmend-höflichen Oberfläche schlägt. Man spricht, indem man nicht spricht. Man spricht auch, indem man mißversteht. Warburton, der mit Isabel wahrlich andre Themen als Henrietta Stackpole bereden möchte:

„*Are we speaking of Miss Stackpole? . . . I never saw a person judge things on such theoretic grounds.*"

„*Now I suppose you're speaking of me,*" said Isabel with humility. . .[98]

Man spricht schließlich, indem man Mißverstandenes für bare Münze nimmt. Warburton und Miss Stackpole, welche die Situation nicht versteht und glaubt, der Lord sei vor ihr als Journalistin gewarnt worden:

„*Miss Archer has been warning you!*" . . .

„*Warning me?*"

„*Is n't that why she came off alone with you here — to put you on your guard?*"[99]

Die Komik dieses Dialogs ist nur um Haaresbreite vom bitteren Ernst entfernt. Es handelt sich nicht um das geistreiche Konversationsspiel, das wir aus der Komödie und den Erzählern des englischen 19. Jahrhunderts, Thackeray etwa, kennen. Vielmehr weist die Mehrdeutigkeit auf die Relativität des Wirklichen und die Zweideutigkeit menschlicher Verhältnisse, wie sie der offene und vieldeutige Schluß dem Leser unübersehbar vor Augen führt. Er hat diejenigen immer wieder befremdet, welchen die eigentliche Thematik von Schein und Wirklichkeit, Verstehen und Mißverstehen entgangen ist. Sie läßt auch die Dialoge changierend schimmern und verbindet die Frage nach dem Tun der Heldin mit der Frage nach dem Recht ihres Tuns, unergründlich wie alle anderen. Es fällt auf, daß im Verlauf des Romans so mancher „recht hat", dem man es nicht zutraut, und so mancher unrecht, von dem man (wie von Ralph im Hinblick auf Isabels Zukunft) Einsicht erwartet. Bei näherem Zusehen zeigt sich, daß die, welche „recht haben", oft aus unrechten Gründen recht haben oder daß sie gar, wie Osmond, kein Recht haben, recht zu haben. Henrietta Stackpole hat recht, wenn sie gegen Isabels

Erbschaft ist und deren Antwort „*You think it will prove a curse in disguise. Perhaps it will*"[100] unwidersprochen läßt. Das Geld wird ein Fluch sein, und die Kalamitäten Isabels werden durchaus mit einigen von Henrietta vorausgesehenen Ursachen zusammenhängen. „*You're not enough in contact with reality . . . you've too many graceful illusions.*"[101]

Die zupackende Lady-Journalistin scheint den Nagel auf den Kopf zu treffen, ja den Gegenstand des Romans überhaupt zu formulieren. Aber die nachfolgende Begründung stellt den rechten Satz wieder in Frage: „*You think we can escape disagreeable duties by taking romantic views – that's your great illusion. . .*"[102] Wie kann Henrietta recht haben, wenn sie Isabels eigentliches Wesen so verkennt, das nie davor zurückschreckt, Pflichten zu erfüllen oder gefällig zu sein? Und wie fragwürdig wird Henriettas Meinung, wenn man in Rechnung zieht, daß der Advokatin der Realität die Wirklichkeit eines ganzen, des alten Erdteils entgeht? Schließlich: welchen Wert haben überhaupt Begriffe wie *reality* und *curse*, wenn an die Stelle eines scheinbaren, nicht zu realisierenden Glückes die ganze Tiefe der Leidenserfahrung tritt, *a certain young woman affronting her destiny.* Wollte Isabel Henrietta folgen, so bliebe ihr die wirklichste all ihrer Erfahrungen vorenthalten; wer will sagen, was für eine Seele wirklich wirksam wird. . . So findet sich die Gräfin Gemini in das maßloseste Staunen versetzt, als sie wahrnimmt, was für Isabel Realitäten sind. Nicht, oder nicht zuerst, die Mitteilungen über das wahre Verhältnis Osmonds, der Merle und der unschuldigen Pansy. Also nicht Relationen, die von dem Satz getroffen werden: „*The facts are exactly what I tell you.*"[103] Indem Isabel hört, daß Madame Merle Pansys Mutter sei, interessiert sie keine der neuen und unerhörten Tatsachen in bezug auf sich selbst, die so schamlos Hintergangene. Sie bricht in Tränen aus für ihre Feindin: „*Ah, poor, poor woman!*"[104], und zwar nicht, weil James einen überaus edlen Charakter zeigen wollte, sondern weil es dem Wesen ihrer Imagination entspricht, das wirklich Menschliche aufzusuchen. Sie kann dabei irren, aber sie kann auch verstehen. Neben der Unsicherheit der äußeren Zusammenhänge gewinnen die Leiden des Einzelnen eine höhere Objektivität in dem Roman, der sich für die Schicksale des inneren Menschen zu interessieren unternahm: *Isabel was fond, ever, of the question of character and quality, of sounding, as who should say, the deep personal mystery...*[105] Aus aller Relativität der Verhältnisse und Urteile geht dieses letztere größer und ergreifender hervor, als das helle Licht das anfangs ahnen lassen mochte. Vor dem Geheimnis der Person verblaßt die Scheinwelt des Betruges, verblaßt die Jungmädchenhoffnung vom „Glück“. Freilich vermag die arme hektische Gräfin solchen Einsichten nicht zu folgen: „Ça me dépasse, *if you don't mind my saying so, the things, all round you, that you've appeared to succeed in not knowing.*“[106] Isabel braucht nicht mehr zu wissen, wie der Betrug vor sich ging; mehr wert ist ihr die Einsicht, daß die schlechte Freundin, die sie verriet, eine verzweifelte Mutter war, die für ihr Kind mit untauglichen Mitteln sorgte. Aber auch damit ist im Grunde noch zuviel gesagt, genauer ist der Ausruf „*Ah, poor, poor woman!*“, weil er das fühlbarste, das nie endende, Worte übertreffende Leiden trifft: „*Ah, my poor Ralph!*“[107] Es gibt kaum eine Person in diesem Buche, der das Epitheton *poor* nur einmal zuteil würde; die meisten erhalten es mehrmals zuerkannt, und selbst Osmond fehlt nicht.

So bringt der Roman, dessen Autor und dessen Personen soviel psychologische Neugier an den Tag legten, im Grunde einen jedes psychologische Räsonnement übersteigenden Sachverhalt hervor: die Tiefe der Menschennatur, die das Leiden ermißt. Als Ralph stirbt, erfährt Isabel im vollkommenen Erkennen ein wahres Glück im Angesicht der Vergänglichkeit. Das junge Mädchen hatte gesagt, daß es das Leiden fürchte. Die Frau, welche flüstert: „*I feel very old*“, hört die Frage des Sterbenden: „*I don't know why we should suffer so much. Perhaps I shall find out. There are many things in life. You're very young.*“[108] There are many things in life: die ganze, das Jahrhundert so beschäftigende Relativität der Dinge und Verhältnisse – *the truth of things, their mutual relations, their meaning, and for the most part their horror* werden in die gebührende Proportion verwiesen. Der Satz *everything is relative; one ought to feel one's relation to things*[109] verliert in der Hinnahme seine Bedeutung. Verstehen und Mißverstehen in Worten verblassen vor dem „*We need n't speak to understand each other*“[110]

angesichts einer Liebe, die im Tod nichts für sich will, so wenig, wie sie es vorher wollte. Aber das Leben hat dem Tod die Liebe voraus: „*Death is good – but there's no love.*"[111]

Hätte der Autor sein Buch an dieser Stelle mit dem vorletzten Kapitel enden lassen, so hätte er zahlreiche Kritiker des letzten vermutlich zufriedengestellt. Obwohl James' Kunst das Pathos der Gefühle zu meiden weiß, empfindet der Leser doch, daß um seinetwillen das eigentlich Unaussprechliche ausgesprochen wird, und ihn wandelt die Scheu an, welche die Worte Liebe und Tod hervorrufen. Endete das Buch hier, so endete es in einer Gebärde, *with a movement of still deeper prostration*[112], es endete als Bild; in jedem anderen Werke wäre das eher erlaubt als in diesem. Für den Kunstverstand des Dichters und gegen den seiner Richter spricht, daß das letzte Kapitel folgt, so unbestimmt, wie das vorige abschließend schien. Isabel, so darf man vermuten, wird in das falsch glänzende Gefängnis des Palazzo Roccanera zurückkehren. Der Abschied von Ralph hat ihr das früh erhoffte, zuvor nur als Irrlicht erblickte Licht in Wahrheit gezeigt, auf dem Grunde des letzten Dunkels schöner als alles Leuchten auf dem Rasen von Gardencourt, dem Tal des Arno oder den Plätzen Roms: . . . *if a certain light should dawn she could give herself completely.* . .[113] Dies war tief in ihrer Seele – *it was the deepest thing there*[114] –, und daher nahm sie das Recht, dem Sterbenden zu sagen: „*In such hours as this what have we to do with pain? That's not the deepest thing; there's something deeper.*"[115] Aber auch solche Stunden gehen vorüber, und die Frage „*Well, what will she do?*" erhebt sich wieder. Die Relativität menschlicher Beziehungen und Umstände, Verkennen und Erkennen beginnen aufs neue – mit widerwärtiger Deutlichkeit macht Goodwoods unzeitiger Kuß dies klar: *She had not known where to turn; but she knew now. There was a very straight path.*[116]

Er führt ins alte schreckliche Leben zurück, zu Pansy, zu dem auf immer (aber was heißt immer?) entfremdeten Gilbert Osmond. Er muß dorthin zurückführen, denn ein Roman wie dieser begäbe sich seiner Wahrheit und seines Kunstzusammenhanges, wollte er anders als tragisch schließen. Der von Anfang an vorhersehbare Tod Ralphs ist keineswegs tragisch, wie denn in den bürgerlichen Verhältnissen (welche die Erzählkunst des 19. Jahrhunderts meistens beschäftigen) das Tragische keineswegs in der Form des Todes erscheinen muß. Es gibt andere Weisen, die Person zu vernichten, der die Inkommensurabilität ihrer Daseinsbedingungen aufgegangen ist. Die Isabel des Schlusses ist keine in sich beruhigte, sie ist eine vor dem Leben fliehende Frau. Ihre unbedingte Natur hat mit Bitternis die Bedingtheit aller menschlichen Verhältnisse erfahren, von denen sich zu lösen den Menschen in diesem Dasein nicht gegeben ist. „*To triumph, . . . it seems to me, is to fail!*"[117] hatte sie gesagt, als Osmond um sie warb. Die Umkehrung des Satzes käme der Wirklichkeit ihres Lebens näher: zu versagen kann den Sieg bedeuten. Ihre jugendliche Vorstellung vom Glück als eines geschwinden Wagens, der im Dunkeln vierspännig über Straßen jagt, die man nicht sieht,[118] mochte wahrer, wiewohl weniger glücklich sein, als sie dachte. Eine ganz sichere, jeder psychologischen Begründung entzogene Ahnung hatte sie geleitet, als sie dem verschmähten Lord Warburton ihre Gründe sagte: „*It's that I can't escape my fate. . . I can't escape unhappiness. . . In marrying you I shall be trying to.*"[119] Nur die unbedingte Natur nimmt derart die Bedingungen des Daseins an. Goethes Begriff des „tragischen Romans", am Anfang des Jahrhunderts konzipiert, erweist sich an dessen Ende noch fruchtbar.

Im Falle der ›Wahlverwandtschaften‹ war die Inkommensurabilität der Daseinsbedingungen durch die dämonischen Eingriffe der Mächte sichtbar geworden; die Heldin zahlte den Preis mit dem Tod. Im Falle des ›Portrait of a Lady‹ lebt die Heldin weiter. Der an Handlung arme Roman hatte die Geschichte einer Seele erzählt, *a disappointment with much of the dignity of tragedy*[120]. Er hatte eine Wirklichkeit von unendlicher Relativität vorgestellt, die im Endlichen der Erzählung aufgehen mußte. *The obvious criticism of course will be that it is not finished – that I have not seen the heroine to the end of her situation – that I have left her en l'air. – This is both true and false. The whole of anything is never told; you can only take what groups together. What I have done has that unity. . .*[121] Das Leben hört noch nicht auf für Isabel, aber der Roman für den Leser. Sie wird nichts mehr zu lernen haben und kann an

Würde nicht dazugewinnen. Sie mag wieder in ihrem goldenen Gefängnis sitzen, und die Vorstellung mag unser mitleidiges Herz zusammenkrampfen. Hat sie, die Menschliche, Mitleid verdient? Sie selbst antwortet darauf, als Caspar Goodwood sein Leben geben will, um ihr Mitleid zu schenken. *She raised her fan to her face, which it covered all except her eyes. They rested a moment on his. „Don't give your life to it; but give a thought to it every now and then." And with that she went back to the Countess Gemini.*[122] So geht sie am Ende nochmals zurück, endgültiger. Und die tragische Vernichtung ihrer edlen Person besteht darin, daß sie sich selbst den Schein auferlegt, sie, die das Wirkliche erfahren hat. Wir denken sie uns weiter , hinter dem Fächer verborgen, der nur ihre unergründlichen Augen sehen läßt.

„I want to be alone," said Isabel.

„You won't be that so long as you've so much company at home."

„Ah, they're part of the comedy. You others are spectators."

„Do you call it a comedy, Isabel Archer?" ...

„The tragedy then if you like."[123]

ABSCHIED VOM JAHRHUNDERT

In einem Aufsatz über den Erzähler Willibald Alexis rügt Fontane dessen Neigung, Angehörige verschiedener Stände *als bloße Gattungsgestalten* vorzuführen. *Sie sind Begriffe, nicht Menschen. Aber nur Menschen wecken unser Interesse.*[1] Zuvor hatte er dies Interesse noch näher bestimmt: *... alles Interesse steckt im Detail; erst das Individuelle bedingt unsere Teilnahme; das Typische ist langweilig.*[2] Damit war ein für die Zeit keineswegs originelles Programm formuliert, das jedoch auf die glücklichste Weise befolgt wurde, so, als ob der Sechzig- und Siebzigjährige die theoretischen Überlegungen des Fünfzigjährigen hätte verwirklichen wollen, wie man ein gegebenes Wort einlöst. Die späten Romane Fontanes stecken voller Detail und dies voller Interesse. Ihre Menschen bringen sich in Erinnerung wie lebendige – Dubslav und Krippenstapel, Effi, Lene, Cécile, die oberförsterliche Prinzessin, Botho und Crampas, Gießhübler, Eginhard Aus dem Grunde, obwohl der Dichter von letzterem meinte, daß er zu sehr der Karikatur sich nähere[3]. Wie dem auch mit Eginhard sei: die anderen haben alle Wahrheit des Lebens, welche Wendung dem Autor als das höchste Lob galt, ohne daß er sich je unterfangen hätte, einem so unergründlichen Begriffe nähere Bestimmung zu geben. Das Theoretische lag ihm nicht, und die Wirklichkeit seiner Poesie betrachtete er mit der ihm eigentümlichen, liebenswürdig gelassenen Skepsis: *Es bleibt auch hier bei den Andeutungen der Dinge, bei der bekannten Kinderunterschrift: „Dies soll ein Baum sein."*[4] Sehe man genau hin, so meint er im Zusammenhang von ›Irrungen, Wirrungen‹, so „stimme" nichts: *... ich bin überzeugt, daß auf jeder Seite etwas Irrtümliches zu finden ist. Und doch bin ich ehrlich bestrebt gewesen, das wirkliche Leben zu schildern. Es geht halt nit. Man muß schon zufrieden sein, wenn wenigstens der Totaleindruck der ist: „Ja, das ist das Leben."*[5]

Wenn irgendwo, so wird in dem Roman ›Irrungen, Wirrungen‹ solcher Totaleindruck bewirkt, und zwar durch die Mittel der Andeutung, des bestimmbaren Details und der Teilnahme, die das wahrhaft Individuelle zu erwecken vermag. Es bedarf nicht des Blickes auf die Hauptpersonen, den sehr märkischen Premierleutnant Botho von Rienäcker und das Mädchen Lene Nimptsch, um die Verfahrensweise des Erzählers deutlich zu machen. Es genügt die Beschäftigung mit einer jeden, nur gelegentlich erscheinenden „Neben"-Figur oder scheinbaren Episode in dem menschlich so erfüllten, aber nach seiner „Machart" überaus ökonomischen Buch. Das siebente Kapitel umfaßt in der weiträumig gedruckten ersten Ausgabe[5a] 12 der insgesamt 284 Seiten; es ist für den Fortgang der Handlung wichtig, weil Botho darin durch seinen Onkel, den Baron Osten, mit der Notwendigkeit einer standesgemäßen Heirat konfrontiert wird, welche, seit Jahren stillschweigend vereinbart, nun die stillschweigende Zustimmung findet. Insofern ›Irrungen, Wirrungen‹ das alte Thema der nicht standesgemäßen Liebe behandelt, bestätigt der Abschnitt die Vermutung des Lesers wie die Ahnung Lenes, daß das Glück der Liebenden nicht lange dauern könne. Was sonst darin vorgeht, könnte von Ungeübten für stoffliche Zugabe gehalten werden, „Milieu", wie es in der zweiten Jahrhunderthälfte allgemein in die Erzählkunst eindringt, Hintergrund, der die Wahrscheinlichkeit der Fiktion zu stützen bestimmt wäre. Das Restaurant Hiller gäbe die Berliner Folie ab, Bothos auf dem Wege aufgegabelter Kamerad von Wedell einen Partner für den zur Entwicklung notwendigen Dialog, der alte Onkel schließlich wirkte als Promotor der Handlung, ein „typischer" märkischer Junker, dessen Standes- und Familienvorstellungen auch bei Ganghofer einen Konflikt in Gang setzen könnten.

Aber es kommt Fontane nicht auf das Typische an, und die stoffliche Betrachtungsweise, die Ganghofer ganz erfassen würde, begreift vom Kunstwerk ›Irrungen, Wirrungen‹ wiederum nichts. Noch einmal wird gegen Ende des Jahrhunderts der Begriff der künstlerischen Notwendigkeit brauchbar, der sich am Anfang bei der Betrachtung des klassischen Romans als nützlich erwiesen hatte. Es ist, als ob Fontane mit sorgfältigem Kunstverstand und märkisch-karger Bedachtsamkeit die Summe der Kunstmittel zum letzten Male anwendete, die das Jahrhundert entwickelt hat. Sie werden mit ihm dahingehen, so wie die Welt dahingegangen ist, welche sich hier im Detail verwirklicht. Dies hat, wie sich zeigen wird, einen notwendigen und einen geschichtlichen Charakter, der schon in geringen Zügen hervortritt und den *Totaleindruck* . . . „*Ja, das ist das Leben*" ebenso begründet wie den Satz: *Alles Interesse steckt im Detail.* Der letztere war von Fontane ausdrücklich im Hinblick auf das Geschichtliche ausgesprochen worden, das im Detail auch zuerst hervortritt; etwa, wenn Botho und sein Begleiter die Linden hinuntergehen:

Unter solchem Gespräche waren sie bei Hiller angelangt, wo der alte Baron bereits an der Glastür stand und ausschaute, denn es war eine Minute nach eins. Er unterließ aber jede Bemerkung und war augenscheinlich erfreut, als Botho vorstellte: „Leutnant von Wedell."[6]

In diesen wenigen Sätzen ist eine ganze Welt gleichsam abgekürzt enthalten, wie denn die Abbreviatur komplexer Realität zu Fontanes vorzüglichsten Eigenschaften gehört. Er übt sie auf sehr kunstlose Weise (*Unter solchem Gespräche waren sie* . . .), aber auch auf sehr kunstvolle. Zunächst scheint es, als ob das Warten an der Glastüre nur den ungeduldigen alten Herrn charakterisiere, einen wohlmeinenden Choleriker, der mit Bismarck auf dem Kriegsfuße steht. Aber der kleine Zug enthält mehr – die dem Preußen anerzogene Pünktlichkeit und die Lässigkeit einer jüngeren Generation; eine Gesinnung, die auch eine Minute des Aufhebens wert hält, aber großzügig genug ist, für diesmal darauf zu verzichten. Die Wendung *augenscheinlich erfreut* erklärt sich aus dem Zusammenhang der märkischen Geschlechter und der Anhänglichkeit an eine Uniform, die der Alte vor vierzig Jahren selbst getragen hat. „*Der Alte schwärmt noch immer für Dragonerblut mit Gold und ist Neumärker genug, um sich über jeden Wedell zu freuen*"[7], so expliziert Botho die Situation seinem Kameraden. Es ist mehr als Situation. Ein ganzer Stand mit seinen Vorstellungen und Lebenssphären deutet sich an, die Welt, aus der Botho kommt und die der gewaltige Bismarck – „*ein gewisser Kürassieroffizier aus der Reserve*"[8] – überholt hat. Eine andere Zeit kommt herauf, in der nicht mehr ein märkischer Junker den andren kennt, in der geschichtliche Erinnerung nicht mehr (wie bei dem Onkel) über mehrere Generationen zurückreicht, in der, kurz gesagt, das hier noch so gegenwärtige Preußische vergangen sein wird.

Vermutlich kam es Fontane darauf an, in dem Gespräch der drei Herren den von ihm erkannten Zustand geschichtlichen Übergangs zu zeigen. Schon die im Hofpredigerton der Wilhelminischen Zeit getane Äußerung Wedells *„nur der Reine darf alles"*[9] entstammt anderen, keineswegs festeren Überzeugungen und Gesinnungen, als sie der wackere Baron Osten hegt. Seine Abneigung gegen den Kanzler kommt nicht um des bloßen Zeitkolorits willen zur Sprache, so sehr sie den strengen Konservativen damals eigentümlich war. Sie bezeichnet zugleich den tiefen Bruch, den die Gründung des Reiches verursacht hat; was einmal galt, gilt nicht mehr lange, die einfachen Regeln früherer Staatsraison sind über den Haufen geworfen, und sogar ein Arnim (denn auf den Fall des Grafen Harry wird angespielt) kann wegen politischer Delikte vor den Richter gezerrt werden. *„Solchen Mann . . . aus unsrer besten Familie . . . vornehmer als die Bismarcks und so viele für Thron und Hohenzollerntum gefallen. . ."*[10] Die Klage des Junkers über Harry Arnim macht die außerordentlichen gesellschaftlichen Spannungen deutlich, vor deren noch kaum erkanntem Hintergrund die Liebe zwischen Botho und Lene scheitert. Botho wird sich Erfordernissen und Sitten unterwerfen, deren Kraft und Gültigkeit nicht mehr unbestritten sind, wie das schon der bloße Gedanke *„„wenn sie doch eine Gräfin wäre""*[11] verrät. Die von dem Baron Osten beklagten Neuerungen werden von den gleichen Kräften in Bewegung gesetzt, die jenen Gedanken möglich machen und dem biederen Agrarier die Berliner Luft verderben: *„Sie haben keine Luft hier. Verdammtes Nest."*[12] Insofern enthält das auf die Heiratspläne für Botho führende politische Gespräch in seiner Abkürzung einen ganzen Geschichts-Augenblick. Es vermittelt eine Wahrheit, die nach Meineckes Wort[13] der Zeitschriftsteller in besonderem Maße zu erfassen vermag, welcher weiß, was seine Zeit bewegt. Aber die derart einbezogene allgemeine Geschichte, in die wenigen Seiten eines Gesprächs verkürzt, bedarf zugleich der Beziehung auf das Kunstwerk selbst. Als Horizont der Erzählung mag sie zu seiner Wahrscheinlichkeit beitragen; wenn sie ihr zum Motor wird, erweist sie sich als notwendig.

Beides leistet die Unterhaltung im Restaurant, die damit weit über eine plausible Kulisse hinausgeht. Sie entspricht im kleinen der großen Forderung, welche Fontane mit aller Entschiedenheit vorgetragen hat: *der moderne Roman soll ein Zeitbild sein, ein Bild seiner Zeit.*[14] Es lohnt sich, zu beobachten, auf welche Weise der Autor diese Forderung realisiert, genauer gesagt, wie er sie aus dem stofflichen in den Bereich der Kunst überführt. Für sich genommen wäre das siebente Kapitel eine Art zeitgeschichtlicher Genreszene; doch ist es gerade dadurch ausgezeichnet, daß es nicht für sich genommen werden kann. Die von Stendhal durchgesetzte Aktualität wird den Bedingungen unterworfen, die ein vortrefflicher Kunstverstand als notwendig erkennt. Er ist entgegen der landläufigen Meinung auch am Klassischen geschult und beherrscht die von Fontane am ›Wilhelm Meister‹ so gepriesene *Kunst des Anknüpfens, des Inbeziehungbringens, des Brückenschlagens*[15]. Besäßen wir nur das siebente Kapitel, so hätten wir neben dem geschichtlichen auch ein hübsches kulturgeschichtliches Dokument. Man könnte ihm entnehmen, daß Hummer und Chablis bei einem solchen Treffen auf der Speisekarte standen; daß der Pfarrer sich mit dem Gutsherrn um Äcker stritt und wie vor alters als Hauslehrer anfing, um zum pastor loci zu arrivieren; daß man ein brauchbares Gut so wie Bothos Vater durch Spiel und unkluge Wirtschaft herabbringen konnte; daß es im Landadel noch üblich war, frühe Absprachen über die Ehen der Kinder zu treffen; auch die scheinbare Bagatelle, daß charmante Damen von Stand nach Norderney ins Bad fuhren.

All dies, oder beinahe alles, hat seine über das nur Geschichtliche hinausgehende Funktion im Roman. Das politische Gespräch, welches in das persönliche übergehen soll, verursacht Wedells pastorale Bemerkung über den „Reinen". Sie bringt in einleuchtender Assoziation dem Baron seinen Pfarrer in den Sinn, an welchen sich wiederum Botho erinnert: „*Du wirst schon nachgeben in der Pfarrackerfrage . . . Kenn' ich doch Schönemann* (den Pfarrer) *noch von Sellenthins her.*"[16] Eine Sellenthin – die Bemerkung war unvorsichtig, so sehr die Kette der Assoziationen das psychologische Bewußtsein des Lesers befriedigt –, Käthe Sellenthin also soll Botho heiraten. Nun kann der Baron ohne Gewalt endlich zum Thema kommen, und alles, was folgt, scheint nur noch dem eigentlichen Handlungsvorgang zugehörig. Aber gerade hier zeigt sich der Kunstcharakter erst recht. „*Du bist doch so gut wie gebunden*", hält der Alte seinem Neffen vor, erinnert ihn an die Vorzüge der Zukünftigen („*Eine Flachsblondine zum Küssen*") und sieht sich von Wedell unterstützt, der auf Norderney Gelegenheit zu eigenem Urteil erhielt: „*Die Sellenthinschen Damen sind alle sehr anmutig, Mutter wie Töchter . . .*"[17] Diese wenigen, auf zehn Zeilen verteilten Sätze, so harmlos und dem Moment verhaftet, haben ihren festen Platz im Kunstzusammenhang des Buches und helfen, ihn zu begründen.

Die *Kunst des Anknüpfens, des Inbeziehungbringens, des Brückenschlagens* kennt die verschiedensten Stufen, von der einfachen, rückerinnernden Wiederholung bis zum bedeutenden Geflecht der proportionierenden und Einsicht schaffenden Entsprechungen. „*Eine Flachsblondine zum Küssen*" ist zunächst bloße Beschreibung, allerdings im Kasinoton, den der Onkel keineswegs verloren hat. Die Wendung kehrt wenige Seiten später wieder, im Offiziersklub, als Wedell über Bothos *glänzende Partie* Rede stehen muß: „*Wundervolle Flachsblondine mit Vergißmeinnichtaugen . . . mit vierzehn schon umkurt und umworben.*"[18] Die simple Wiederholung stempelt Käthe ab, noch ehe sie auftritt. Sie macht sie zum Objekt sozusagen fachmännischer Betrachtung und nimmt ihr die Individualität, von der Lene so bestimmt ist. Zu Käthe, niemals zu Lene, wird Botho sagen können: „*Puppe, liebe Puppe*"[19]. Zugleich deutet sich in der Wiederkehr des terminus technicus die Redeweise einer ganzen Gesellschaftsschicht an, ein wenig von ihrem Verhältnis zur Frau, im ganzen genommen sogar eine Hindeutung auf den Zustand *konventioneller Lüge*, der *Heuchelei* und des *falschen Spiels*[20], gegen die Fontane sein Buch gerichtet wissen wollte. Der Dichter weiß, aufs Maul schauend, nicht nur den spezifischen Jargon der Offiziere wiederzugeben, schöner und lebendiger noch den des Berliner Volkes. Das geschieht nicht um eines „realistischen Ticks" willen und ist von jeglichem naturalistischen Selbstzweck weit entfernt. In der sprachlichen

Schichtung drückt sich die gesellschaftliche aus, die Bothos und Lenes Schicksal bestimmt; die rückerinnernde Wiederholung führt sie dem Leser vor, so wie der Hinweis auf Norderney viel mehr als ein Hinweis auf die Reisegewohnheiten der höheren Kreise ist.

Er nimmt einen Ton auf, der schon vorher erklungen war. Botho, der als Märker mit schlichten Leuten wohl umzugehen weiß, hat in der warmen Stube der Frau Nimptsch zum Entzükken der ganzen Versammlung eine vornehme *Tischunterhaltung* nachgeahmt. „ . . . *denke dir also“*, so sagt er zu Lene, „*du wärst eine kleine Gräfin.“*[21] Und dann stürzt er sich in einen Redeschwall über *Reisewetter* und *Sommerpläne*, führt die konventionellen Wechselreden vor („ . . . *gnädigste Komtesse, da begegnen sich unsere Geschmacksrichtungen . . . sächsische Schweiz! Himmlisch, ideal!“*[22]) und ahnt noch nicht, daß ihm seine eigene Frau in nicht zu ferner Zeit aus dem nicht minder modischen Schlangenbad in den gleichen Tönen schreiben wird. Wenn Wedell von den Sellenthinschen Damen sagt: „ . . . *ich war vorigen Sommer mit ihnen in Norderney . . .“*[23], so stellt sich die Beziehung zu der Bade-Unterhaltung von selbst her, und Lenes erstaunt-erschreckter Ausruf „*Und so sprecht ihr!“*[24] findet seinen verspäteten Widerhall in Bothos Betrachtungen bei der Lektüre von Käthes Reisebriefen: „ *Welch Talent für die Plauderei! . . . Aber es fehlt etwas. Es ist alles so angeflogen, so bloßes Gesellschaftsecho.“*[25] Dieser Satz aber weist zurück auf die Charakteristik der feinen Konversation, die Botho für Lene, Frau Nimptsch und die höchlich erheiterte Frau Dörr bereithielt: „ . . . *eigentlich ist es ganz gleich, wovon man spricht . . . Und ‚ja‘ ist gerade so viel wie ‚nein‘.“ „Aber,“* sagte Lene, „*wenn es alles so redensartlich ist, da wundert es mich, daß ihr solche Gesellschaften mitmacht.“*[26] Die außerordentliche Genauigkeit der derart im Roman verborgenen Anspielungen und Beziehungen wird leicht von ihrer gelegentlichen, immer wohlbegründeten und überaus echten Erscheinungsweise verdeckt. Man findet sich an das Netz von Korrespondenzen erinnert, mit denen Goethe den Hergang der ›Wahlverwandtschaften‹ begreiflich zu machen suchte. Allein es besteht ein wichtiger Unterschied zwischen dem klassischen und dem neueren Werk, nicht so sehr in der Technik als in dem, was sie zu bewirken und zu offenbaren vermag. In beiden Fällen kommen die Worte und Dinge, an welchen sich Zusammenhänge realisieren, mit Notwendigkeit vor; das heißt, sie sind nicht allein um der Entsprechung, sondern auch um der Handlung willen da, sie bewirken Geschehen und machen die Veränderungen deutlicher, denen die Personen sich ausgesetzt sehen. Im Falle von ›Irrungen, Wirrungen‹ dienen sie überdies dazu, mit einem Minimum von Mitteln ein Maximum historischer Wirklichkeit zu entwerfen; das Gelegentliche gewinnt durch den Kunstcharakter Leben. Fontane nannte dies in bescheidener Formulierung *den berlinschen* „flavour" *der Sache*. Und er tat sich viel zugute *„auf die tausend Finessen* . . . , *die ich dieser von mir besonders geliebten Arbeit mit auf den Lebensweg gegeben habe"*.[27]

Es sind mehr als Finessen, und sie rechtfertigen die Liebe des Lesers wie des Autors, wenn sie zum Besonderen des Geschichtlichen noch die in der Erzählkunst so selten erlangten Qualitäten hinzugewinnen, die das Wort „symbolisch" mit allzuviel Betonung umschreibt. Auch davon findet sich ein Beispiel in dem kurzen Stück verborgen, das aus dem Tischgespräch im Restaurant angeführt wurde. *„Du bist doch so gut wie gebunden"*, lautete eines der nachdrücklichsten Argumente des Onkels gegen den Neffen. *„Nun bist du gebunden"*[28], sagt Lene am glücklichsten ihrer Tage, als sie dem Geliebten einen Strauß gibt, den eines ihrer Haare zusammenhält. Sie hatte sich aus einer Furcht gesträubt, die Botho vergebens als abergläubisch abzutun versuchte, denn „ „Haar *bindet"* "[29]. Lange Zeit später, als das Glück längst vergangen ist, erinnert sich Botho des letzten schönen Tages, der letzten glücklichen Stunde und seiner Bitte, den Strauß zu binden. „ *. . . warum bestand ich darauf? Ja, es gibt solche rätselhaften Kräfte, solche Sympathien aus Himmel oder Hölle und nun bin ich gebunden und kann nicht los."*[30] Der Leser weiß, daß er sich entschließt, ein Ende damit zu machen, Strauß und Briefe auf seinem kleinen Herd zu verbrennen, dem die lebensvolle Wärme des Herdes der alten Frau Nimptsch fehlt. Die Sätze sind berühmt, die Botho spricht, als die kleine Flamme verlischt: *„Ob ich nun frei bin? . . . Will ich's denn? Ich will es* nicht. *Alles Asche. Und* doch *gebunden."*[31] Die Verhältnisse des Lebens haben ihr Recht gefordert, und Botho

hat sich ihnen gebeugt, wie sich unter erregenderen Umständen
Isabel Archer gebeugt hat. Die Liebesgeschichte ist zu Ende, und
die Geschichte eines Lebens an Käthes Seite zu erzählen, entbehrt
des Interesses. Aber was heißt zu Ende? „ . . . *ich will ein Ende
damit machen. Was sollen mir diese toten Dinge . . .*"[32], hatte Botho
noch eben gesagt und wenig später die Kraft des Bandes empfun-
den, das schon verbrannt war. Denn die Dinge sind nicht tot, mit
denen sich ein Schicksal identifiziert hat. Auf die zarteste Weise
wird erkennbar, daß sich auch in ›Irrungen, Wirrungen‹ eine
Tragödie abspielt. Sie fällt ihr ironisches Urteil über den Helden
in dem einfachen Satz: „*Gideon ist besser als Botho.*"[33]

Aber ehe es dahin kommt, bietet Fontane dem Leser genug
Gelegenheit, die Ursachen kennenzulernen, welche die Konsequenzen in Gang setzen, und die als realistisch gern gerühmten
Realien entfalten dabei ihre ganze poetische Verweisungskraft,
so wie Strauß und Band. Das Buch enthält zahllose Spiegelungen,
die zuweilen nur ein sanftes erinnerndes Licht aufsetzen, zuweilen ein scharfes und enthüllendes werfen, manchmal aber den
Blick in die ganze verdämmernde Lebenstiefe locken. Die Liebes-
innigkeit ist unverkennbar, wenn Lene anfangs sich durch Botho
eine schöne Erdbeere vom Mund pflücken läßt. Viel später, als
der Ausflug nach Hankels Ablage durch die Dazwischenkunft
der anderen Offiziere mit ihren zweifelhaften Damen schließlich
mißglückt, sagt eine von ihnen zu Lene: „*Aber da sind ja noch
Erdbeeren . . . Die steck' ich ihm dann in den Mund, und dann freut er
sich.*"[34] Dieselbe Handlung ist nicht dieselbe; die beinahe pro-
fessionelle Routine läßt die Gartenszene erst in ihrer Unschuld
erscheinen – so denkt man. Aber dann macht die Wiederholung
klar, daß dieselbe Handlung auch dieselbe ist. Die ganze frag-
würdige Endlosigkeit des Liebeswesens zeigt sich an, das ewig
Gleiche, vor dessen beängstigender Repetition das einzelne
Schicksal gleichgültig wird. Von solchen Erwägungen steht nichts
in dem Roman, der wohl die volkstümlichen Gemeinplätze liebt
(und ihnen oft ihren Sinn zurückgibt), nicht aber die Reflexion. „*Zuletzt ist einer wie der andere*"[35], „*Aber die Menschen waren
damals so wie heut*"[36], „*Aber die Länge hat die Last. So von fuffzehn
an und noch nich 'mal eingesegnet*"[37] – das sind die in ›Irrungen,

Wirrungen‹ zugelassenen Lebensweisheiten. Sie sind möglich, weil das Volk so spricht und die anspruchslose Richtigkeit des Gesagten mit der geschichtlichen Richtigkeit der Art, wie es gesagt wird, zusammentrifft. Es kommt Fontane auf den „*flavour*" der *Sache* an, auf die natürliche Leichtigkeit, mit der sie gesagt wird. Sie ist nie so groß, als wenn durch die bloßen Dinge im Leben angedeutet wird, was im Begriff das Leben verliert.

Im Zusammenhang solcher bedeutenden Realien sind die Erdbeeren ein verhältnismäßig grobes Beispiel. Fontane ist ein Meister der Kunst, das Schwere leicht und das Irdische auf eine menschlich-geistreiche Weise erscheinen zu lassen, ohne ihm die Realität zu nehmen. Er erhält dieser eine gewisse objektive Neutralität, welche sie unbestimmt bleiben läßt, solange sie nicht in die Perspektiven menschlichen Schicksals gerät. Dann fängt sie auf ihre eigentümliche Weise an zu sprechen, stimmungsvoll (was nicht sentimental heißt) und unbestimmbar – was nur heißt, daß der Dichter nicht mit bloßen Worten spricht. Für diese Redeweise gilt allgemein, was Fontane im Hinblick auf die Landschaftsdarstellung bei Scott und Alexis im besonderen gesagt hat: . . . *das Unbestimmte darf nicht das Produkt der Ohnmacht, es muß das Resultat feinsten Empfindens sein.*[38] Worauf es ankommt, das steht nicht auf den Zeilen, und es wird nicht formuliert. Es wird angedeutet, und ganze Kapitel leben von Andeutungen. Das Neunte ist von solcher Art, wenn es erzählt, wie Lene und Botho mit Frau Dörr den Feldweg nach Wilmersdorf gehen. Wiederum wird auf engem Raume *ein eigentümliches Vorstadtsleben*[39] zum Genrebild, ohne daß dies der Zweck des Dichters wäre. Wiesengrün und Nesseln, Teppichgerüste und der *Schutt einer Bildhauerwerkstatt*[40], Sumpf, Fernblick, Korn- und Rapsfelder, eine *Kegelbahntabagie*[41] und ihre Geräusche produzieren ein überzeugendes Ganze – „*Ja, das ist das Leben*". Aber eigentlich Leben gewinnt es durch die Beziehung auf Lene, deren Anmut, Tiefe und Heiterkeit sich darstellen, indem die Menschen sich an den Dingen explizieren.

Vor allem hilft die naive Redseligkeit der Frau Dörr dazu, denn die Sachen erscheinen nicht in statuarischem Symbolismus, welcher etwa einem Kranz die ganze zudringliche Würde eines poetischen Mittels zudiktiert, sondern sie treten in lebendige Relationen zu menschlichen Situationen und Gefühlen, welche Anspielungen ermöglichen und potentiellen Sinn hervorrufen. „*Jott, das macht immer so viel Spaß* (so sagt Frau Dörr beim Butterblumen-Pflücken), *wenn man den einen Stengel in den andern piekt, bis der Kranz fertig is oder die Kette.*"[42] Die harmlose Bemerkung verschafft der empfindlichen Lene wieder eine ihrer *kleinen Verlegenheiten*[43], nicht zuletzt durch die Formulierung. Das „*Nun bist du gebunden*" wird von ihr antizipiert und zugleich die Hoffnungslosigkeit, jemals für Botho den Brautkranz zu tragen. In knappster Abbreviatur wird die Assoziation Jungfernkranz möglich, und die Heldin, die gerade wegen der Leidenschaftlichkeit ihres Gefühls nichts mehr unschuldig zu hören vermag, drängt weiter: „*Aber nun kommen Sie, Frau Dörr; hier geht der Weg.*"[44] Aus dem realen Feldweg selbst wird ein andeutendes Lokal. Kurz vorher, in anderen Verlegenheiten, angesichts so verfänglicher Themen, wie sie Sprungfedern und Störche darstellen, hieß es: „*Wir müssen am Ende doch wohl umkehren*", *sagte Lene verlegen, und eigentlich nur, um etwas zu sagen.*[45] Schon durch die Lösung solcher Stellen aus ihrem Kontext verändert sich das Gewicht der Zitate und gewinnt eine Schwere, die ihnen „in Wirklichkeit" fehlt, wo sie funktionierender Teil eines einfachen Vorgangs sind. Das Mädchen, dessen Empfindlichkeit ins Ausgelassene umschlägt, wettet bei der Kegelbahn mit dem Liebsten, „*daß ich, wenn ich die Kugel bloß aufsetzen höre, gleich weiß, wieviel sie machen wird*"[46]. Zwischen Verlust („*Sandhase*"[47]) und Gewinn („*Alle neune*"[48]) erstreckt sich die richtige Prognose; Lene weiß, was gespielt wird. Der ruhige Spaziergang, der eben noch zwischen Weitergehen und Umkehren schwankte, endet im übermütig kommandierten „*Parademarsch . . . frei weg*"[49]. Aber die imitierte kraftvolle Zielstrebigkeit läuft in *Weichheit und Rührung*[50] aus. Man will singen, naheliegende, gefühlvolle Lieder, deren Inhalt zumeist über dem Gesang vergessen wird. *Morgenrot* wird von Lene verworfen: „„*Morgen in das kühle Grab*', das ist mir zu traurig. Nein, singen wir: ,Übers Jahr, übers Jahr' oder noch lieber: ,Denkst du daran'.*"[51]

Der Leser weiß wiederum, was übers Jahr sein wird – nur noch Erinnerung an den vergänglich glücklichen Moment. Lene und

Botho ahnen es voraus, und der Dichter mit der ihm eigenen andeutenden Genauigkeit wird das Lied nochmals anklingen lassen, wenn der verheiratete Botho weit hinaus auf den Vorstadtfriedhof fährt, um der alten Frau Nimptsch den in glücklichen Tagen versprochenen Immortellenkranz auf das Grab zu legen. Das schwarzgekleidete Fräulein, das ihn verkauft (sie hat mit ihrer Gärtnerschere *etwas ridikül Parzenhaftes*[52]), versäumt den Hinweis nicht: *„Immortellenkränze sind ganz außer Mode"*[53], als ob Dinge, die so viel sagen, außer Mode kommen könnten. Fontane ist der einzige deutsche Erzähler nach Goethe, dem es gelingt, in ihnen zeichenhafte Kräfte zu wecken, ohne ihnen die scheinbare Zufälligkeit der natürlichen Erscheinung zu nehmen. Aber sie haben eine Dimension mehr, als sie Goethe gewähren konnte. Sie stehen in geschichtlichem Zusammenhang und sind Teile einer komplexen, einmaligen und wiedererkennbaren Realität, so sehr, daß ein Fontanescher Roman die Vergegenwärtigung einer vergangenen Lokalität und Epoche zuwege bringt. Weg und Kranz, Band, Feuer und Herd zeigen an, worum es in der Liebe von Botho und Lene eigentlich geht: um einfachste und menschlichste Verhältnisse. Ganz unvermerkt – bewußt verhüllt von ephemeren Erscheinungen und Vorgängen – werden Zeichen noch einmal im gegenwärtigen Leben fruchtbar, die man längst in Volkslied und hoher Poesie verbraucht oder in Träume und Gassenhauer verdrängt geglaubt hätte. Fontanes Credo, daß die Wahrheit im Detail liege, gewinnt einen alles andre als „realistischen" Nebensinn, sobald man die enthüllende, verweisende und schon durch die Wiederholung Verhältnisse schaffende Funktion der Einzelheiten im Kunstzusammenhang wahrgenommen hat.

Von Spielhagen, den Fontane als Theoretiker schätzte, gibt es einen Aufsatz mit der Überschrift ›Die Wahlverwandtschaften und Effi Briest‹. Das Thema überrascht am Ende des 19. Jahrhunderts, welches Goethes Alterswerk so oft verkannt und das Fontanesche nicht eigentlich erkannt hat. Goethe wird wegen der *Unarten einer falschen Technik* gerügt, Fontane vergleichsweise gelobt, weil er sich *von Manier und Künstelei glücklich befreit hat*[54]. Lob und Tadel aber werden durch die Überlegung wieder einigermaßen aufgewogen, daß man Kinder und Sperlinge fragen müsse, wie Kirschen schmecken, die Zeitgenossen jedoch, wie ein Roman munde. Das vom Historismus bestimmte Bewußtsein wirft das Problem auf, ob nicht Goethes Zeitgenossen für wahr und wirklich gehalten haben könnten, was der nun schon lange vergangenen Gegenwart der achtziger Jahre als unnatürliche Manier erscheinen wollte. Indem Spielhagen so den *realistischen Dichter* gegen den *idealistischen*[55] ausspielt, wird ein wichtiger Sachverhalt gesehen, ein nicht minder wichtiger aber verkannt. Zwischen den ›Wahlverwandtschaften‹ und ›Effi Briest‹ (und man könnte ebensowohl ›Irrungen, Wirrungen‹ zum Vergleich einsetzen) liegt die ganze Entwicklung beschlossen, die dies Buch dem Leser in einigen Stationen gewiß nicht vollständig anzudeuten sucht. Die Einzelheiten der empirischen und das spezifische Totale der geschichtlichen Welt werden kunstwürdig. Psychologische Zusammenhänge und der Gesichtspunkt der Wahrscheinlichkeit gewinnen ein Ansehen, das sie vorher nicht gehabt haben oder nicht haben konnten. Die Objektivität der Erzählkunst – für den Zeitgenossen Fontanes von unzweifelhaftem Wert – erlangte eine Macht, die sich in den Theorien des Naturalismus selbst ad absurdum führte, in Sätzen wie Zolas von der *méthode scientifique appliquée dans les lettres*[56]. Aber schon waren Proust und Joyce geboren, um eine ganz andere Epoche zu eröffnen, welche sich von den *Errungenschaften der modernen Erzählungskunst*[57] (Spielhagen) viel weiter entfernen sollte, als Fontane je von Goethe entfernt war.

Denn der Sachverhalt, der damals dem Blick noch verstellt war, besteht in der einfachen Tatsache, daß bei aller in die Augen springenden Unvergleichbarkeit zwischen den ›Wahlverwandtschaften‹ und ›Irrungen, Wirrungen‹ dennoch eine echte Verbindung erkennbar ist. Sie liegt gewiß nicht im Bereiche der sogenannten „Einflüsse“, und Fontane hat auch, so sehr er Goethes *Kunst des Anknüpfens, des Inbeziehungbringens, des Brückenschlagens* bewunderte, so manches Fehlurteil seiner Zeit über den größeren Dichter sich zu eigen gemacht. Sie liegt vielmehr in dem noch von der Klassik bestimmten Kunstbewußtsein des zu Ende gehenden bürgerlichen Zeitalters, das ohne einen – ebenfalls zu Ende gehenden – Begriff von Sittlichkeit nicht zu denken ist. *Es ist so manches*

hineingelegt, das wie ich hoffe den Leser zu wiederholter Betrachtung auf-
fordern wird[58], hatte Goethe 1809 an Cotta bei Übersendung seines Manuskripts geschrieben und noch nach zwanzig Jahren
Eckermann das Wort gesagt, es stecke mehr darin, *als irgend je-*
mand bei einmaligem Lesen aufzunehmen imstande wäre[59]. Fontane hingegen hat sich (der Satz wurde schon zitiert) gegen den Redak-
teur Emil Dominik der „*tausend Finessen*" gerühmt, „*die ich dieser von*
mir besonders geliebten Arbeit mit auf den Lebensweg gegeben habe". Die
Gemeinsamkeit liegt im Kunst- und Verweisungscharakter der
Realien und in den Konsequenzen einer Handlung, die mit ihrer
Hilfe dargestellt werden. ›Irrungen, Wirrungen‹ ist in vieler Hinsicht mit dem älteren Kunstwerk der Form nach verwandt, ja es
teilt sogar den Grundstoff mit ihm: „ . . . *es gibt solche rätselhaften*
Kräfte, solche Sympathien aus Himmel oder Hölle und nun bin ich gebun-
den und kann nicht mehr los." Auch in ›Irrungen, Wirrungen‹ wird
der Zusammenstoß einer rätselhaften, ursprüngliche Sympathien
erregenden Macht mit den Geboten der Sitte zum Gegenstand,
auch hier geht es um die Folgen der Handlungen. In beiden Fällen ist das Ende tragisch, wenn dies auch manchem Leser des
neueren Romans entgehen mag. Denn wo dort das Verhängnis
in dämonischer Weise hervortritt und sich schrecklicher Zeichen
und vernichtender Zufälle bedient, ist hier alles herabgestimmt
auf den vernünftigen Ton einer sich für aufgeklärt haltenden Zeit
und in das Licht einer Geschichte gerückt, welche an die Stelle
einer heroischen Vernichtung den Untergang durch die alltägliche Nichtigkeit setzt.

Der tragische Vorgang ist also verflacht, aber er ist nicht geschwunden. Er hat seinen Charakter geändert, nicht sein Ergebnis. Botho lebt mit seiner *Puppe* weiter und Lene („ . . . *sie hatte*
die glücklichste Mischung und war vernünftig und leidenschaftlich zu-
gleich"[60]) mit einem älteren, zwar redlichen, aber sektiererischen
Mann. Die Gestalt Gideon Frankes ist meisterhaft, weil sie möglich und abwegig ist und weil das Abwegige zu niemand weniger „paßt" als zu Lene. Zugleich ist der bei Goethe noch an das
Übernatürliche grenzende Raum des Geschehens auf eine bürgerliche Enge reduziert. Die sozialen Gebote, welche der himmli-
schen oder höllischen *Sympathie* zum Trotz die Vereinigung der

Liebenden unmöglich machen, sind ein Ausdruck gegenwärtig geltender Konventionen. Sie entstammen nicht mehr ewig gültigen Gesetzen, die der Mensch in sich trägt. Die Alternative, die in den ›Wahlverwandtschaften‹ zwischen übermenschlichen Mächten bestand, lautet jetzt so, wie sie Botho gegen Rexin formuliert: *„Spielen Sie den Treuen und Ausharrenden oder was dasselbe sagen will, brechen Sie von Grund aus mit Stand und Herkommen und Sitte, so werden Sie, wenn Sie nicht versumpfen, über kurz oder lang sich selbst ein Gräuel und eine Last sein . . ."*[61] Der Hinweis auf Stand und Herkommen weist auf den geschichtlichen Charakter der Sitte. Nicht absolute, sondern relative Maßstäbe gilt es abzuwägen. Für Botho wie für Fontane selbst geht es um ein Sichabfinden mit dem Herkömmlichen, das man mit „Moral" nicht verwechseln sollte. Die gegenwärtig geltenden Bedingungen, nach denen sich das Leben ordnet, das ist die Sitte. *„Die Sitte gilt und muß gelten." Aber daß sie's muß, ist mitunter hart. Und weil es so ist, wie es ist, ist es am besten: man bleibt davon und rührt nicht dran. Wer dies Stück Erb- und Lebensweisheit mißachtet – von Moral spreche ich nicht gern –, der hat einen Knax für's Leben weg.*[62]

Unter den so auf einen säkularen, historischen Bereich verengten Voraussetzungen läuft der gemilderte tragische Vorgang ab. *„Denn alles hat seine natürliche Konsequenz, dessen müssen wir eingedenk sein. Es kann nichts ungeschehen gemacht werden . . ."*[63] Die Konsequenzen in den ›Wahlverwandtschaften‹ waren, so sehr es sich um die eine Natur handelte, zugleich übernatürlicher Art, insofern eine unbegreifliche höhere Hand in ihnen sichtbar wurde. Fontane dagegen legt auf die *„natürlichen Konsequenzen"* so viel Wert, daß er die Wendung in einem Brief an den Sohn Theodor ausdrücklich wiederholt.[64] Sie resultieren aus übersehbaren Bezirken: *„ . . . die Verhältnisse werden ihn zwingen . . . Es tut weh, und ein Stückchen Leben bleibt dran hängen"*[65], so sagt Wedell schon früh von Botho, der selbst den Vorgang in die Worte faßt: *„Und dann kam das Leben mit seinem Ernst und seinen Ansprüchen. Und das war es, was uns trennte."*[66] Das Leben als die Summe der sozialen, historischen und auch psychologischen Konditionen hat die Rolle des Verhängnisses übernommen, welches erklärbar oder wenigstens erklärbarer erscheint. Sie werden von Lene und Botho akzeptiert, wie Ottilie und Eduard ihr Schicksal hinnehmen: *So muß Ottilie* καρτεϱieren, *und Eduard desgleichen, nachdem sie ihrer Neigung freien Lauf gelassen. Nun erst feiert das Sittliche seinen Triumph.*[67] In ›Irrungen, Wirrungen‹ gibt es keinen wie immer gearteten Triumph, so wie es überhaupt kein Äußerstes gibt. „*Es hilft nichts. Also Resignation. Ergebung ist überhaupt das Beste. Die Türken sind die klügsten Leute.*"[68] Der Satz verliert nicht, sondern gewinnt ein für Fontane bezeichnendes Gewicht dadurch, daß Botho ihn spricht, als er vergeblich eine Fliege gejagt hat – „*Diese Brummer sind allemal Unglücksboten . . .*"[69] Aus der historischen Welt scheinen die Dämonen gewichen, die natürlichen Dinge haben ihre irritierende Funktion übernommen. Der Dichter zeigt das Leben in mildem Licht und kann sich darauf beschränken, Ursache und Wirkungen mit Ruhe vorzuweisen. Vierzehn Tage hat Fontane im Mai des Jahres 1884 in Hankels Ablage verbracht, um den Ort an der wendischen Spree zu studieren und acht Kapitel seines Romans zu schreiben. Von dort aus faßte er zusammen: *Meine ganze Produktion ist Psychographie und Kritik, Dunkelschöpfung im Lichte zurechtgerückt.*[70]

Psychographie und Kritik – damit ist ein wichtiger Unterschied im Verfahren des jüngeren Autors bezeichnet, und man könnte einwenden, daß er die Behauptung hinfällig mache, auch ›Irrungen, Wirrungen‹ habe tragische Züge. Wo der Zusammenhang der seelischen Vorgänge evident wird und ein kritisches Vermögen die Bedingungen gegenwärtiger Realität analysiert, fehlen *die Spuren trüber, leidenschaftlicher Nothwendigkeit*[71], welche bei Goethe bewirken, *daß es zu bösen Häusern hinausgehn muß*[72]. Von Anfang an weiß Lene, daß ihr Glück geborgt und vergänglich ist, und Botho nicht minder. Auch wird das von Fontane bei aller moralischen Toleranz sehr hoch geachtete Band der Ehe nicht verletzt, die Kollision zwischen den natürlichen Kräften ursprünglicher Sympathie und den nicht minder ursprünglichen sittlichen Bindungen findet nicht statt – so scheint es. „In Wirklichkeit" verhält es sich anders. An die Stelle des Prinzips der Ehe ist die geschichtliche Gesellschaft getreten, das, was man tut und läßt als ein zu bestimmter Zeit Schickliches. Es gibt kein Ausbrechen aus der eigenen Zeit. Mit Ottilie war das Schickliche geboren, hier ist es ein Produkt aus Tradition und Gegenwart, wodurch es dem Dichter gewiß nicht herabgewürdigt erschien. „Psychographie" und historische Kritik als die vom Jahrhundert der Erzählkunst hinzugewonnenen Dimensionen haben nur deren Aktionsradius erweitert. *Natürlich kann man eine höhere Idealität der Gemüther ebensowenig wieder herbeizaubern wie die „Religiosität", die der gute alte Wilhelm seinem Volke wiedergeben wollte...*[73] So geschieht denn die Schuld, ohne die das Wort tragisch des Sinnes entbehren würde, nicht als ein Verstoß gegen höhere Ordnungen, auch nicht als Verletzung jener sozialen Schicklichkeit allein. Es gibt nur ein vollkommenes, von Botho gegen Rexin formuliertes Gebot: „*Vieles ist erlaubt, nur nicht das, was die Seele trifft, nur nicht Herzen hineinzuziehen und wenn's auch bloß das eigne wäre.*"[74] Aber solange es „*solche rätselhaften Kräfte, solche Sympathien aus Himmel oder Hölle*" gibt, ist das Herz schon hineingezogen und das Gebot unausweichlich verletzt. Deshalb ist auch ›Irrungen, Wirrungen‹ ein *tragischer Roman*[75] und seine Sühne ein Leben „*ohne Glück*"[76]. Lene, die das früher und klarer gesehen hat als Botho, weiß das Fehlen des Glückes wie die Schuld zu temperieren: „*Ich habe dich von Herzen liebgehabt, das war mein Schicksal, und wenn es eine Schuld war, so war es meine Schuld. Und noch dazu eine Schuld, deren ich mich, ich muß es dir immer wieder sagen, von ganzer Seele freue, denn sie war mein Glück. Wenn ich nun dafür zahlen muß, so zahle ich gern.*"[77] Psychographie und Kritik haben auch die felix culpa in ihre Welt einbezogen, *Dunkelschöpfung im Lichte zurechtgerückt.*

Bothos Gebot lebt von der Überlieferung klassischer Sittlichkeit, die einer Welt der Bedingtheiten angepaßt wurde. Der Roman lebt noch von klassischen Form-Vorstellungen. Auch Fontane versucht, mit den überlieferten Mitteln ein Ganzes zu bewerkstelligen, und verfährt mit der äußersten Gewissenhaftigkeit gegen die Kunst, der Goethe die Natur untergeordnet wissen wollte. Es gelingt ihm gleichsam, die geschichtliche Welt in der Kunstwelt aufzuheben – die höchste Annäherung zwischen *Naturwirklichkeit* und *Kunstwahrheit*[78], deren die deutsche Literatur fähig war, ist hier erfolgt. Der Kunstcharakter der Wirklichkeit wird durch die dauernde Beziehung der Erscheinungen auf das Kunstganze des Romans ermöglicht. Fontanes Kunstsinn meidet den Fehler, den er manchem Zeitgenossen vorzuwerfen hatte, der *nur das einzelne sieht, nicht die Totalität,* oder dem das *einheitliche oder Einheit schaffende Band fehlt*[79]. Das Band besteht für ihn nicht im Zusammenhang der Handlung, sondern in dem ganzen Reichtum der Beziehungen, der von Dingen und Worten hergestellt wird und den die Summe der Teile weit übertreffenden *Totaleindruck* hervorruft. Die Strenge des Verfahrens ist groß und von der Aktualität der Gegenstände nicht beirrt, welche der Dichter wollte und liebte. Aber sie waren ihm im einzelnen nur Mittel und ihre Richtigkeit untergeordnet der höheren Wahrheit, mit der die geschichtliche *Totalität* als Kunstganzes, als *Totaleindruck* hervortreten sollte. Das *Reportertum in der Literatur* betrachtete er zwar mit berufsständischem Respekt, aber es hatte nichts mit Kunst zu tun; die Wiedergabe wirklicher Welt war ihm der *erste Schritt,* kein Ziel, und die *Berichterstattung*[80] ein Fundament, nicht mehr, mochte sie noch so zutreffend oder gar berühmt sein, wie Zolas Schilderungen. Im Grunde verfuhr Fontane mit der seit Goethe so unerwartet differenziert erscheinenden Realität immer noch in Goethescher Weise. Auch er hätte sagen können, in ›Irrungen, Wirrungen‹ sei *kein Strich enthalten, der nicht erlebt, aber kein Strich so, wie er erlebt worden*[81].

Allerdings hat er allerlei bemerkenswerte Modifikationen dieses Satzes zu Papier gebracht, als er sich über die *besonders geliebte Arbeit* äußerte. Gegen Emil Schiff hat er hervorgehoben, was alles in dem Buche nicht mit der Realität übereinstimme – vermutlich könne man aus der Landgrafenstraße die Charlottenburger Kuppel gar nicht sehen, der alte Jakobikirchhof sei immer noch benutzbar, die Gewächse im Dörrschen Garten widersprächen der Jahreszeit und so weiter. Diese Abweichungen der Fiktion von der empirischen Wirklichkeit mochten in den achtziger Jahren bemerkenswert sein; heute sind sie gleichgültig, gemessen an der Merkwürdigkeit des Satzes: *alles was wir wissen, wissen wir überhaupt mehr historisch als aus persönlichem Erlebnis. Der „Bericht" ist beinah alles.*[82] Wohlgemerkt: wenn es um die Gewinnung der Materialien geht, die vorgeblich aus objektiveren Quellen bezogen werden, als sie die leidensvolle eigene Erfahrung fließen läßt. Mag hier ein im geschichtlichen Bewußtsein begründeter Unterschied zur Verfahrensweise der Goetheschen Imagination liegen, im Kunstverfahren ist der Unterschied geringer. Entsprechungen, Anspielungen und Spiegelungen, abwandelnde Wiederholung, symbolisches Lokal und bedeutende Realien werden von Fontane mit der gleichen strengen Ökonomie gebraucht, wiewohl mit den Farben seiner Gegenwart versehen. Und auch sie machen das *Kunstwerk* noch nicht aus. In der Besprechung eines lange vergessenen „naturalistischen" Romans entschlüpft Fontane noch eine weitere Voraussetzung, fremd und rührend in der Welt vor der Jahrhundertwende. Ein *Kunstwerk*, so meint er, entstehe erst, *wenn eine schöne Seele das Ganze belebt. Fehlt diese, so fehlt das Beste* [83]. Mit dem so unversehens verwandten Goetheschen Begriff ist der Dichter an die Grenze dessen gelangt, was man über die Poesie zu sagen vermag, und vermutlich auch an die Grenze eines Zeitalters, dessen Ende er wahrer dargestellt hat, als je ein Geschichtschreiber es vermöchte. Er wird ein Zeuge vergangener Menschlichkeit.

ÜBERSETZUNG FREMDSPRACHLICHER ZITATE

Die fremdsprachlichen Zitate wurden zum Teil unter Benutzung der folgenden deutschen Ausgaben übersetzt:

Von BAUDELAIRE bis SAINT-JOHN PERSE. Französische Gedichte und deutsche Prosaübertragungen. Ausgew. von Mayotte Bollack, übers. von Bernhard Böschenstein u. Jean Bollack. Frankfurt a. M. 1962 (Fischer Bücherei. 466).

Charles DICKENS, Große Erwartungen. Roman. Vollst. Ausg. Aus dem Engl. übertr. von Josef Thanner. München: Winkler-Verlag o. J.

Henry JAMES, Bildnis einer Dame. Roman. Dt. von Hildegard Blomeyer. Neuausg., erw. durch das Nachwort von Henry James. Köln, Berlin: Kiepenheuer & Witsch 1957.

Edgar Allan POE, Seltsame Erlebnisse des Arthur Gordon Pym aus Nantucket. Aus dem Amerikan. übertr. von Walter Widmer. In: Edgar Allan Poe, Erzählungen. Aus dem Amerikan. übertr. von A. von Bosse, M. Bretschneider, J. von der Goltz, H. Kauders u. W. Widmer, mit einem Nachwort vers. von John McCormick. München: Winkler-Verlag [1959].

STENDHAL, Rot und Schwarz. Chronik aus dem Jahr 1830. Übertr. von Walter Widmer. München: Winkler-Verlag o. J.

Alexis de TOCQUEVILLE, Das Zeitalter der Gleichheit. Eine Auswahl aus dem Gesamtwerk. Hrsg. von Siegfried Landshut. Stuttgart: Alfred Kröner Verlag 1954 (Kröners Taschenausgabe. 221).

III

S. 60: In Frankreich ist alles von Grund auf verändert

S. 61: Chronik aus dem Jahr 1830
indem sie das Porträt der Gesellschaft von 1829 entwarfen
. . . alle im Universum verstreuten Elemente von Angst und Schmerz wieder zu versammeln
Dreifach zerrissen also war das Leben, wie es sich nun der jungen Generation darbot: hinter ihr eine für immer zerstörte Vergangenheit, noch schwankend über ihren Trümmern, mit all den Fossilien der Jahrhunderte des Absolutismus; vor ihr die Morgenröte eines unermeßlichen Horizonts, der erste helle Schimmer der Zukunft . . .

S. 62: Die Gesellschaft verhält sich ruhig, nicht etwa, weil sie ein Bewußtsein von ihrer Kraft und ihrem Wohlstand hat, sondern im Gegenteil, weil sie sich für schwach und anfällig hält . . . wir haben aufgegeben, was der frühere Zustand an Gutem aufzuweisen hatte, ohne uns zu eigen zu machen, was der gegenwärtige Zustand an

*Förderlichem für uns bereit haben könnte; wir haben eine aristokratische Gesellschaft
zerstört und verweilen nun zufrieden mitten in den Trümmern des alten Gebäudes, in
denen, wie es scheint, wir uns für immer einrichten wollen.*

*In meiner Jugend schrieb ich Biographien (Mozart, Michelangelo), also eine Art Ge-
schichte. Ich bereue es. Die Wahrheit über die großen wie über die kleinsten Dinge
scheint mir fast unerreichbar, zumindest eine Wahrheit, die etwas detailliert ist.*

*. . . man kann das Wahre nur noch im Roman erreichen, (nur noch im Roman gibt es
Wahrheit). Ich sehe jeden Tag besser, daß es auf jedem anderen Weg eine Anmaßung
ist.*

die bittere Wahrheit

S. 63: *wenn ein Abschnitt vor 1789 unmöglich gewesen wäre
in der Darstellung seiner Zeit
. . . man muß die Einzelheiten im Buche selbst lesen und nicht-faßliche Nuancen
dort aufsuchen . . .
Verrières ist eines der anmutigsten Städtchen der Freigrafschaft, erbaut auf dem
Hang eines Hügels inmitten von Gruppen großer Kastanienbäume.
Eine Kleinstadt
Doch verdankt das Städtchen seinen Reichtum nicht den Sägereien, sondern einer Fa-
brik, die bunte, sogenannte Mülhauser Leinwand herstellt; nach dem Sturz Napoleons ermöglichte diese Wohlhabenheit, daß beinahe alle Hausfassaden in Verrières neu
errichtet wurden.*

S. 64: *Verrières ist in diesem Buch ein imaginärer, erfundener Ort, den der Autor als Typ
der Provinzstadt gewählt hat.
beim ersten Anblick findet man sogar . . .*

S. 65: *. . . daß sich die ganze Begabung dieses Mannes darin erschöpfe, pünktlich zu seinem
Geld zu kommen und im übrigen so spät wie nur möglich seinen eigenen Verpflichtun-
gen gerecht zu werden
Eine Hauptstadt
diesen jungen Kleinbürger vom Lande
Starr vor Bewunderung blieb er stehen. Zwar las er über den beiden riesengroßen Türen
in mächtigen Buchstaben die Aufschrift „Kaffeehaus", aber er traute seinen Augen
kaum.
. . . er trat beherzt ein. Er befand sich in einem dreißig bis vierzig Fuß langen Saal
mit einer wenigstens zwanzig Fuß hohen Decke.
Bild aus dem Provinzleben, zwar wenig liebenswert, aber wahrheitsgemäß dargestellt*

S. 66: *Julien stand regungslos vor Verwunderung da
. . . ich muß ihr die Wahrheit sagen, dachte Julien. Und er überwand seine Schüchternheit und wurde sogar mutig, so sehr nahm er sich zusammen. – „Madame, ich komme
zum ersten Mal in meinem Leben nach Besançon. Ich möchte gern gegen Bezahlung
ein Brötchen und eine Tasse Kaffee."*

S. 67: *wie der Held eines Hintertreppenromans*
all seine Fehler, alle bösen Regungen seiner vor allem sehr egoistischen, weil sehr schwachen Seele
Denn alles, was ich erzähle, habe ich mit angesehen. Und wenn ich mich auch täuschen konnte, als ich es sah, so täusche ich Sie gewiß nicht, wenn ich's Ihnen berichte.

S. 68: *. . . ein junger Bauernbursche, fast noch ein Kind, mit totenblassem Gesicht und ganz verweinten Augen. Er trug ein blendendweißes Hemd und unter dem Arm eine saubere Joppe aus violettem Wollzeug.*
„Ich heiße Julien Sorel, Madame. Ich zittere, weil ich das erste Mal in meinem Leben ein fremdes Haus betrete . . .“
Erst gestern hat mich mein Vater geschlagen. Wie glücklich sind doch diese reichen Leute!
Das war das einzige Buch, mit dessen Hilfe er sich die Welt vorstellen konnte.
solche Augenblicke der Demütigung, die Charaktere wie Robespierre und seinesgleichen hervorgebracht haben

S. 69: *„. . . wenn Sie Priester werden, bange ich um Ihr Seelenheil.“*
Auch hatte noch niemand mit einiger Sorgfalt die Lebensweise der Franzosen unter den verschiedenen Regierungsformen dargestellt, die auf ihnen während des ersten Drittels des 19. Jahrhunderts gelastet haben.

S. 70: *da ihn alle Leute als einen Schwächling geringschätzig behandelten*
. . . sie saß ganz allein in ihrem verhängten Wagen und hielt auf ihrem Schoß den Kopf des Mannes, den sie so sehr geliebt hatte.

S. 71: *von einer schwermütigen Pracht*

S. 72: *„Der König ist eine ehrwürdige und gewiß überaus feierliche und würdevolle Geistlichkeit gewöhnt. Ich möchte nicht gern, besonders weil ich noch so jung bin, allzu leichtfertig dreinsehn.“*
Zuviel Empfänglichkeit für die eitlen Gunstbezeugungen der Außenwelt!

S. 73: *Ein Philosoph hätte gesagt, und hätte sich vielleicht dabei geirrt: So ist der erschütternde Eindruck des Häßlichen auf eine Seele, die geschaffen ist, alles zu lieben, was schön ist.*

S. 74: *Worte hinzufügen . . . , um die Vorstellungskraft der Imagination zu unterstützen.*
. . . das ist ja das Interieur einer holländischen Küche!
ich finde das eng für eine Schreibart, der es um „Ideen“ zu tun ist

S. 76: „*Was wollen Sie hier, mein Kind?*"
Endlich sagte sie zu ihm: „*Können Sie wirklich Lateinisch, mein Herr?*"

S. 77: Die Wahlverwandtschaften
Sie wissen ein Herz nur zu rühren, indem sie es kränken. Ein Zeitgenosse.
So sind diese reichen Leute, sagte er sich. Zuerst demütigen sie unsereinen, und dann meinen sie, mit etwas heuchlerischem Getue könnten sie alles wiedergutmachen!

S. 78: Einsam leben! . . . Welche Qual! . . .
eine letzte Willensanstrengung, keine aus Liebe
todmüde von all den Kämpfen, die Schüchternheit und Stolz während des ganzen Tags in seinem Herzen ausgefochten hatten
. . . ich muß ihr Geliebter werden! Das bin ich mir selber schuldig.
wenig liebenswert, aber wahrheitsgemäß dargestellt

S. 79: In dieser seltsamen Lage kamen alle seine großen Charaktereigenschaften, die ihm die Zeitereignisse in seiner Jugend aufgeprägt hatten, wieder zur Geltung.
„*Ich bin kein Engel . . .*"
„*Unmensch!*"
„*Ein schlechter Mensch ist er nicht.*"
War wirklich aufrichtige, unvorhergesehene Liebe im Spiel und nicht gemeines Strebertum nach einer hohen Stellung?
„*Es gibt Augenblicke, in denen ich glaube, ich habe nie auf den Grund deiner Seele gesehen.*"
„*Ich weiß noch nicht, was dein Julien für ein Mensch ist, und du selber weißt es noch weniger als ich.*"
Ich kenne Julien nicht . . .

S. 80: aus dem Unbekannten in Juliens Wesen
Meinethalben! Ich werde, wie Medea, sagen: Inmitten all dieser Fährnisse bleibe doch ich mir.
an einen Menschen ganz anderer Art
. . . in dieser Einöde der Selbstsucht, Leben genannt, ist sich jeder selbst der Nächste.
Das Wort wurde dem Menschen gegeben, damit er seine Gedanken verberge.
Nun ist's vorbei mit aller Vernunft. Dieses Jahrhundert bringt alles durcheinander. Wir gehen dem Chaos entgegen.

S. 81: Ich habe die Wahrheit immer geliebt . . . Wo ist sie?
Die Wahrheit, die bittere Wahrheit!
Das Ende des Heidentums war durch den gleichen unruhigen, zweifelsüchtigen Geist gekennzeichnet, der im 19. Jahrhundert die traurigen und mißgelaunten Gemüter zur Verzweiflung bringt.

S. 82: Etwas wird den Leser in Staunen versetzen. Dieser Roman ist gar keiner. Alles, was er erzählt, geschah wirklich 1826 in der Umgebung von Rennes.
Was also bin ich gewesen? Ich wüßte es nicht zu sagen.

S. 107: die ihn „mit eigner Hand" aufgezogen
Biddy war nie beleidigend, nie launenhaft, nie heute so und morgen so.
„Ich bin dir deswegen wirklich nicht bös."

S. 111: „Hältst du nicht deinen Mund oder weichst du sonst im geringsten von meinem Auftrag ab, dann werden dir Herz und Leber aus dem Leib gerissen, gebraten und gegessen."

S. 112: „Mein Name . . . ist Jaggers, Rechtsanwalt in London."
Mein Traum war zu Ende; meine zügellose Phantasie war durch die nüchterne Wirklichkeit überboten . . .
„ . . . der Name der Person, die Ihr großzügiger Wohltäter ist, soll ein tiefes Geheimnis bleiben, bis diese Person gewillt ist, es zu enthüllen . . . es ist Ihnen verboten, nach dem Namen dieser Person zu forschen . . . Aus welchen Gründen Ihnen dies verboten ist, tut nichts zur Sache . . . Das hat für Sie keine Rolle zu spielen. Und diese Bedingung ist unumstößlich.

S. 114: Einmal hatte ich in einer unserer alten Marschkirchen ein Skelett gesehen, gekleidet in die restlichen Fetzen reicher Gewänder . . . Nun schienen Wachsfigur und Skelett dunkle Augen zu haben, die sich bewegten und mich anblickten.

S. 115: „Liebe sie! Liebe sie! Liebe sie! Wenn sie dir wohl will, liebe sie! Wenn sie dich verletzt, liebe sie! Wenn sie dir das Herz in Stücke reißt . . . liebe sie, liebe sie, liebe sie!"
„Es ist blinde Ergebenheit, fraglose Selbsterniedrigung, äußerste Unterwerfung, ungeteiltes Zutrauen, fester Glaube, der ganzen Welt zum Trotz – Aufopfern des ganzen Herzens und der ganzen Seele für den Menschen, der dich fesselt – so habe ich geliebt!"

S. 115/116: Mr. Jaggers' Zimmer war nur durch ein Oberlicht erhellt und war ein sehr elender Ort. Das Oberlicht war wie ein zerschlagener Kopf wunderlich geflickt, und die verschrobenen Nachbarhäuser sahen ganz so aus, als hätten sie sich nur verrenkt, um durch das Fenster zu mir hereinschauen zu können.

S. 116: Der Stuhl war mit traurigschwarzem Roßhaar gepolstert und wie ein Sarg ringsherum mit Messingnägeln beschlagen.

S. 117: Das Wetter war häßlich: stürmisch und naß, naß und stürmisch, und tiefer Schlamm, Schlamm, Schlamm in allen Straßen . . . und düstere Berichte waren von der Küste eingelaufen über Schiffbruch und Tod . . . ich sah, daß die Gaslampen im Hof unten ausgelöscht worden waren, daß die Lampen draußen auf den Brücken und an den Kais flackerten . . .

S. 118: . . . *auf dem Land waren Bäume entwurzelt und Windmühlenflügel vom Sturm fort-
gerissen worden* . . .
. . . *der Schlag fiel, und das Dach meiner Festung stürzte über mir zusammen.*

S. 119: . . . *flach und eintönig und mit dunstigem Horizont. Die Wasser des Flusses drehten
und drehten sich, die großen Bojen drehten sich mit den Wassern, und alles andere
schien gestrandet und bewegungslos.*
. . . *einige Leichter, die ganz so aussahen wie die erste rohe Nachbildung eines Boots
von Kinderhand, lagen tief im Schlamm; ein kleiner kurzer Leuchtturm erhob sich auf
freistehenden Pfählen wie auf Krücken und Stelzen krüppelhaft aus dem Schlamm;
und schleimige Pfosten ragten aus dem Schlamm, und schleimige Steine ragten aus dem
Schlamm, und rote Grenzzeichen und Strömungsbojen ragten aus dem Schlamm; ein
alter Landungssteg und ein Gebäude ohne Dach versanken im Schlamm, und alles
ringsum war Stillstand und Schlamm.*

*S. 120: Durch die glitzernden Regentropfen auf den Scheiben der hohen Gerichtsfenster fielen
die Strahlen der Sonne in den Saal und zogen zwischen den zweiunddreißig Verurteil-
ten und ihrem Richter einen breiten Lichtstreifen, der beide verband und vielleicht
manchen unter den Zuschauern daran erinnerte, daß einst beide* . . . *vor jenen größeren
Richter treten müßten, der allwissend ist und nicht irren kann.*

*S. 122: und sein Giebel war wie eine mit Kanonen bestückte Batterie geschnitzt und bemalt
,,Das ist eine richtige Fahnenstange, sehen Sie", sagte Wemmick, ,,und an Sonntagen
ziehe ich eine richtige Fahne hoch. Und sehen Sie hier. Sobald ich diese Brücke über-
schritten habe, ziehe ich sie hoch – so – und niemand kann mehr herüber."
,,Wenn ich in die Kanzlei komme, liegt meine Burg hinter mir, und komme ich heim
in meine Burg, liegt die Kanzlei hinter mir."*

S. 123: ,,Walworth und die Kanzlei haben nichts miteinander zu tun."

VI

S. 125: eines *analytischen* Romans gab
*Ich heiße Arthur Gordon Pym. Mein Vater war ein angesehener Kaufmann, der in
Nantucket, meiner Geburtsstadt, mit Schiffahrtsartikeln handelte.
die ihrem Wesen nach so ausgesprochen wunderbar waren, daß sie, ohne jeden andern
Beweis als das Zeugnis eines einzigen Gefährten, der mit mir heimkehrte, eines armen
Mischlings, keine Aussicht hatten, Glauben zu finden* . . .

S. 126: in einer Art Ekstase
das Schaudern höchster Erregung und Lust
ist einem höchsten Entsetzen gewichen
*Kaum hatte sich dieser Entschluß in mir gefestigt, als plötzlich ein lautes, langanhal-
tendes Brüllen oder Heulen, das wie aus den Kehlen von tausend Dämonen losbrach,
durch die Lüfte gellte und über unser Boot wegging. Nie, solange ich lebe, werde ich das*

intensive Grauen vergessen, das ich in diesem Augenblick empfand . . . und ohne auch nur ein einziges Mal den Kopf zu heben und mich umzusehen, was dieses Getöse zu bedeuten habe, taumelte ich, so lang ich war, kopfüber und bewußtlos auf den Körper meines Freundes hin.

S. 127: *ich befahl mich Gott*
   Entsetzen
   Erlösung
   Ich verspürte das Schaudern höchster Erregung und Lust . . .
   Es ist fast nicht möglich, sich das ganze Ausmaß meines Entsetzens vorzustellen. Nie, solange ich lebe, werde ich das intensive Grauen vergessen . . .
   . . . und unsere Rettung scheint bewirkt zu sein . . .

S. 129: *düstere und doch glühende Einbildungskraft*
   ein Dasein voller Leiden und Tränen, ein kümmerlich vertrautes Leben auf einer grauen öden Felsenklippe, mitten in einem unzugänglichen, unbekannten Ozean

S. 132: *„Blut – halte dich weiter verborgen, wenn dir dein Leben lieb ist."*
   . . . das peinigende und unbeschreibliche Entsetzen, mit dem mich jetzt dieses Bruchstück der Warnung ängstete. Und das Wort „Blut" – dieses Wort aller Worte, geheimnisträchtig, voller Schrecknisse und Qualen –, wie kam es mir jetzt dreifach bedeutungsvoll vor! Wie schwer und eiskalt – losgelöst aus der Reihe der vorangehenden Worte, die es näher erklären und verdeutlichen konnten – brach dieses vage einsilbige Wort in die tiefe Finsternis meiner Haft, in die geheimsten Bereiche meiner Seele!

S. 133: *„Ich schreibe das mit Blut. Halte dich weiter verborgen, wenn dir dein Leben lieb ist."*

S. 133/134: *„Die Natur ist nur ein Wörterbuch, . . . aber niemand hat je das Wörterbuch betrachtet wie eine Komposition, im poetischen Sinne des Wortes. Die Maler, die der Imagination gehorchen, suchen in ihrem eigenen Wörterbuch die Elemente, die sich ihrer Konzeption bequemen; darüber hinaus richten sie diese Elemente mit einer gewissen Kunst zu und geben ihnen damit eine ganz neue Physiognomie."*

S. 134: *aufregender und zunächst weit mehr das Äußerste an Entzücken und Entsetzen bergend*
   Ich werde nie mehr die ekstatische Freude vergessen . . . , als ich eine mächtige Brigg gewahrte, die auf uns zu segelte . . .
   Ich schildere diese Dinge und Umstände peinlich genau, und ich berichte sie, wohlverstanden, gerade so, wie sie uns erschienen.
   für die sichere, unerwartete und herrliche Erlösung
   höllisch, erstickend, unerträglich, unfaßbar
   Das Grauen ließ uns rasend werden . . .

S. 135: *. . . es ist ja völlig zwecklos, Mutmaßungen anzustellen, da doch alles in Dunkel gehüllt ist und für alle Zeiten ein entsetzliches und unergründliches Geheimnis bleiben wird.*

S. 136: *Sein Fell war rein weiß, sehr rauh und dicht gekräuselt. Die Augen waren blutrot und größer, als es gewöhnlich bei Eisbären der Fall ist, auch war die Schnauze rundlicher und erinnerte eher an die Schnauze einer Bulldogge.*

S. 137: *Nichts von all dem, was wir sahen, kam uns bekannt vor. Die Bäume glichen keinem Gewächs der heißen, der gemäßigten oder der kalten Zone und waren auch ganz anders als in den gemäßigter südlichen Breiten, die wir schon durchfahren hatten. Selbst die Felsen waren ungewöhnlich in ihrer Form, in ihrer Farbe und Schichtung; ja, sogar die Wasserläufe, so unglaubhaft es klingen mag, hatten mit denen anderer Himmelsstriche so wenig gemeinsam, daß wir Bedenken hatten, daraus zu trinken, und es uns tatsächlich schwerfiel, an ihre natürliche Beschaffenheit zu glauben. Die seltsamen Erscheinungen dieses Wassers bildeten das erste Glied in der langen Kette offenkundiger Wunder, die mich nach und nach umringen sollten.*

S. 139: *Ich ziehe es vor, mit der Erwägung der Wirkung zu beginnen.*
von der gewöhnlichen Art und Weise, eine Geschichte aufzubauen
eindrucksvolle Ereignisse
Die reine Imagination wählt sich, seien sie schön oder mißgestalt, einzig die kombinierbarsten und bislang noch nicht kombinierten Dinge aus . . .
die selbst noch in atomistischer Vereinzelung betrachtet werden müssen
Unaufhörlich regnete jetzt die Aschenmasse in dichten Flocken rings um uns nieder. Die unheimliche Dunstwand im Süden war himmelhoch über den Horizont emporgestiegen und begann allmählich immer deutlichere Gestalt anzunehmen. Ich kann sie nur mit einem unendlichen Katarakt vergleichen, der sich lautlos aus irgendeinem unermeßlich fernen Wall hoch oben im Himmel ins Meer ergoß.
Von dieser schrecklichen Landschaft, wie sie nie ein Sterblicher sah . . .
Und lastende Katarakte, wie Vorhänge aus Kristall, hängten sich, blendend, an Mauern aus Metall . . .

S. 139/140: *Unbekümmert und schweigsam gossen Gangesströme im Firmament den Schatz ihrer Urnen in Abgründe aus Diamant . . .*

S. 140: *Und über diesen bewegten Wunderdingen schwebte (schreckliche Neuheit! alles für das Auge, nichts für das Ohr!) ein Schweigen der Ewigkeit.*
Der riesenhafte Vorhang überzog den ganzen Horizont im Süden. Kein Laut ging von ihm aus.

S. 141 *. . . wie es oft analog in der Chemie geschieht, so begegnet es nicht selten in dieser Chemie des Intellekts, daß die Mischung zweier Elemente etwas ergibt, das keine der Eigenschaften eines von beiden besitzt, oder sogar keine der Eigenschaften beider.*** Daher ist der Bereich der Imagination unbegrenzt. Das ganze Universum wird zu ihrem Material.*
fabrizieren, herstellen
Charakter der Evidenz

Übersetzung fremdsprachlicher Zitate

S. 142: reine, kraftvolle und erhabene Imagination

ein „Haushaltsgegenstand" in fast jeder christlichen Familie

Die Idee des Menschen im Zustand vollständiger Einsamkeit, obwohl oft zum Vorwurf genommen, war nie zuvor so umfassend ausgeführt worden.

die mächtige Magie der Wahrscheinlichkeit

S. 143: Mit Beethoven begann das Aufrühren der Welten von Schwermut und unheilbarer Verzweiflung, wie Wolken aufgetürmt im inneren Himmel des Menschen. Maturin im Roman, Byron in der Poesie, Poe in der Poesie und im analytischen Roman . . .

Das heißt, die moderne Kunst nimmt eine in ihrem Wesen dämonische Richtung.

dieser teuflische Teil des Menschen

daß der Mensch an Selbstdeutungen Gefallen findet

der verborgene Luzifer in jedem menschlichen Herzen

S. 145: Gerade die durchgängige Harmonie eines Werkes der Imagination läßt den gedankenlosen Leser seinen Wert oft unterschätzen, weil der Evidenzcharakter verdeckend wirkt.

Die bloßen Sinne sehen manchmal zuwenig – aber dann sehen sie immer zuviel.

VIII

S. 166: Doch lächelt nicht . . . über dieses schlichte junge Mädchen aus Albany . . . Sie war ein Mensch von gutem Glauben, und wenn ihre Weisheit zum guten Teil aus Torheit bestand, so mögen die, welche sie mit Strenge verurteilen, mit Genugtuung erfahren, daß sie später beständig an Weisheit zunahm, freilich auf Kosten von so viel Torheit, daß sie noch unser ganzes Erbarmen beanspruchen wird.

. . . wir glauben an sie wie an eine Frau, die uns die Vorsehung eines schönen Tages über den Weg führen könnte, wenn wir gerade an der Unsterblichkeit der Seele zweifeln sollten.

S. 167: Durch welchen Mechanismus dieser Effekt hervorgebracht wird – ob durch feine oder breite Striche, durch Beschreibung oder Erzählung, ist kaum zu sagen . . .

Sinn für den Charakter und die Erscheinung einer besonders anziehenden jungen Frau

Ich war mir vorher meiner Figuren immer weit stärker bewußt als ihrer Umgebung . . .

Was wird sie ‚machen'?

Ausgangsfrage

Was wird sie wohl nun machen?

in vollständigem Besitz

S. 168: . . . ich sah sie ihrem Schicksal entgegenstreben – diesem oder jenem Schicksal; welchem von den vielen möglichen, das eben ist die Frage.

Prätention

Beobachtung und Imagination kennen, in der Absicht, Leben abzubilden, nur das Licht der Wissenschaft . . . Eine andere Richtschnur, ein anderes Gesetz wäre der reine Unfug.

Dieses Vertrauen können wir aus zu vielen Gründen niemals aufgeben.

S. 169: *,,Glauben Sie, ich könnte es erklären, selbst wenn ich es wollte?''*
eine gewisse junge Frau, die ihrem Schicksal die Stirn bietet
ein Versuch, mit unvollständigen Karten Whist zu spielen; jetzt standen die Wahrheit der Dinge, ihre stummen Beziehungen, ihre Andeutung und zum größten Teil ihr Schrecken in einer Art architektonischer Größe vor ihr auf

S. 170: *in zufälligen Bildern, die nach eigener Logik auf- und niedersteigen*
,,Ich fand sie in einem alten Haus in Albany; da saß sie an einem regnerischen Tag in einem trostlosen Zimmer, las ein schweres Buch und langweilte sich zu Tode.''
,,Ich dachte, sie sei für Besseres bestimmt . . . Ich wollte Ehre mit ihr einlegen.''

S. 171: *,,. . . deshalb kam ich ja nach Europa, um so glücklich wie nur möglich zu sein.''*

S. 172: *,,Es erscheint mir unmoralisch.''*
,,Das ist ein Risiko, und ich habe es einkalkuliert.''
,,Aber dann wird sie zur Besinnung kommen und sich erinnern, daß sie noch ein Leben vor sich hat, und sich nach ihren Mitteln richten.''
,,Ich möchte sie in voller Fahrt erleben.''
,,Sie ist so viel wert wie ihre besten Möglichkeiten''
,,Ich möchte sie gern reich machen . . . Ich nenne Leute reich, wenn sie imstande sind, die Bedürfnisse ihrer Phantasie zu befriedigen. Isabel hat eine lebhafte Phantasie.''

S. 173: *,,Ich werde genau das davon haben, was ich Isabel, wie gesagt, gern ermöglichen möchte – ich habe die Bedürfnisse meiner Phantasie befriedigt.''*
die ihr eine Zukunft voll hohen Bewußtseins des Schönen zu versprechen schien
,,Was haben Sie denn mit ihr vor?'' . . . ,,Was Sie sehen. Ich stelle sie Ihnen in den Weg.''
,,Und was habe ich davon?''
,,. . . ich sehe nur nicht, was du davon hast.''
,,Du sprichst, als ob es sich um dein Vergnügen handele.'' – ,,Darum handelt es sich auch zum großen Teil.''
,,Es wird Sie amüsieren.''
,,. . . es ist immer alles anders, als es sein könnte''

S. 174: *häßlich, kränklich, geistreich und anziehend . . . mit einem spärlichen Schnurrbart und Backenbart, die ihn durchaus nicht schmückten . . . klug und krank*
ein feines, schmales, äußerst modelliertes und ruhiges Gesicht
daß er ein Mann war, der den Stil studierte

„*Der arme Kerl, er hatte kein Glück mit dem ‚Künstlichen'!*"
„*aus seinem Leben ein Kunstwerk zu machen*"
durch und durch künstlerisch, wie er ist
Er hatte immer ein Auge für den Effekt gehabt, und seine Effekte waren haarscharf berechnet. Sie wurden nicht durch gewöhnliche Mittel erzielt, aber seine Motive waren so gewöhnlich, wie seine Kunst groß war.
den Luxus, vollkommen persönlich zu sein

S. 175: „*Angebot Europas*"
„*. . . nach Florenz zu reisen, . . . dafür würde ich fast alles versprechen!*"
erschien ihr wie ein lebendig gewordenes Bild; kein Raffinement des Anmutenden entging Isabel
England war für sie eine Offenbarung, sie fand hier so viel Zerstreuung wie ein Kind bei Scharaden.
die Süße aufsteigender Tränen, wenn blasse Fresken und gedunkelter Marmor vor dem Auge verschwammen

S. 176: *der Rasen, die großen Bäume, die schilfbewachsene silberne Themse, das schöne alte Haus*
„*Ich habe noch nie etwas so Schönes gesehen.*"
„*. . . du bist selbst sehr schön*"
„*Ich weiß, auf welche Art es dich anrührt. Ich habe das alles schon hinter mir.*"

S. 177: *Maske*
die ein Maler als gelungene Komposition bezeichnet hätte
er erinnerte an ein schönes altes Goldstück, keine Prägung, kein Emblem aus der gewöhnlichen Münze
. . . Isabel hatte nicht die Gabe, einstudierte Wirkungen zu erzielen.
einen eigensinnigen Widerwillen, durch Berechnung zu glänzen
im Licht ihrer Hoffnungen, Befürchtungen, Vorstellungen, Pläne und Vorlieben

S. 179: *leise Musikklänge . . . , die anscheinend aus dem Salon herübertönten*
Es bewies Können und Gefühl
ein mächtiger Faktor ihres Schicksals
große Künstlerin, die sie war
Sie war kurzum der bequemste, nützlichste und angenehmste Mensch für ein Zusammenleben.
„*Sie ist außerstande, einen Fehler zu begehen . . . Serena Merle ist fehlerlos.*"
„*Mr. Osmond macht keinen Fehler!*"
ihres glühenden guten Glaubens
„*Ich bin nur traurig, daß du so im Irrtum bist.*"

S. 180: *Daß er arm und einsam war und dabei irgendwie nobel . . . eine unbestimmbare Schönheit war um ihn*

Sie war im Irrtum, aber sie glaubte . . .

. . . sie hatte sich alle möglichen Dinge vorgestellt, ohne alle Grundlage.

Osmonds finstere Eigenschaften

„Er ist der verkörperte gute Geschmack"

„Er urteilt, mißt, billigt und verdammt alles nur danach."

großer Geschmack

S. 181: Sie fragte sich . . ., ob auf diese nahe Freundin der letzten Jahre das große historische Epitheton b ö s e anzuwenden sei.

Zauber

von so tiefer Falschheit; denn das war Madame Merle gewesen, falsch, zutiefst falsch

besaß ein sehr feines Gefühl für verkehrte oder, wie man in Kaufläden sagt, für herabgesetzte Werte

S. 182: „. . . ein altmodischer Charakter, der jetzt im Aussterben ist – eine lebensvolle Einheit."

ein Engländer par excellence . . . ein vortreffliches Exemplar dieser großen Gattung von überaus starkem, sauberem Zuschnitt

lassen Isabels Phantasie vollkommen kalt

S. 183: Unwägbares, was sich nicht in Worte fassen ließ

„Du hast mir gesagt, was ich wollte . . ."

„Ich habe dir sehr wenig gesagt."

„Das habe ich niemals gesagt."

„Aber ich glaube, du hast es gemeint. Bestreite es nicht. Es ist so schön."

S. 184: Ralph war einfach großmütig, und ihr Mann war es nicht.

er hätte gern gehabt, wenn ihre hübsche Erscheinung ihr einziger Besitz gewesen wäre

Es war, als ob er den bösen Blick habe

S. 185: „Man muß doch zu seinen Taten stehen."

„. . . ich finde, daß wir die Folgen unserer Handlungen tragen sollten; denn was ich im Leben am höchsten schätze, ist Ehrenhaftigkeit."

„Meister in der Kunst des Spottens"

„Es war kein erfolgreiches Leben."

„Nein – nur ein sehr schönes."

Soviel stand jedenfalls fest

es ließ sich nicht bestreiten

es bleibt ungeklärt

man wird fürchten müssen

Manchem Leser mag es scheinen

Wir behaupten: glücklicherweise, aber damit kennzeichnen wir die Situation vielleicht oberflächlich . . .

S. 186: „*Ach*", *rief Gilbert Osmond anmutig,* „*sie ist eine kleine Heilige! Sie ist mein ganzes Glück!*"

„*Sie sind nicht reich genug für Pansy.*"

„*Sie macht sich doch nicht das geringste aus Geld.*"

„*Sie nicht, aber ihr Vater.*"

„*O ja, das hat er bewiesen!*"

„*Es tut mir leid, ich kann nie wieder kommen.*"

„*Nie wieder?*"

S. 187: „*Ja, es tut mir sehr leid, ich werde abreisen.*"

„*Oh, das bedaure ich aber sehr ... Ich finde das nicht recht von Ihnen.*"

„*Reden wir von Miss Stackpole? ... Ich habe nie jemanden gesehen, der die Dinge so theoretisch betrachtet.*"

„*Nun sprechen Sie wohl von mir*", *sagte Isabel demütig ...*

„*Miss Archer hat Sie gewarnt!*" ...

„*Mich gewarnt?*"

„*Ist sie nicht deshalb allein mit Ihnen hierher gegangen – um Ihnen zu sagen, Sie müßten auf der Hut sein?*"

S. 188: „*Du denkst, es wird sich als ein verkappter Fluch entpuppen. Vielleicht stimmt das.*"

„*Du hast nicht genug Kontakt mit der Wirklichkeit ... du hast zu viele schöne Illusionen.*"

„*Du denkst, man kann sich mit Hilfe romantischer Vorstellungen unangenehmen Pflichten entziehen – das ist deine große Illusion*" ...

Wirklichkeit

Fluch

„*Die Tatsachen sind genau so, wie ich sie dir schildere.*"

„*Ach, die arme, arme Frau!*"

S. 189: Isabel stellte stets gern die Frage nach Qualität und Charakter; das tiefe Geheimnis der Persönlichkeit zu ergründen, lockte sie immer aufs neue, wie jemand das nennen könnte ...

„*Ça me dépasse [das geht über meine Begriffe], wenn ich das sagen darf, all die Dinge um dich herum, von denen keine Kenntnis zu nehmen dir offenbar gelungen ist.*"

„*O mein armer Ralph!*"

„*Ich fühle mich sehr alt*"

„*Ich weiß nicht, warum wir so viel leiden müssen. Vielleicht werde ich es erfahren. Das Leben hat viele Seiten. Du bist sehr jung.*"

alles ist relativ; man sollte sein Verhältnis zu den Dingen spüren

„*Wir brauchen nicht zu sprechen, um uns zu verstehen*"

S. 190: „*Der Tod ist gut – aber es gibt keine Liebe mehr.*"

mit einer Bewegung von noch tieferer Hingabe

... *sollte ein bestimmtes Licht aufdämmern, so könnte sie sich völlig hingeben* ... *es war das Tiefste*

„*In einer Stunde wie dieser, was haben wir da mit dem Leid zu schaffen? Es ist nicht das Tiefste; es gibt etwas, was tiefer ist.*"

Sie hatte nicht gewußt, wohin sie sich wenden sollte; aber jetzt wußte sie es. Es gab einen ganz geraden Weg.

S. 191: „*Triumphieren,* ... *so scheint mir, hieße versagen!*"

„*Ich kann nämlich meinem Schicksal nicht entgehen* ... *Ich kann dem Unglück nicht entfliehen* ... *Wenn ich Sie heiratete, würde ich es versuchen.*"

eine Enttäuschung, die viel von der Würde einer Tragödie hat

Die Kritik liegt nahe, sie [die Erzählung] *habe kein Ende, ich hätte die Lage der Heldin nicht bis zum Ende durchgeführt, ich hätte sie in der Luft hängen lassen. – Das ist zugleich wahr und falsch. Man kann nie alles erzählen; man kann nur wählen, was zueinander stimmt. Was ich gemacht habe, hat diese Einheit* ...

S. 192: *Sie hob den Fächer bis zu ihrem Gesicht, der es ganz bedeckte, nur die Augen blieben noch frei und ruhten einen Augenblick in den seinen.* „*Schenken Sie ihm nicht Ihr Leben; schenken Sie ihm hin und wieder einen Gedanken!*" *Und damit ging sie zur Gräfin Gemini zurück.*

„*Ich möchte allein sein*", *sagte Isabel.*

„*Das kannst du doch nicht, solange du so viel Gesellschaft zu Hause hast.*"

„*Ach, die gehören zur Komödie. Ihr anderen seid die Zuschauer.*"

„*Nennst du das eine Komödie, Isabel Archer?*" ...

„*Eine Tragödie also, wenn dir das lieber ist.*"

ANMERKUNGEN

Bei Briefzitaten ist hinter der Anmerkungsziffer zuerst die Briefnummer der benutzten und in der Bibliographie (Seite 235ff.) aufgeführten Ausgabe angegeben.

[1] Jean Paul, I, Bd. 10, S. 404   [2] Proust, vol. 1, S. 184   [3] Nr. 370) an Emil Dominik (14. 7. 1887): Fontane, JA, II, Bd. 5, S. 165

EINLEITUNG

[1] Sulzer, Thl. 2 [Bd. 2], S. 543 [Sp. 2] f.   [2] ebenda, S. 544 [Sp. 1]   [3] James, The House of Fiction, S. 25   [4] ebenda, S. 33   [5] Goethe, JA, Bd. 37, S. 227   [6] vgl. Solger, S. 294   [7] Arnim, S. 385 (Anm. 1)   [8] vgl. Emil Staiger, Grundbegriffe der Poetik. 2. erw. Aufl. Zürich 1951, S. 85 ff.   [9] Hegel, S. 983   [10] ebenda, S. 305   [11] ebenda, S. 983   [12] ebenda   [13] ebenda   [14] ebenda   [15] ebenda   [16] zu Eckermann (21. 7. 1827): Goethe, Gedenkausgabe, Bd. 24, S. 265   [17] ebenda   [18] zu Eckermann (23. 7. 1827): ebenda, S. 266   [19] Jean Paul, I, Bd. 11, S. 14   [20] Hofmannsthal, S. 422

I

[1] Wahlverwandtschaften, S. 24 f.   [2] Goethe, JA, Bd. 19, S. 222 f.   [3] ebenda, S. 223   [4] Goethe, WA, I, Bd. 49², S. 246   [5] ebenda, S. 244   [6] Goethe, JA, Bd. 33, S. 90 f.   [7] ebenda, S. 90   [8] Goethe, WA, I, Bd. 49², S. 246   [9] ebenda, I, Bd. 47, S. 280   [10] Wahlverwandtschaften, S. 118   [11] ebenda, S. 262   [12] ebenda, S. 271   [13] ebenda, S. 140   [14] ebenda, S. 300   [15] Benjamin, Bd. 1, S. 85   [16] Goethe, JA, Bd. 37, S. 202   [17] ebenda, S. 224 f.   [18] ebenda, S. 226   [19] Nr. 747 (1./21. 8. 1809): Gräf, I, Bd. 1, S. 389   [20] zu Eckermann (17. 2. 1830): Goethe, Gedenkausgabe, Bd. 24, S. 395   [21] Goethe, JA, Bd. 37, S. 202   [22] ebenda, Bd. 33, S. 232   [23] ebenda, Bd. 35, S. 3   [24] Wahlverwandtschaften, S. 259   [25] ebenda, S. 81 f.   [26] ebenda, S. 165   [27] ebenda, S. 289   [28] ebenda   [29] ebenda, S. 95   [30] Nr. 6460) an Windischmann (28. 12. 1812): Goethe, WA, IV, Bd. 23, S. 212   [31] Goethe, JA, Bd. 33, S. 88   [32] Wahlverwandtschaften, S. 197   [33] ebenda, S. 301   [34] in: Gräf, I, Bd. 1, S. 478 (Anm. 1 zu S. 474)   [35] Arnim an Bettina Brentano (5. 11. 1809): Bode, Bd. 2, S. 220   [36] Nr. 7204) an die Hoftheater-Commission (4. 11. 1815): Goethe, WA, IV, Bd. 26, S. 130   [37] Goethe, JA, Bd. 33, S. 116   [38] Nr. 7616) an die Erbgroßherzogin Maria Paulowna (3. 1. 1817), [Beilage] (31. 12. 1816 und 2. 1. 1817): Goethe, WA, IV, Bd. 27, S. 309   [39] ebenda, I, Bd. 49², S. 234 f.

II

[1] Ahnung und Gegenwart, S. 19   [2] ebenda, S. 240   [3] ebenda, S. 241   [4] ebenda, S. 243   [5] ebenda, S. (9)   [6] ebenda, S. 303   [7] ebenda, S. 97   [8] eben-

da, S. 80   [9] ebenda, S. 271   [10] ebenda, S. 179   [11] ebenda, S. 158   [12] ebenda, S. 155   [13] ebenda, S. 51   [14] Das bei weitem Schönste, das in diesem Zusammenhang gesagt worden ist, findet sich in Richard Alewyns Aufsatz: Eine Landschaft Eichendorffs (In: Eichendorff heute. Stimmen der Forschung mit einer Bibliographie. Hrsg. von Paul Stöcklein. München 1960, S. 19–43). Lediglich mit der Behauptung, in den Landschaften des Dichters werde „Ferne", nicht aber „Unendlichkeit" beschworen, vermag ich mich nicht abzufinden. Ich halte das zweite Wort für treffender, weil es das in der Landschaft zu erfahrende Ziel des Menschen einbegreift – allerdings als eine irdisch gewordene Unendlichkeit. Gefährlich ist Oskar Seidlins (Eichendorffs symbolische Landschaft. Ebenda, S. 218–241) Bezeichnung der Landschaftselemente mit dem Wort „Emblem", weil er dies seiner klaren Bestimmung entfremdet.   [15] Ahnung und Gegenwart, S. 91   [16] ebenda, S. 40   [17] ebenda, S. 285   [18] ebenda, S. 245   [19] ebenda, S. 16   [20] ebenda, S. 16 f.   [21] ebenda, S. 17   [22] ebenda   [23] ebenda, S. 201   [24] ebenda, S. 202   [25] ebenda, S. 203 f.   [26] ebenda, S. 207   [27] ebenda, S. 208   [28] ebenda, S. 69   [29] ebenda, S. 195   [30] ebenda, S. 192   [31] ebenda, S. 276   [32] ebenda, S. 178   [33] ebenda, S. 303   [34] ebenda   [35] Schlegel, S. 325   [36] ebenda, S. 322   [37] ebenda, S. 323   [38] Ahnung und Gegenwart, S. 155   [39] Schlegel, S. 323   [40] Nr. 9) an Friedrich Freiherrn de la Motte Fouqué (1. 10. 1814): Eichendorff, Sämtliche Werke, Bd. 12, S. 8 f.   [41] Stendhal, Le Rouge et le Noir, S. (219)   [42] zu Eckermann (25. 12. 1825): Goethe, Gedenkausgabe, Bd. 24, S. 166   [43] Ahnung und Gegenwart, S. 298

III

[1] Nr. 812) zu Riemer (28. 8. 1808): Goethe, Gedenkausgabe, Bd. 22, S. 500   [2] Hegel, S. 983   [2a] ebenda, S. 305   [3] ebenda, S. 983   [4] in: Gräf, I, Bd. 1, S. 479 (Anm. 1 zu S. 474)   [5] Nr. 9) an Friedrich Freiherrn de la Motte Fouqué (1. 10. 1814): Eichendorff, Sämtliche Werke, Bd. 12, S. 9   [6] Meinecke, Bd. 4, S. 246   [7] ebenda, S. 232   [8] ebenda, S. 246   [9] ebenda, S. 232   [10] Stendhal, Romans et Nouvelles [vol. 1], S. 701   [11] 21. 12. 1830: Goethe, WA, III, Bd. 12, S. 347   [12] ebenda, I, Bd. 29, S. 223 (Lesarten)   [13] Le Rouge et le Noir, S. (219)   [14] Stendhal, Romans et Nouvelles [vol. 1], S. 705   [15] Musset, S. 12   [16] ebenda, S. 7   [17] Tocqueville, vol. 1, S. 8 f.   [18] Stendhal, Romans et Nouvelles [vol. 1], S. 1458   [19] ebenda   [20] Le Rouge et le Noir, S. (215)   [21] Stendhal, Œuvres Intimes, S. 248   [22] Stendhal, Romans et Nouvelles [vol. 1], S. 704   [23] ebenda, S. 711   [24] ebenda, S. 710   [25] ebenda, S. 711   [26] ebenda, S. 705   [27] Le Rouge et le Noir, S. (219)   [28] Stendhal, Romans et Nouvelles [vol. 1], S. 704   [29] ebenda, S. 705   [30] Le Rouge et le Noir, S. 220   [31] ebenda   [32] ebenda, S. 370   [33] ebenda, S. 369   [34] ebenda   [35] vgl. Flaubert: Untertitel zu ›Madame Bovary‹   [36] Stendhal, Romans et Nouvelles [vol. 1], S. 707   [37] Le Rouge et le Noir, S. 370   [38] Stendhal, Romans et Nouvelles [vol. 1], S. 707   [39] Le Rouge et le Noir, S. 569

[40] ebenda, S. 241 [41] ebenda, S. 244 [42] ebenda [43] ebenda, S. 235
[44] ebenda, S. 270 [45] ebenda, S. 259 [46] Stendhal, Romans et Nouvelles [vol. 1], S. 714 [47] Le Rouge et le Noir, S. 233 [48] ebenda, S. 520 u. a. [49] ebenda, S. 698 [50] Goethe, WA, I, Bd. 39, S. 383 [51] Le Rouge et le Noir, S. 314 [52] ebenda, S. 316 [53] ebenda, S. 380 [54] ebenda, S. 377 [55] Stendhal, Romans et Nouvelles [vol. 1], S. 1458 [56] ebenda, S. 1470 [57] ebenda [58] zu Eckermann (25. 12. 1825): Goethe, Gedenkausgabe, Bd. 24, S. 166 [59] Le Rouge et le Noir, S. 241 f. [60] ebenda, S. 248 [61] ebenda, S. 254 [62] ebenda, S. 691 [63] Stendhal, Romans et Nouvelles [vol. 1], S. 709 [64] Le Rouge et le Noir, S. 269 [65] ebenda, S. 291 [66] ebenda, S. 636 [67] ebenda, S. 629 [68] ebenda, S. 638 [69] ebenda, S. 329 [70] ebenda, S. 639 [71] ebenda [72] ebenda, S. 569 [73] ebenda, S. 530 [74] ebenda, S. 529 [75] ebenda, S. 524 [76] ebenda, S. 344 [77] Goethe, Wahlverwandtschaften, S. 174 [78] Le Rouge et le Noir, S. 633 [79] ebenda, S. 690 [80] ebenda, S. (213) [81] ebenda, S. 412 [82] Meinecke, Bd. 4, S. 216 [83] Stendhal, Romans et Nouvelles [vol. 1], S. 713 [84] Stendhal, Œuvres Intimes, S. 39

IV

[1] Nr. 316) an Gustav Heckenast (29. 2. 1856): Stifter, Sämmtliche Werke, Bd. 18, S. 297 [2] Flaubert, S. (397) [3] Nr. 367) an Gustav Heckenast (11. 2. 1858): Stifter, Sämmtliche Werke, Bd. 19, S. 93 [4] ebenda, S. 97 [5] Nr. 328) an Peter Johann N. Geiger (24. 12. 1856): Stifter, Sämmtliche Werke, Bd. 18, S. 335 [6] Die Wendung „Utopie" im Zusammenhang des ›Nachsommer‹ hat zum ersten Mal gebraucht Walther Rehm: Nachsommer. Zur Deutung von Stifters Dichtung. München 1951 (Überlieferung und Auftrag. Reihe Schriften. 7). [7] Nr. 286) an Gustav Heckenast (13. 5. 1854): Stifter, Sämmtliche Werke, Bd. 18, S. 208 [8] Nachsommer, S. 498 [9] ebenda [10] ebenda, S. 499 [11] ebenda, S. 25 [12] ebenda [13] ebenda, S. 213 [14] ebenda, S. 702 u. a. [15] ebenda, S. 94 [16] ebenda, S. 99 [17] Stendhal, Le Rouge et le Noir, S. (215) [18] Nachsommer, S. 99 [19] ebenda, S. 97 [20] ebenda, S. 98 [21] ebenda, S. 98 f. [22] ebenda, S. 99 [23] ebenda, S. 75 [24] ebenda, S. 64 [25] ebenda, S. 46 [26] ebenda, S. 248 f. [27] ebenda, S. 248 [28] ebenda, S. 662 [29] ebenda, S. 661 [30] ebenda, S. 74 [31] ebenda, S. 75 [32] ebenda, S. 249 [33] ebenda, S. 75 [34] ebenda, S. 249 [35] vgl. Nr. 313) an Peter Johann N. Geiger (11. 2. 1856): Stifter, Sämmtliche Werke, Bd. 18, S. 290 [36] Nachsommer, S. 292 [37] ebenda, S. 292 f. [38] ebenda, S. 93 [39] ebenda, S. 280 [40] ebenda, S. 292 [41] ebenda, S. 390 [42] ebenda, S. 389 f. [43] ebenda, S. 390 [44] ebenda, S. 438 [45] ebenda, S. 439 [46] ebenda, S. 329 f. [47] ebenda, S. 334 [48] ebenda, S. 335 [49] ebenda, S. 335 [50] ebenda [51] ebenda, S. 238 [52] ebenda, S. 569 [53] ebenda, S. 570 [54] vgl. Anm. 35 [55] Nachsommer, S. 570 [56] ebenda [57] ebenda [58] ebenda, S. 440 [59] ebenda, S. 835 [60] ebenda, S. 838 [61] ebenda, S. 835 [62] ebenda, S. 156 [63] Nietzsche, Bd. 1, S. 581

V

[1] Immermann, Bd. 4, S. 113   [2] Ludwig, Bd. 5, S. 52   [3] ebenda, Bd. 6, S. 65
[4] ebenda   [5] vgl. Great Expectations, S. 7 u. a.   [6] ebenda, S. 152   [7] ebenda   [8] ebenda, S. 160   [9] André Jolles, Einfache Formen. Legende / Sage /
Mythe / Rätsel / Spruch / Kasus / Memorabile / Märchen / Witz. 2. Aufl. durchges.
von A. Schossig. Halle 1956, S. 205   [10] ebenda, S. 193   [11] Great Expectations, S. 4   [12] ebenda, S. 159   [13] ebenda, S. 160 f.   [14] ebenda, S. 161
[15] vgl. ebenda, S. XI (Introduction)   [16] ebenda, S. 65   [17] ebenda, S. 278
[18] ebenda, S. 279   [19] ebenda, S. 188 f.   [20] ebenda, S. 189   [21] ebenda,
S. (364) f.   [22] vgl. Emil Staiger, Ludwig Tieck und der Ursprung der deutschen
Romantik. In: Die Neue Rundschau 1960, S. 596–622   [23] Great Expectations,
S. (364)   [24] ebenda, S. 363   [25] ebenda, S. 512   [26] ebenda, S. 512 f.
[27] ebenda, S. 534 f.   [28] ebenda, S. 239   [29] ebenda   [30] ebenda, S. 241
[31] ebenda, S. 339   [32] Ludwig, Bd. 6, S. 143 f.   [33] ebenda, Bd. 5, S. 53 f.

VI

[1] Die Beziehung Baudelaires zu Poe und dessen Wirkungen in Frankreich findet
man dargestellt von Patrick F. Quinn (The French Face of Edgar Poe. Carbondale,
Ill., 1957).   [2] Baudelaire, S. 1115   [3] Narrative, S. 3   [4] ebenda, S. 1
[5] ebenda, S. 5   [6] ebenda   [7] ebenda, S. 8   [8] ebenda, S. 9   [9] ebenda
[10] ebenda, S. 44   [11] ebenda, S. 11   [12] ebenda, S. 5   [13] ebenda, S. 8
[14] ebenda, S. 11   [15] vgl. Marie Princesse Bonaparte, Edgar Poe. Étude psycho-
analytique. Paris 1933. – Dies., The Life and Works of Edgar Allan Poe. A psycho-
analytic interpretation. Forew. by Sigmund Freud. London 1949   [16] Narrative,
S. 17   [17] ebenda, S. 43   [18] ebenda, S. 44   [19] ebenda, S. 65   [20] Baudelaire, S. 859   [21] Narrative, S. 117   [22] ebenda, S. 118   [23] ebenda, S. 120
[24] ebenda   [25] ebenda, S. 121   [26] ebenda, S. 124   [27] ebenda, S. 192
[28] ebenda, S. 202 f.   [29] ebenda, S. 204   [30] Stendhal, Le Rouge et le Noir,
S. (215)   [31] Poe, The Works, vol. 6, S. 158   [32] ebenda   [33] ebenda, S. 205   [34] Narrative, S. 261   [35] Baudelaire, S. 172 ff.   [36] Narrative,
S. 261   [37] Poe, The Works, vol. 6, S. 205   [38] ebenda   [39] ebenda
[40] ebenda, S. 333   [41] ebenda, S. 345   [42] ebenda, S. 346   [43] ebenda
[44] Baudelaire, S. 1115   [45] ebenda   [46] Poe, The Works, vol. 6, S. 205
[47] ebenda, S. 241

VII

[1] Christian Heinrich Philipp von Westphalen, Geschichte der Feldzüge des Herzogs von Braunschweig-Lüneburg. Nachgel. Ms. Hrsg. von F. O. W. H. von
Westphalen. Bd. 5. Berlin 1872, S. 1084. Zur Klärung der historischen Vorarbei-
ten Raabes habe ich die Berliner Staatsexamensarbeit von Werner Kniesche (Historische Wirklichkeit und historische Fiktion in Wilhelm Raabes „Höxter und

Corvey" und „Das Odfeld". FU Berlin 1959) dankbar benutzt. [2] J. W. von Archenholz, Geschichte des Siebenjährigen Krieges in Deutschland. Hrsg. u. mit einem Lebensabriß des Verf. u. einem Reg. vers. von August Potthast. 7. unveränd. Aufl. Berlin 1861, S. 308 [3] E. von dem Knesebeck, Ferdinand Herzog zu Braunschweig und Lüneburg während des siebenjährigen Krieges. Aus englischen u. preußischen Archiven ges. u. hrsg. Bd. 2. Hannover 1858, S. 403 [4] Westphalen, Bd. 1, Berlin 1859, S. 417 [5] Odfeld, S. 180 [6] Fritz Martini, Deutsche Literaturgeschichte von den Anfängen bis zur Gegenwart. 10. Aufl. Stuttgart 1960 (Kröners Taschenausgabe. 196), S. 405 [7] Odfeld, S. 184 [8] ebenda, S. 180 [9] ebenda, S. 52 [10] ebenda, S. 45 [11] ebenda, S. 6 [12] Wilhelm Goerges, Vaterländische Geschichten und Denkwürdigkeiten der Vorzeit... der Lande Braunschweig und Hannover. Jg. 1. Braunschweig 1843, S. 308 (nach Kniesche) [13] Odfeld, S. 6 [14] ebenda [15] ebenda, S. 32 [16] ebenda, S. 6 (Sperrung von mir) [17] ebenda, S. 24 [18] ebenda, S. 226 [19] Topographischer Atlas des Königreichs Hannover und des Herzogthums Braunschweig. Blatt 60, von A. Papen. Hannover 1842 [20] Martini, S. 406 [21] Nr. 256) an Otto Elster (2. 10. 1888): Raabe, „In alls gedultig", S. 232 [22] Odfeld, S. 133 [23] ebenda, S. 132 [24] ebenda, S. 133 [25] ebenda, S. 134 [26] ebenda [27] ebenda, S. 135 [28] ebenda [29] ebenda, S. 147 [30] ebenda, S. 146 [31] ebenda, S. 139 [32] ebenda [33] ebenda, S. 154 [34] ebenda, S. 145 [35] ebenda, S. 154 [36] Raabe, III, Bd. 6, S. 584 [37] Odfeld, S. 145 [38] ebenda, S. 24 f. (Sperrung von mir) [39] ebenda, S. 151 [40] Storm, Bd. 1, S. 299 [41] Nr. 272) an Wilhelm Jensen (13. 2. 1890): Raabe, „In alls gedultig", S. 248 [42] vgl. Meyer, S. 186 ff. [43] Odfeld, S. 151 [44] ebenda, S. 145 f. [45] ebenda, S. 175 [46] ebenda, S. 105 [47] ebenda, S. 98 [48] Vergil, Aeneis II, 640 [49] ebenda, S. 679 [50] Martini, S. 405 [51] ebenda, S. 407 [52] Goethe, JA, Bd. 16, S. 58 f. [53] Odfeld, S. 23 [54] ebenda, S. 25 [55] ebenda, S. 25 f. [56] Nr. 256) an Otto Elster (2. 10. 1888): Raabe, „In alls gedultig", S. 231 [57] Odfeld, S. 213 f. [58] vgl. Kniesche, S. 53 [59] Tacitus, Annales II, 16. Übersetzung: Cajus Cornelius Tacitus, Werke. Übers. von Karl Friedrich Bahrdt. Thl. 1. Halle 1807, S. 128 [60] Odfeld, S. 22 [61] ebenda, S. 92 [62] ebenda, S. 142 [63] ebenda, Motto [64] ebenda, S. 209 [65] ebenda, S. 208 [66] ebenda, S. 39 [67] ebenda, S. 40 [68] ebenda, S. 173 [69] ebenda, S. 228 [70] ebenda, S. 114 [71] mitgeteilt bei Hermann Pongs, Wilhelm Raabe. Leben und Werk. Heidelberg 1958, S. 526 [72] Odfeld, S. 46 [73] ebenda, S. 116 [74] ebenda, S. 195 [75] ebenda, S. 193 [76] ebenda, S. 14 [77] ebenda, S. 212 [78] ebenda, S. 129 [79] ebenda [80] ebenda, S. 49 [81] ebenda, S. 81 [82] ebenda, S. 210 [83] Pongs, S. 527 [84] Nr. 406) an Karl Schönhardt (30. 12. 1902): Raabe, „In alls gedultig", S. 366 [85] Raabe, III, Bd. 3, S. 253 [86] ebenda, S. 256 [87] Wilhelm Scherer, Kleine Schriften. Bd. 2. Berlin 1893, S. 35 [88] Odfeld, S. 94 [89] ebenda, S. 6 [90] ebenda, S. 121 [91] ebenda, S. 60 [92] Titel nach der 3. Aufl. von 1752; Raabe hat die 4. Aufl. von 1756 benutzt. [93] Odfeld, S. 62 f. [94] ebenda, S. 59 [95] ebenda, S. 24 f. [96] Nr. 363) an Robert Lange (19. 9. 1898): Raabe, „In alls gedultig", S. 332 [97] Nr. 418) an Gotthold Klee (15. 6. 1905): ebenda, S. 376

VIII

[1] Portrait, I, S. 144 f. [2] James, The House of Fiction, S. 260 f. [3] ebenda, S. 261 [4] James, The Novels and Stories [vol. 6], S. VII [5] ebenda, S. IX [6] Stendhal, Le Rouge et le Noir, S. (215) [7] James, The Novels and Stories [vol. 6], S. XXII [8] ebenda, S. XIX [9] ebenda [10] ebenda, S. XII [11] ebenda, S. XII f. [12] James, The House of Fiction, S. 240 [13] ebenda, S. 241 [14] ebenda [15] Portrait, II, S. 51 [16] James, The Novels and Stories [vol. 6], S. XIV [17] Portrait, II, S. 391 [18] ebenda, II, S. 390 [19] ebenda, I, S. 56 [20] ebenda [21] ebenda, I, S. (65) [22] ebenda, I, S. 264 [23] ebenda, I, S. 265 [24] ebenda, I, S. 263 [25] ebenda, I, S. 262 [26] ebenda, I, S. 264 [27] ebenda, I, S. 261 [28] ebenda, I, S. (265) [29] ebenda, II, S. 82 [30] ebenda, I, S. 345 [31] ebenda, I, S. 343 [32] ebenda, I, S. (265) [33] ebenda, I, S. 262 [34] ebenda, I, S. 343 [35] ebenda, I, S. 258 [36] ebenda, I, S. 5 [37] ebenda, I, S, 328 [38] ebenda, II, S. 127 [39] ebenda, II, S. 15 [40] ebenda, I, S. 352 [41] ebenda, II, S. 144 [42] ebenda, II, S. 60 [43] ebenda, I, S. 163 [44] ebenda, I, S. 35 [45] ebenda, I, S. 73 [46] ebenda [47] ebenda, I, S. 354 [48] ebenda, I, S. 20 f. [49] ebenda, I, S. 21 [50] ebenda [51] ebenda [52] James, The Novels and Stories [vol. 6], S. XI [53] Portrait, I, S. 325 [54] ebenda, I, S. 329 [55] ebenda, II, S. 142 [56] ebenda, I, S. 356 [57] ebenda, I, S. 321 [58] ebenda, I, S. 244 [59] ebenda, I, S.245 [60] ebenda, II, S. 322 [61] ebenda, II, S. 330 [62] ebenda, I, S. 273 [63] ebenda, I, S. 277 [64] ebenda, II, S. 73 [65] ebenda, II, S. 74 [66] ebenda, II, S. 73 [67] ebenda, II, S. 192 [68] ebenda, II, S. 74 f. [69] ebenda, II, S. 192 [70] ebenda, II, S. 71 [71] ebenda, I, S. 300 [72] ebenda, II, S. 329 [73] ebenda [74] ebenda, II, S. 39 [75] ebenda, I, S. 349 [76] ebenda, I, S. 417 [77] ebenda, I, S. 165 [78] ebenda [79] ebenda, I, S. 213 [80] ebenda [81] ebenda, I, S. 214 [82] ebenda, II, S. 203 [83] ebenda, II, S. 194 f. [84] ebenda, II, S. 188 [85] ebenda, II, S. 284 [86] ebenda, II, S. 356 [87] ebenda, II, S. 357 [88] ebenda, II, S. 405 [89] ebenda, I, S. 47 [90] ebenda, S. I, 48 [91] ebenda, I, S. 224 [92] ebenda, I, S. 232 [93] ebenda, I, S. 143 [94] ebenda, I, S. 426 [95] ebenda, I, S. 383 [96] ebenda, II, S. 117 [97] ebenda, I, S. 189 [98] ebenda, I, S. 188 [99] ebenda, I, S. 191 [100] ebenda, I, S. 309 [101] ebenda, I, S. 310 [102] ebenda, I, S. 311 [103] ebenda, II, S. 365 [104] ebenda, II, S. 366 [105] ebenda, II, S. 26 [106] ebenda, II, S. 365 [107] ebenda, I, S. (294) [108] ebenda, II, S. 416 [109] ebenda, II, S. 71 [110] ebenda, II, S. (417) [111] ebenda, II, S. 414 [112] ebenda, II, S. (417) [113] ebenda, I, S. 72 [114] ebenda, I, S. 71 f. [115] ebenda, II, S. 416 [116] ebenda, II, S. 436 [117] ebenda, II, S. 17 [118] vgl. ebenda, I, S. 235 [119] ebenda, I, S. 186 [120] James, The House of Fiction, S. 261 [121] James, The Notebooks, S. 18 [122] Portrait, II, S. (320) [123] ebenda, II, S. 303

IX

[1] Fontane, Gesammelte Werke, II, Bd. 9, S. 189 [2] ebenda, S. 188 f. [3] vgl. Nr. 372) an Theodor Fontane (8. 9. 1887): Fontane, JA, II, Bd. 5, S. 168 [4] Nr.

379) an Emil Schiff (15. 2. 1888): ebenda, S. 176   [5] ebenda, S. 177   [5a] Irrungen, Wirrungen. Roman von Theodor Fontane. Königsberg, Ostpr., o. J. [1888]
[6] Irrungen, Wirrungen, S. 158   [7] ebenda   [8] ebenda, S. 160   [9] ebenda, S. 163
[10] ebenda, S. 162   [11] ebenda, S. 150   [12] ebenda, S. 161   [13] vgl. Meinecke,
Bd. 4, S. 216   [14] Fontane, Gesammelte Werke, II, Bd. 9, S. 242   [15] ebenda,
S. 224   [16] Irrungen, Wirrungen, S. 163   [17] ebenda, S. 164   [18] ebenda,
S. 170   [19] ebenda, S. 302   [20] Nr. 372) an Theodor Fontane (8. 9. 1887):
Fontane, JA, II, Bd. 5, S. 168   [21] Irrungen, Wirrungen, S. 139 f.   [22] ebenda, S. 140   [23] ebenda, S. 164   [24] ebenda, S. 140   [25] ebenda, S. 267
[26] ebenda, S. 141 f.   [27] Nr. 370) an Emil Dominik (14. 7. 1887): Fontane, JA, II,
Bd. 5, S. 165   [28] Irrungen, Wirrungen, S. 192   [29] ebenda   [30] ebenda,
S. 287   [31] ebenda, S. 289   [32] ebenda, S. 287   [33] ebenda, S. 313   [34] ebenda, S. 213   [35] ebenda, S. 178   [36] ebenda, S. 184   [37] ebenda, S. 213
[38] Fontane, Gesammelte Werke, II, Bd. 9, S. 214   [39] Irrungen, Wirrungen,
S. 173   [40] ebenda   [41] ebenda, S. 176   [42] ebenda, S. 175   [43] ebenda
[44] ebenda   [45] ebenda   [46] ebenda, S. 176   [47] ebenda   [48] ebenda, S. 177
[49] ebenda   [50] ebenda, S. 178   [51] ebenda   [52] ebenda, S. 279   [53] ebenda, S. 280   [54] Spielhagen, S. 122   [55] ebenda, S. 110   [56] Zola, S. 270
[57] Spielhagen, S. 118   [58] Nr. 5830) an Cotta (1. 10. 1809): Goethe, WA, IV,
Bd. 21, S. 99   [59] zu Eckermann (9. 2. 1829): Goethe, Gedenkausgabe, Bd.
24, S. 310   [60] Irrungen, Wirrungen, S. 288   [61] ebenda, S. 297   [62] Nr.
371) an Friedrich Stephany (16. 7. 1887): Fontane, JA, II, Bd. 5, S. 166   [63] Irrungen, Wirrungen, S. 298   [64] Nr. 372) an Theodor Fontane (8. 9. 1887):
Fontane, JA, II, Bd. 5, S. 169   [65] Irrungen, Wirrungen, S. 171   [66] ebenda,
S. 272 f.   [67] Nr. 931) zu Riemer (6./10. 12. 1809): Goethe, Gedenkausgabe,
Bd. 22, S. 575   [68] Irrungen, Wirrungen, S. 219   [69] ebenda, S. 218   [70] Nr.
318) an Emilie Fontane (14. 5. 1884): Fontane, JA, II, Bd. 5, S. 102   [71] Nr.
747 (1./21. 8. 1809): Gräf, I, Bd. 1, S. 389   [72] Nr. 868) zu F. J. und Johanna
Frommann (nach dem 24. 1. 1810): ebenda, S. 436   [73] Nr. 148 (27. 5. 1891):
Fontane, Briefe an Georg Friedlaender, S. 147   [74] Irrungen, Wirrungen, S. 298
[75] Goethe, JA, Bd. 37, S. 226   [76] Irrungen, Wirrungen, S. 230   [77] ebenda
[78] Goethe, JA, Bd. 33, S. 116   [79] Fontane, Gesammelte Werke, II, Bd. 9, S. 277
[80] ebenda, S. 275   [81] zu Eckermann (17. 2. 1830): Goethe, Gedenkausgabe,
Bd. 24, S. 395   [82] Nr. 371) an Friedrich Stephany (16. 7. 1887): Fontane, JA,
II, Bd. 5, S. 167   [83] Fontane, Gesammelte Werke, II, Bd. 9, S. 275

BIBLIOGRAPHIE

Die nachfolgende Bibliographie ist vollständig nur im Hinblick auf die Schriften, die unmittelbar zitiert oder benutzt wurden. Der letzte Absatz nennt einige Werke, die im Zusammenhang des behandelten Problems förderlich sind.

Achim von ARNIM, Isabella von Ägypten und andere Erzählungen. Hrsg. von Walther Migge. Zürich 1959 (Manesse Bibliothek der Weltliteratur).

BAUDELAIRE, Œuvres. Texte établi et annoté par Y.-G. le Dantec. Paris 1954 (Bibliothèque de la Pléiade. 1).

Walter BENJAMIN, Schriften. Hrsg. von Th. W. Adorno u. Gretel Adorno unter Mitw. von Friedrich Podszus. 2 Bde. Frankfurt a. M. 1955.

The Works of Charles DICKENS. In 32 volumes. With introductions, general essay, and notes by Andrew Lang. London, New York 1897–1899 (Gadshill Edition) (vol. 22: Great Expectations; zit. als „Great Expectations").

Sämtliche Werke des Freiherrn Joseph von EICHENDORFF. Hist.-krit. Ausg. In Verb. mit Philipp August Becker hrsg. von Wilhelm Kosch u. August Sauer. Bd. 1 ff. Regensburg 1908 ff.
Joseph Freiherr von EICHENDORFF, Neue Gesamtausgabe der Werke und Schriften. In 4 Bänden. Hrsg. von Gerhard Baumann in Verb. mit Siegfried Grosse. Stuttgart 1953–1958 (in Bd. 2: Romane und Novellen: Ahnung und Gegenwart; zit. als „Ahnung und Gegenwart").

Gustave FLAUBERT, Madame Bovary. Mœurs de Province. Texte suivi de réquisitoire, plaidoirie et jugement du procès intenté à l'auteur. Introduction, notes et relevé de variantes, par Édouard Maynial. Paris 1961 (Classiques Garnier).

Theodor FONTANE, Gesammelte Werke. 1. Serie: Romane und Novellen. 10 Bde. 2. Serie: Gedichte – Autobiographisches – Briefe – Kritiken – Nachlaß. 11 Bde. Berlin o. J. [1905–1911].
Theodor FONTANE, Gesammelte Werke. Jubiläumsausgabe. 1. Reihe: Erzählende Werke. 5 Bde. 2. Reihe: Autobiographische Werke / Briefe. 5 Bde. Berlin 1920 (zit. als „Fontane, JA").
Theodor FONTANE, Briefe an Georg Friedlaender. Hrsg. u. erl. von Kurt Schreinert. Heidelberg 1954.

GOETHES Werke. Hrsg. im Auftr. der Großherzogin Sophie von Sachsen. 1. Abth.: Werke. 55 Bde. 2. Abth.: Naturwissenschaftliche Schriften. 13 Bde. 3. Abth.: Tagebücher. 15 Bde. 4. Abth.: Briefe. 50 Bde. Weimar 1887–1919 (Weimarer Ausgabe) (zit. als „Goethe, WA").

Bibliographie

GOETHES Sämtliche Werke. Jubiläums-Ausgabe in 40 Bänden ... hrsg. von Eduard von der Hellen. Stuttgart u. Berlin o. J. (Bd. 21: Die Wahlverwandtschaften; zit. als „Wahlverwandtschaften"; sonst als „Goethe, JA").

Johann Wolfgang GOETHE, Gedenkausgabe der Werke, Briefe und Gespräche. Hrsg. von Ernst Beutler. 24 Bde. Zürich 1948–1954.

GOETHE über seine Dichtungen. Versuch einer Sammlung aller Äußerungen des Dichters über seine poetischen Werke von Hans Gerhard Gräf. 1. Thl.: Die epischen Dichtungen. 2 Bde. 2. Thl.: Die dramatischen Dichtungen. 4 Bde. 3. Thl.: Die lyrischen Dichtungen. 3 Bde. Frankfurt a. M. 1901–1914.

GOETHE in vertraulichen Briefen seiner Zeitgenossen. Auch eine Lebensgeschichte. Zusammengest. von Wilhelm Bode. 3 Bde. Berlin 1918–1923.

Georg Wilhelm Friedrich HEGEL, Ästhetik. Hrsg. von Friedrich Bassenge. Mit einem einführenden Essay von Georg Lukács. Berlin 1955 (Klassisches Erbe aus Philosophie und Geschichte).

Hugo von HOFMANNSTHAL, Prosa IV. Frankfurt a. M. 1955 (Gesammelte Werke in Einzelausgaben).

IMMERMANNS Werke. Hrsg. von Harry Maync. Krit. durchges. u. erl. Ausg. 5 Bde. Leipzig u. Wien o. J. (Meyers Klassiker-Ausgaben).

The Novels and Stories of Henry JAMES. 35 vol. London 1921–1923.
Henry JAMES, The Portrait of a Lady. Introduction by Fred B. Millett. New York 1951 (The Modern Library) (zit. als „Portrait").
The Notebooks of Henry JAMES. Ed. by F. O. Matthiessen and Kenneth B. Murdock. New York 1955.
The House of Fiction. Essays on the Novel by Henry JAMES. Ed. with an introduction by Leon Edel. London 1957.

JEAN PAULS Sämtliche Werke. Hist.-krit. Ausg. Hrsg. von der Preußischen Akademie der Wissenschaften in Verb. mit der Akademie zur wissenschaftlichen Erforschung u. zur Pflege des Deutschtums (Deutsche Akademie) u. der Jean-Paul-Gesellschaft. [Hrsg. von Eduard Berend.] 1. Abt.: Zu Lebzeiten des Dichters erschienene Werke. 2. Abt.: Nachlaß. 3. Abt.: Briefe. Bd. 1 ff. Weimar 1927 ff.

Otto LUDWIGS gesammelte Schriften. (Hrsg. von Adolf Stern u. Erich Schmidt.) 6 Bde. Leipzig 1891.

Friedrich MEINECKE, Werke. Hrsg. im Auftr. des Friedrich-Meinecke-Instituts der Freien Universität Berlin von Hans Herzfeld, Carl Hinrichs, Walther Hofer. 6 Bde. Stuttgart, München, Darmstadt 1957–1962.

Alfred de MUSSET, La Confession d'un Enfant du Siècle. Introduction, notes et relevé de variantes par Maurice Allem. Paris 1960 (Classiques Garnier).

Friedrich NIETZSCHE, Werke. In 3 Bänden. Hrsg. von Karl Schlechta. München 1954–1956.

Bibliographie

The Works of Edgar Allan POE. With a memoir by Richard Henry Stoddard. 8 vol. New York 1884 (in vol. 4: Narrative of A. Gordon Pym; zit. als „Narrative").

Marcel PROUST, À la Recherche du Temps perdu. Texte établi et présenté par Pierre Clarac et André Ferré. 3 vol. Paris 1954 (Bibliothèque de la Pléiade. 100–102).

Wilhelm RAABE, Sämtliche Werke. Serie 1: 6 Bde. Serie 2: 6 Bde. Serie 3: 6 Bde. Berlin-Grunewald [1913–1916] (in III, Bd. 4: Das Odfeld; zit. als „Odfeld"). „In alls gedultig". Briefe Wilhelm RAABES. (1842–1910). Im Auftr. der Familie Raabe hrsg. von Wilhelm Fehse. Berlin 1940.

Friedrich SCHLEGEL, Kritische Schriften. Hrsg. von Wolfdietrich Rasch. München [1956].

K. W. F. SOLGER's Vorlesungen über Aesthetik. Hrsg. von K. W. L. Heyse. Leipzig 1829.

Friedrich SPIELHAGEN, Neue Beiträge zur Theorie und Technik der Epik und Dramatik. Leipzig 1898.

STENDHAL, Romans et Nouvelles. Texte établi et annoté par Henri Martineau. 2 vol. Paris 1952 (Bibliothèque de la Pléiade. 4. 13) (in [vol. 1]: Le Rouge et le Noir; zit. als „Le Rouge et le Noir").

STENDHAL, Œuvres intimes. Texte établi et annoté par Henri Martineau. Paris 1955 (Bibliothèque de la Pléiade. 109).

Adalbert STIFTER, Sämmtliche Werke. Bd. 1 ff. Prag 1901 ff. (Bibliothek Deutscher Schriftsteller aus Böhmen. 11 ff.).

Adalbert STIFTER, Der Nachsommer. Eine Erzählung. Hrsg. von Max Stefl. Augsburg 1954 (zit. als „Nachsommer").

Theodor STORM, Sämtliche Werke. In 8 Bänden. Hrsg. von Albert Köster. Leipzig [1921–] 1923.

Allgemeine Theorie der Schönen Künste in einzeln, nach alphabetischer Ordnung der Kunstwörter auf einander folgenden, Artikeln abgehandelt, von Johann George SULZER. 2 Thle. [in 4 Bdn.] Leipzig 1773–1775.

Alexis de TOCQUEVILLE, Œuvres complètes. Éd. déf. publiée sous la direction de J.-P. Mayer. T. 1, vol. 1 ff. Paris 1961 ff.

Émile ZOLA, Le Roman expérimental. Paris 1890.

Erich AUERBACH, Mimesis. Dargestellte Wirklichkeit in der abendländischen Literatur. 2., verb. u. erw. Aufl. Bern 1959 (Sammlung Dalp. 90).

Richard BRINKMANN, Wirklichkeit und Illusion. Studien über Gehalt und Grenzen des Begriffs Realismus für die erzählende Dichtung des 19. Jahrhunderts. Tübingen 1957.

Bibliographie

Wolfgang KAYSER, Wer erzählt den Roman? In: Deutsche Akademie für Sprache und Dichtung, Darmstadt. Jb. 1957 (1958), S. 21–40.

Eberhard LÄMMERT, Bauformen des Erzählens. Stuttgart 1955.

Georg LUKÁCS, Die Theorie des Romans. Ein geschichtsphilosophischer Versuch über die Formen der großen Epik. Berlin 1920.

Georg LUKÁCS, Deutsche Realisten des 19. Jahrhunderts. Berlin 1951.

Herman MEYER, Das Zitat in der Erzählkunst. Zur Geschichte und Poetik des europäischen Romans. Stuttgart 1961.

Robert PETSCH, Wesen und Formen der Erzählkunst. Halle 1934 (Deutsche Vierteljahrsschrift für Literaturwissenschaft und Geistesgeschichte. Buchreihe. 20).

Franz STANZEL, Die typischen Erzählsituationen im Roman. Dargest. an Tom Jones, Moby-Dick, The Ambassadors, Ulysses u. a. Wien-Stuttgart 1955 (Wiener Beiträge zur englischen Philologie. 63).

Aus der KLEINEN VANDENHOECK-REIHE

Einfacher Band 2,80 DM: Doppelbd. 3,80 DM; Dreifacher Bd. 4,80 DM; Sonderbd. 7,80 DM

C. H. BECK

DIE DEUTSCHE LITERATUR –
TEXTE UND ZEUGNISSE

»Das Ziel dieser Reihe ist es, ein umfassendes, zugleich aber überschaubares Lesebuch im besten Verstande des Wortes zu werden. Die Epochen der deutschen Literaturgeschichte gewinnen anhand von Texten und Zeugnissen Gestalt. Die Herausgeber haben nicht darauf verzichtet, die Epochen, ihren Charakter, ihre Grenzen und ihren Geist, außer durch dichterische Zeugnisse, durch theoretische, biographische oder wissenschaftliche Texte zu dokumentieren.«

Norddeutscher Rundfunk

Gesamtplan der Reihe:

BAND I Mittelalter
Hrsg. VON HELMUT DE BOOR. 1965. LXXIV, 1880 Seiten in zwei Teilbänden. Leinen je Teilband DM 39,—

BAND II 15. und 16. Jahrhundert
(In Vorbereitung)

BAND III Das Zeitalter des Barock
Hrsg. VON ALBRECHT SCHÖNE. 1963. XXIX, 1113 Seiten. Leinen DM 48,—

BAND IV 18. Jahrhundert
Hrsg. von RICHARD ALEWYN. (In Vorbereitung für 1968).

BAND V Sturm und Drang / Klassik / Romantik
Hrsg. von HANS-EGON HASS. 1966. XLII, 1937 Seiten in zwei Teilbänden. Leinen je Teilband DM 39.—

BAND VI 19. Jahrhundert
Hrsg. von BENNO VON WIESE. 1965. XL, 1100 Seiten. Leinen DM 48,—

BAND VII 20. Jahrhundert
Hrsg. von WALTHER KILLY. Rund 1200 Seiten. Leinen DM 48,— (In Vorbereitung für Sommer 1967)

Bitte fordern Sie den Sonderprospekt der Deutschen Literatur-Texte und Zeugnisse an: Verlag C.H.Beck, 8 München 23